이 책을 쓴 선생님들

이 책은 초등교육과정의 단계별 수준에 맞추기 위하여 학년별 교과과정에 맞는 글을 선정하였습니다. 학년별 교과과정에 따라 6단계로 나눈 것입니다. 1단계에서 6단계로 나아갈수록 지문과 문제의 수준이 차츰차츰 높아집니다. 이런 점에 따라 이 책은 자신의 학년에 맞추어 공부하는 편이 바른 방법이겠지요.그러나 독해력은 개인차가 존재하므로 독해력의 기초를 다진다는 의미로 볼 때 자신의 학년보다 조금 단계를 낮추어 시작하는 것이 효율적일 수 있습니다.
읽기는 종합적인 생각의 과정으로 글의 사실을 이해하고, 이해한 사실에 미루어 새로운 내용을 짐작해보고, 비판도 하면서, 새로운 다른 일에 적용할 줄도 알아야 합니다. 이점에 착안한 4번 미루어알기, 6번 적용하기 유형을 통하여 응용력과 창의력을 키울 수 있습니다.
문항 유형별로 갈래에 따른 출제 유형과 대응 전략을 7가지 독해법과 함께 소개하였으므로, 본격적인 학습에 들어가기 전에 잘 익혀두면 독해력 향상에 크게 도움이 됩니다. 특히 취약유형은 더욱 대응 전략을 잘 숙지하면서 문제를 푸는 습관이 필요합니다.

김갑주 선생님 서울대학교 국어국문학과 졸업, 장훈고등학교 국어교사, 대성학원과 종로학원 강사, 중고등 참고서 다수 집필, 초등 독해력 키움 집필

저는 초등학교에서 15년 가까이 근무하며 국어뿐만 아니라 모든 공부의 바탕에 문해력이 있다는 데에 확신을 가지게 되었습니다. 그런데 학생들이 문해력을 효과적으로 향상시키려면 다음 두 가지가 꼭 필요합니다.
첫째는 독해력입니다. 여러분은 이 교재의 회차별 7가지 문항 유형을 통해 주제찾기(1번유형) 및 글감 찾기(2번유형)부터 사실 이해하기(3번유형), 미루어 알기(4번유형), 세부 내용 찾기(5번유형), 적용하기(6번유형), 요약하기(7번유형)까지 연습할 수 있습니다. 둘째는 어휘력입니다. 회차별 지문뿐 아니라 <어휘 넓히기>, <어휘·어법 총정리>에서 여러분은 많은 낱말을 익히게 됩니다. 또 학년에 따라 맞춤법 및 한자어에 대한 영역까지 두루 살펴볼 수 있습니다.
이 교재를 꾸준히 공부하면 독해력과 어휘력을 함께 체계적으로 신장할 수 있습니다. 하지만 가장 좋은 것은 독서와 이 교재를 병행하는 것이겠지요. 어려움이 있더라도 끈기와 집중력을 발휘하여 최선을 다해 주기를 바랍니다.

김미나 선생님 경인교육대학교 사회과교육과 졸업, 서울대학교 국어교육과 석사 졸업, 초등 사회 교과서 문장 오류 분석, 이스라엘 초등 국어 교과서 한국어 번역 작업, EBS 뉴스의 우리말 순화 활동지 제작 등 다수의 사업 참여, 현재 세종 다빛초등학교 재직 중

구성과 학습 방법

구성에 따른 학습 방법을 알고 공부하면 효과를 높일 수 있습니다.
(표를 보는 순서 ① 주간 시작 → ② 독해 지문 → ③ 7가지 문항 유형 → ④ 어휘 학습 → ⑤ 주간 총정리)

② 독해지문

'생각 열기'는 아래에서 읽어야 할 글(본문)에 대한 실마리를 담고 있어요.

문항별 점수에 따라 나의 점수를 계산해 봅니다.

본문에서는 국어 교과서의 글은 물론, 사회, 과학, 국활 등에서 학년단계에 맞는 글들을 선별하고, 통합교과적 소재에 대한 독해 능력을 올리는데 알맞은 글들을 최종적으로 엄선하여 수록했습니다.

본문에 나온 어려운 말에 어깨번호를 붙이고 그 말에 대해 자세히 설명해 둔 것이에요.

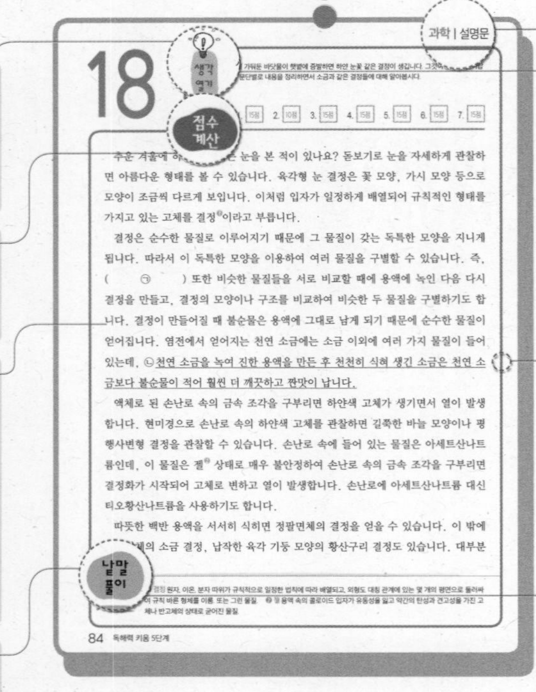

- 단계별 교과 과정에 맞추어 모든 교과서에서 통합 교과적인 글감을 선별하고 이것을 다시 인문, 사회, 과학, 산문문학, 운문문학으로 체계화하며 수록하였습니다.
- '생각 열기'를 통하여 어떤 내용이 실려 있는지 대강 알고 읽으면 본문을 쉽게 파악할 수 있어요.
- 본문으로 실은 글의 종류가 무엇인지는 중요하지 않습니다. 다만 통합교과적인 글들을 읽는 훈련을 통하여 인문, 사회, 과학, 문학 등의 여러 종류의 글을 읽으면서 체계적인 독해능력을 기르도록해요.
- 본문을 읽으면서 어깨번호가 붙은 말이 있으면 본문의 아래에 있는 설명을 보아 도움을 받도록 해요.

③ 7가지 문항유형

'대학수학능력시험', 'SSAT(미국 중등학교 입학시험)' 등의 평가 유형을 참고하여 초등과정에서 효과적인 독해력 향상을 위한 독창적이고 체계적인 7가지 독해 비법을 유형으로 개발하였습니다.

7가지 유형의 지정 문항을 매회 1개씩 배치하여 각 유형마다 40문항씩 익히게 됨으로써 체계적 독해력 향상이 가능합니다.

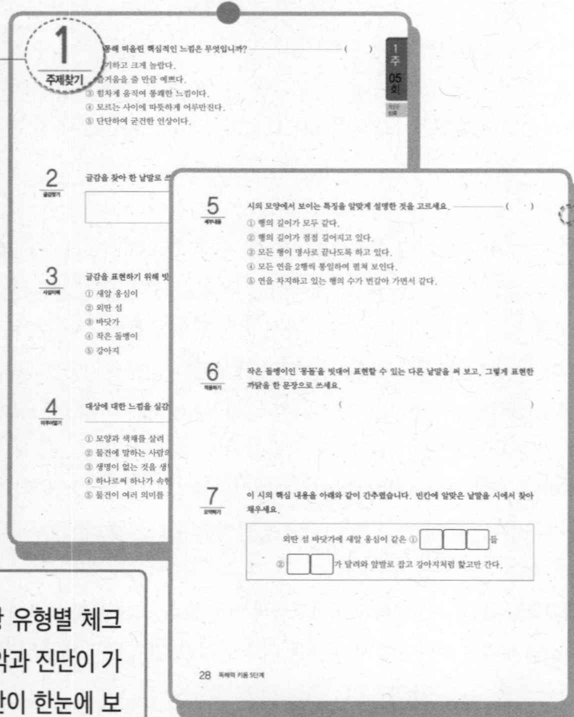

- 7가지 독해력 측정을 위해 [주제 찾기(1번), 글감이나 제목 찾기(2번), 사실 이해(3번), 미루어 알기(4번), 세부내용 파악(5번), 적용하기(6번), 요약하기(7번)]를 지정문항으로 반복함으로 유형별로 효과적인 해결능력을 올리도록 했습니다. 또한 모든 단계가 끝나는 자리(이 책의 끝)에 있는 평가 진단표를 작성하도록 하여 취약 유형을 파악하고 보완하도록 하였습니다.

피드백효과

평가와 진단하기에 문항 유형별 체크를 하여 유형별 실력 파악과 진단이 가능하며, 글감별로도 진단이 한눈에 보이게 됩니다.

④ 어휘학습

낱말의 뜻을 알고, 부려서 쓸 줄 아는 힘은 읽기를 잘하기 위해서 바탕이 되는 힘이에요.

위에서 뜻을 알아본 낱말을 문장에서 부려 쓸 줄 아는지 평가해 보려고 해요.

초등과정에서 알아야 할 한자를 익혀서 독해력의 기본기를 다져요.

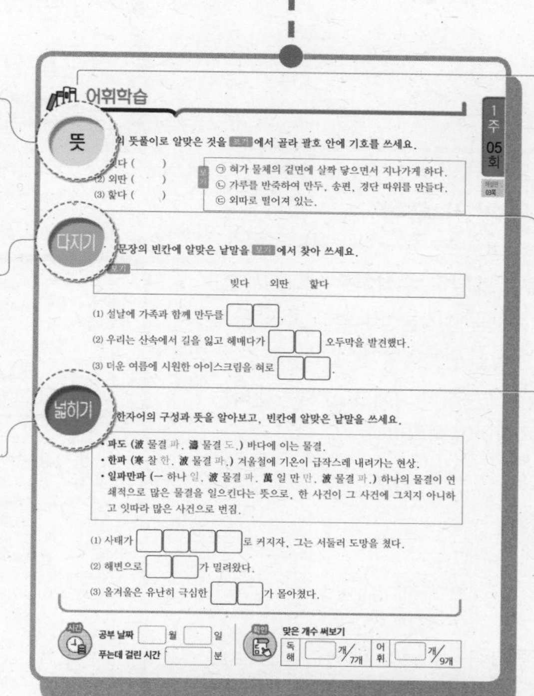

왼쪽의 낱말을 보고 오른쪽의 어느 것이 그 뜻일지 서로 견주어 보면 어렵지 않게 맞추어 갈 수 있어요.

빈칸의 앞과 뒤에 놓여 있는 말을 잘 살펴가면서 알맞은 말을 고르면 되어요.

괄호 속에 적혀 있는 한자 한 글자씩 그 뜻을 살펴보고, 오른쪽의 풀이를 새겨봅니다. 한자의 뜻에 맞도록 빈칸을 채워보세요. (여기에 나오는 한자어는 본문에 수록된 한자어를 기반으로 다루고 있습니다.)

① 주간시작

⑤ 주간 총정리

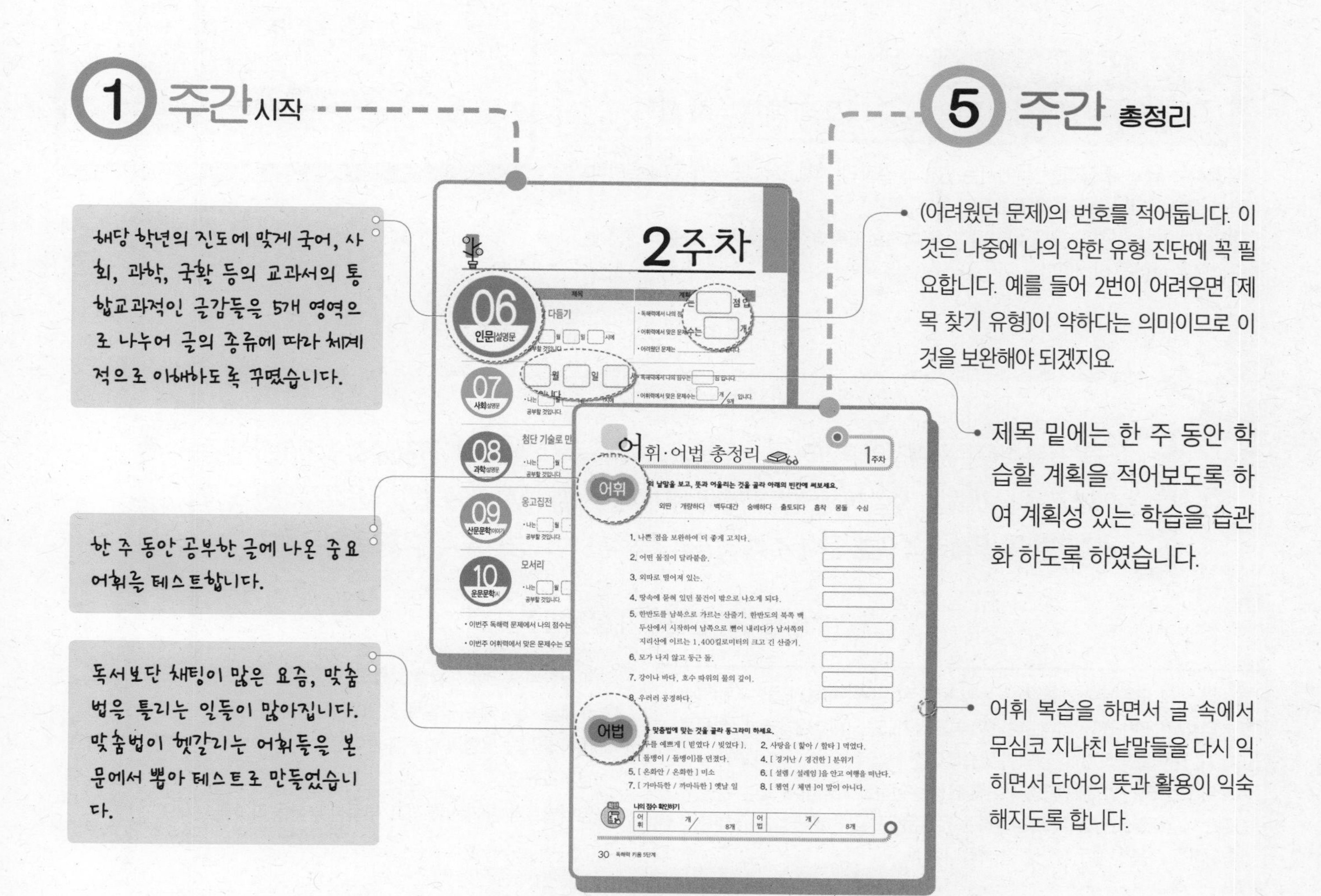

해당 학년의 진도에 맞게 국어, 사회, 과학, 국활 등의 교과서의 통합교과적인 글감들을 5개 영역으로 나누어 글의 종류에 따라 체계적으로 이해하도록 꾸몄습니다.

한 주 동안 공부한 글에 나온 중요 어휘를 테스트합니다.

독서보단 채팅이 많은 요즘, 맞춤법을 틀리는 일들이 많아집니다. 맞춤법이 헷갈리는 어휘들을 본문에서 뽑아 테스트로 만들었습니다.

(어려웠던 문제)의 번호를 적어둡니다. 이것은 나중에 나의 약한 유형 진단에 꼭 필요합니다. 예를 들어 2번이 어려우면 [제목 찾기 유형]이 약하다는 의미이므로 이것을 보완해야 되겠지요.

제목 밑에는 한 주 동안 학습할 계획을 적어보도록 하여 계획성 있는 학습을 습관화 하도록 하였습니다.

어휘 복습을 하면서 글 속에서 무심코 지나친 낱말들을 다시 익히면서 단어의 뜻과 활용이 익숙해지도록 합니다.

7가지 유형 독해 방법

[7가지 유형으로 학습한 후, 책 뒷면에 있는 평가와 진단하기에 문항별로 체크를 하여보면 자신의 실력과 부족한 부분을 자가 진단할 수 있습니다.]

주제찾기 유형(1번)

글 전체의 중심 내용 찾기 문항

설명하는 글에서는 '이처럼', '이와 같이', '요컨대' 등의 말이, **주장하는 글**에서는 '그러므로', '따라서' 등의 말이 문장의 앞에 놓이면 주제문일 가능성이 높다. 주제 문장이 보이지 않으면 마지막 문단을 요약하여 주제 문장을 만들어야 한다.

이야기는 인물, 사건, 배경 중 무엇이 중심에 놓여 있는지 파악해보고, **시**는 말하는 사람이 어떤 느낌이나 생각에 사로잡혀 있는지 파악하여 정리한다.

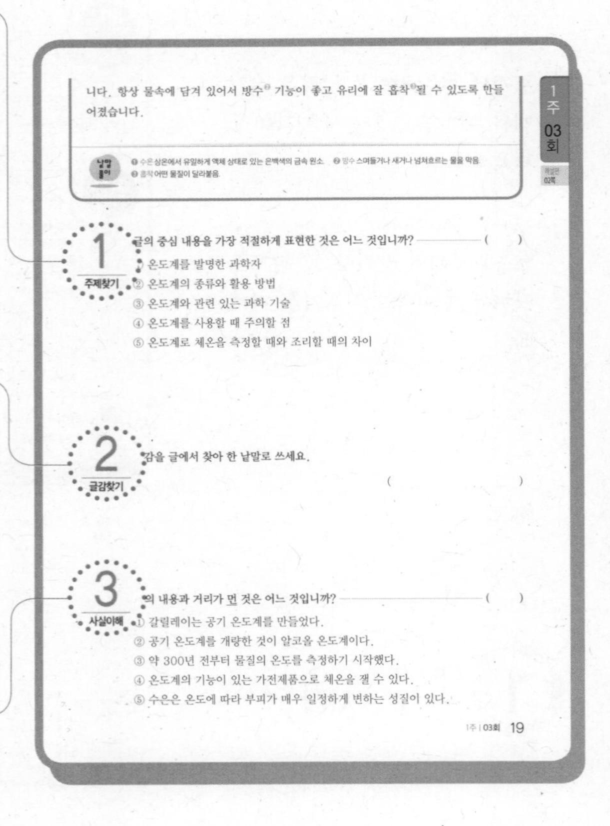

글감(제목)찾기 유형(2번)

글에서 반복하여 나타난 말이나, 글의 대상이 된 것

설명하는 글과 **주장하는 글**에서는 여러 번 반복하여 나타난 글의 중심 낱말을 찾아내는 것이 가장 중요하고, 이야기에서는 인물, 사건, 배경 중 무엇에 초점을 두었는지를 확인한다. **시**는 작품을 음미해본 다음, 무엇을 대상으로 하여 내용을 이루었는지 따져본다.

사실이해 유형(3번)

글에 나타난 사실을 있는 그대로 이해했는지 확인

설명하는 글과 **주장하는 글**에서는 원인과 결과의 관계, 주장과 근거 등에 유의하면서 글에 나타난 사실을 이해했는지 확인한다.

이야기에서는 사건이 글에 나타난 것을 따져보도록 하고, **시**에서는 표현의 특징을 중심으로 사실을 이해한다.

[*국어 능력 향상은 체계적인 훈련이 꼭 필요합니다. 국어 능력 향상 비법 7가지[주제 찾기(1번), 글감이나 제목 찾기(2번), 사실 이해(3번), 미루어 알기(4번), 세부내용 파악(5번), 적용하기(6번), 요약하기(7번)]를 통해 글의 이해, 분석, 추리, 적용의 종합적인 사고 능력을 체계적으로 키우세요.*]

[평가와 진단하기 활용법]

※ 이 책의 모든 문항과 유형은 동일 번호로(1번→주제찾기, 2번→제목(글감)찾기, 3번→사실이해, 4번→미루어 알기, 5번→세부내용 6번→적용하기, 7번→요약하기) 통일되어 있습니다.

※ 이 표는 자신의 취약 영역과 취약 유형을 한눈에 파악하게 합니다.

(자주 틀리거나 취약하다고 생각하는 유형은 7가지 독해 방법을 다시 한번 숙지하고 다음 단계로 넘어가길 바랍니다.)

1. 각 회차의 유형에 정답을 맞혔으면 'O'표를 틀렸으면 'x'표를 하세요.
2. 제재별 '소계'에 유형별로 맞은('O'표) 개수를 쓰세요.
3. 많이 틀리는 유형이 한눈에 보이므로 자신의 부족한 부분을 진단하고 보완하세요.
4. 영역별로 맞힌 개수를 적고, 부족한 부분을 파악해 보세요.

"글을 읽고 문제를 풀 때는, 가장 먼저 '사실이해 유형(3번)'을 유념해 보아 두어야 합니다. 글 읽기는 주어진 글의 사실 이해로부터 출발해야 하기 때문입이다."

4 미루어알기

글의 내용으로 미루어 알 수 있는 새로운 생각은 무엇입니까? ( )

① 공기는 온도에 따라 팽창하는 양이 일정하지 않다.
② 알코올은 온도가 높을 때 부피가 빠르게 늘어나는 성질이 있다.
③ 일상생활에서는 주로 온도계와 체온계를 많이 사용하고 있다.
④ 수족관처럼 물로 채워진 곳에서 사용하는 온도계는 방수 기능을 갖추고 있다.
⑤ 온도를 정확히 재기 위해서는, 온도에 따라 일정하게 부피가 늘어나는 액체를 액체 샘에 담아야 한다.

5 세부내용

㉠에 알맞은 말은 어느 것입니까? ( )

① 수은 온도계 ② 공기 온도계
③ 알코올 온도계 ④ 디지털 온도계
⑤ 조리용 온도계

6 적용하기

글을 읽고 온도계의 원리를 다음과 같이 정리해 보았습니다. 빈칸에 알맞은 말을 채우세요.

> 주변의 온도가 변화함에 따라 그 □□ 등이 일정하게 변화하는 액체나 고체의 성질을 응용한 것이 온도계입니다.

7 요약하기

글의 흐름을 다음과 같이 정리하려고 할 때 빈칸에 들어갈 말을 채우세요.

1문단	다양한 온도계의 ① □□
2문단	쓰임새에 따른 다양한 온도계
3문단	일상생활에서 사용하는 ② □□□
4문단	여러 가지 온도계의 쓰임

20 독해력 키움 5단계

미루어 알기(추론) 유형(4번)

글에 나타난 사실에 미루어 짐작해 본 내용

설명하는 글과 **주장하는 글**에서는 선택지에 나타난 내용이, 글의 어떤 내용으로부터 이끌어낸 생각인지 찾아보고, **이야기**에서는 인물의 말이나 행동, 사건의 진행 과정 등을 파악하면서 추리해보며, **시**에서는 고백하는 말 뒤에 숨겨진 느낌이나 생각을 떠올려본다.

세부내용 유형(5번)

글의 모양, 어휘의 뜻, 어법, 글과 관련된 배경 지식 등

설명하는 글과 **주장하는 글**에서는 낱말의 뜻, 접속하는 말의 구실, 고사성어 등을 알아두고, **이야기**는 글을 읽으면서 배경을 알려주는 말이 나오면 어떤 시간이나 장소인지 정리하며, **시**는 비유나 상징에 숨어 있는 뜻을 새길 수 있어야 한다.

적용하기 유형(6번)

글의 내용을 바탕으로 새로운 생각을 떠올려보거나, 다른 일에 응용할 수 있는 능력

설명하는 글과 **주장하는 글**에서는 글을 읽어서 알게 된 내용을 다른 일에 적용할 수 있는지 알아보는 문항이 출제되고 **이야기**는 글에 나타난 대로 새로운 인물이나 사건, 배경을 그려 보일 수 있는지 묻는다. **시**는 말하는 사람의 느낌이나 생각을 정확히 이해 하는지 묻는다.

요약하기 유형(7번)

글의 전체 또는 주요 내용을 간추리는 능력

설명하는 글과 **주장하는 글**에서는 중심 내용을 간추릴 수 있는지 측정하려는 문항이다. **이야기**는 '사실이해 3'처럼 주요한 사건을 다시 확인하는 유형이 출제되기가 쉽다. 이유형은 **시**에서는 내용 흐름에 따라 중심 내용을 정리한다.

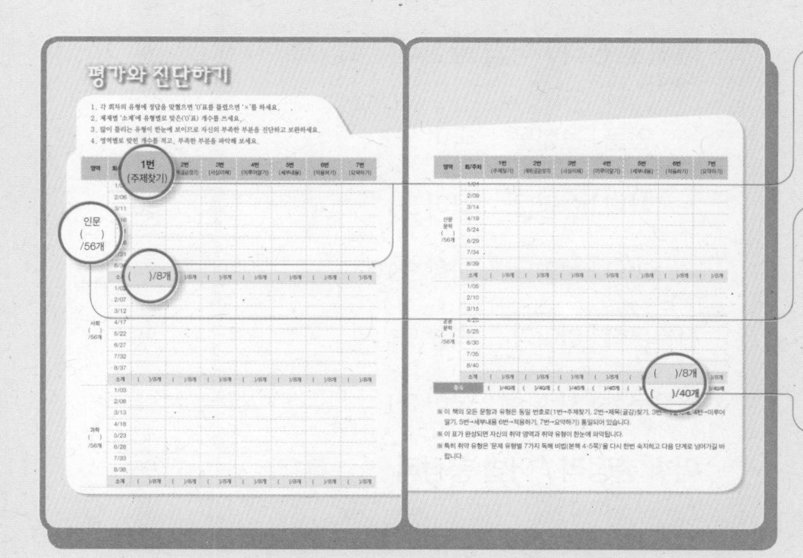

유형별로 한눈에 실력을 파악할 수 있게 하였습니다.
예 인문제재에서 주제찾기 유형(1번)은 8문항 중 몇 개를 맞고 틀렸는지 한 눈에 파악이 됩니다.

글의 갈래를 표시했습니다. 인문, 사회, 과학, 이야기, 시의 5개 영역의 정답률을 표 하나에 알 수 있어 자신의 취약 글의 갈래가 어떤 것인지 한 눈에 알 수 있습니다.
예 인문제재 56문항 중 몇 개를 틀렸는지 한 눈에 파악이 되어 자신의 부족한 점을 보충할 수 있습니다.

모든 글에서 자신의 부족한 유형이 무엇인지 한 눈에 파악할 수 있습니다.
예 적용하기 유형(6번)에서 총 40문항 중 정답은 몇 개고 오답은 몇 개인지를 알아서 독해 실력을 자가 진단합니다.

5단계

목차

『독해력키움』은,

본문이든 그 아래의 문항이든 아이들이 스스로의 힘으로 이해할 수 있도록 꾸몄습니다. 되도록 간섭은 줄이고, 부모님이나 선생님, 그 밖의 다른 분들께서 아이를 도와주실 때는 다음에 유의하십시오.

01

글이나 문제에서 뜻을 모르는 낱말이 있다고 할 때는, 그 낱말의 앞이나 뒤에 놓인 다른 말과 연결하여 미루어 뜻을 떠올려 볼 수 있도록 힘을 키워주십시오. 섣불리 사전을 찾도록 한다거나 글 전체, 문제 전부를 풀이해주었다가는 의존하는 버릇만 들이게 할 것입니다.

02

회가 끝날 때마다 붙어있는 문항 풀이의 결과를 자주 확인하여, 아이의 약점을 파악하고 자주 틀리거나 이해가 부족한 문항 유형을 중심으로, 그 문항 유형의 어려움을 극복하기 위해서 무엇을 고치고 보완해야 하는지 깨닫게 해주십시오. 고칠 점, 보완해야 할 점은『독해력키움』의 해설을 보면 잘 나와 있습니다.

03

주관식 문제의 채점 기준을 예시해두겠습니다.

한 낱말이나 빈칸이 정해진 하나의 구절로 답하는 문제에서는 모범 답안과 모양과 내용이 일치하는 답안만 만점으로 합니다. 모양은 다르지만 빈칸의 수가 같고 내용이 비슷한 답안은 비슷한 정도에 따라 점수를 낮추어 채점합니다.

여러 개의 낱말로 답하는 문제에서는 배점에 문항 수를 나누어 정답에 비례하여 채점합니다.

하나의 구절이나 문장으로 답하는 문제에서는 미리 주어진 조건을 고려하여 모범 답안의 내용과 일치하는 정도에 따라 점수를 주어야 할 것입니다. 그 기준은 도와주는 사람이 정해야 합니다.

1주차

회차 / 영역	제목	계획 및 점검
01 인문 | 설명문	찍찍이의 만화 영화 만들기 • 나는 [ ] 월 [ ] 일 [ ] 시에 공부할 것입니다.	• 독해력에서 나의 점수는 [ ] 점입니다. • 어휘력에서 맞은 문제수는 [ ] 개/9개 입니다. • 어려웠던 문제는 ______ 번입니다.
02 사회 | 설명문	우리나라 지형과 기후의 특징 • 나는 [ ] 월 [ ] 일 [ ] 시에 공부할 것입니다.	• 독해력에서 나의 점수는 [ ] 점입니다. • 어휘력에서 맞은 문제수는 [ ] 개/9개 입니다. • 어려웠던 문제는 ______ 번입니다.
03 과학 | 설명문	생활 속의 온도계 • 나는 [ ] 월 [ ] 일 [ ] 시에 공부할 것입니다.	• 독해력에서 나의 점수는 [ ] 점입니다. • 어휘력에서 맞은 문제수는 [ ] 개/9개 입니다. • 어려웠던 문제는 ______ 번입니다.
04 산문문학 | 기행문	천년의 역사가 살아 숨 쉬는 ~ • 나는 [ ] 월 [ ] 일 [ ] 시에 공부할 것입니다.	• 독해력에서 나의 점수는 [ ] 점입니다. • 어휘력에서 맞은 문제수는 [ ] 개/9개 입니다. • 어려웠던 문제는 ______ 번입니다.
05 운문문학 | 시	몽돌 • 나는 [ ] 월 [ ] 일 [ ] 시에 공부할 것입니다.	• 독해력에서 나의 점수는 [ ] 점입니다. • 어휘력에서 맞은 문제수는 [ ] 개/9개 입니다. • 어려웠던 문제는 ______ 번입니다.

• 이번 주 독해력 문제에서 나의 점수는 평균 [ ] 점입니다.

• 이번 주 어휘력에서 맞은 문제수는 모두 [ ] 개입니다.

01

여러분은 만화 영화를 좋아하나요? 화면이 계속해서 움직이는 것처럼 보이려면 어떤 과정이 있어야 할까요? 만화 영화는 보통 1초에 8개~24개의 조금씩 다른 그림들을 보여줌으로써 연속하는 움직임으로 보이도록 표현한 것입니다. 착시 현상을 이용한 것이지요. 글을 읽고 만화 영화를 만드는 원리와 과정을 살펴봅시다.

점수 계산 1. 15점 2. 15점 3. 15점 4. 15점 5. 10점 6. 15점 7. 15점

만화 영화를 만들려면 먼저 이야기가 있어야 해요. 그냥 유령만 등장해서는 안 되고, 유령이 어떤 행동을 하고, 또 어떤 사건을 벌이는지 자세한 이야기가 필요하죠. 만화 영화에서는 그걸 시나리오[1]라고 해요.

"작가 쥐! 유령이 나오는 이야기를 써 보자."

"이건 어때? 낮에는 자고 밤에만 돌아다니는 유령이 있었는데, 고양이가 말썽을 피워 유령의 단잠을 깨우는 거야. 화가 난 유령이 고양이를 혼내 주기로……."

"우아. 재미있겠는데."

작가 쥐와 찍찍이는 유령에 관한 책도 보고 고양이를 몰래 따라다니며 행동을 관찰하기도 했어요. 그러면서 이야기를 여러 번 고치고 고쳐 시나리오를 완성했어요.

찍찍이는 작가 쥐가 쓴 시나리오를 들고 그림 쥐를 찾아갔어요.

"시나리오를 완성했어. 이제 그림을 그리면 되겠어."

"모르시는 말씀! 그림을 그리기 전에 먼저 주인공을 만들어야 해."

그림 쥐는 주인공인 유령의 모습을 어떻게 그릴지 고민했어요.

"만화 영화는 여러 사람이 나눠 그림을 그려야 하니까 표정이랑 행동까지 미리 정해 두어야 해!" / 그림 쥐는 시나리오를 보고 유령을 그리기 시작했어요.

화난 표정, 웃는 표정, 삐친 표정, 놀란 표정 등 갖가지 표정을 담은 얼굴 그림을 그리고, 앞, 뒤, 옆 등 여러 방향에서 본 유령의 모습도 그렸어요.

드디어 찍찍이 만화 영화의 주인공, 유령이 탄생했어요.

"만화 영화에는 배경 그림도 필요해. 주인공이 어디에 있는지 보여 줘야 하니까."

그림 쥐는 유령이 사는 영사실[2]을 배경으로 그렸어요.

"주인공이 움직이면 배경도 조금씩 달라지니까 영사실 모습도 여러 방향에서 그려야 해."

그림 쥐는 영사실에 있는 소품들도 하나하나 따로 그렸어요.

"다 됐다. 찍찍이. 이걸 들고 작가 쥐에게 다시 가 봐."

그림 쥐는 주인공과 배경 그림을 찍찍이에게 주었어요.

"본격적으로 이야기 계획표를 만들어 볼까?" / "작가 쥐, 그게 뭐야?"

"집을 만드는 데 설계도가 필요하듯, 만화 영화를 만들 때도 설계도가 필요하지. 그걸 스토리보드라고 하기도 해."

작가 쥐는 네모 칸이 여러 개 그려진 종이에 앞으로 만들 만화 영화의 모습을 그려 넣었어요.

유령이 움직이는 모습을 그림으로 그리고, 유령이 할 말도 넣고, 어떻게 움직일지 방향도 표시했어요.

이 장면에서 저 장면으로 넘어갈 때 걸리는 시간도 꼼꼼히 적었어요.

이번에는 유령이 움직이는 것처럼 만들 차례예요.

그림 쥐는 스토리보드를 보며 주인공의 동작을 한 동작씩 따로따로 그렸어요.

"그림 쥐! 움직이는 동작인데 왜 연속 동작으로 그리지 않고 따로따로 그리는 거야?"

"나 혼자서 유령의 움직임을 다 그릴 수 없으니까, 동작의 시작과 동작이 달라지는 지점, 그리고 끝만 그리는 거야. 이걸 원화라고 해. 나머지는 친구들과 함께 그릴 거야."

그림 쥐는 방금 그린 그림 석 장을 겹쳐서 보여 주었어요. 그런데 유령의 움직임이 약간 어색해 보였어요.

"유령이 자연스럽게 움직이는 것처럼 보이게 하려면, 원화 사이사이에 중간 동작 그림을 더 그려놓아야 해. 그것을 동화라고 하지. 움직이게 하는 그림이란 뜻이야."

그림 쥐는 원화와 원화 사이에 들어가는 그림들을 그리기 시작했어요.

"그림 쥐, 이런 그림을 몇 장이나 더 그려야 하는 거야?"

"만화 영화는 1초에 적어도 12장의 그림이 필요해."

찍찍이는 완성된 동화 12장을 한 번에 휙 보았어요. (㉠) 정말 그림 속 유령이 앞으로 달려오는 것처럼 보였어요.

❶ 시나리오 영화를 만들기 위하여 쓴 각본. 장면이나 그 순서, 배우의 행동이나 대사 따위를 상세하게 표현한다.
❷ 영사실 영화나 활동 따위의 필름에 있는 상을 영사막에 비추어 나타내는 장치를 갖춘 방.

1 주제찾기

글의 내용과 관계가 깊은 것은 무엇입니까? (   )

① 과제를 받아 그것을 풀이하는 과정
② 현실 문제를 해결하는 방법을 나열하는 장면
③ 동물들 사이의 갈등으로 빗댄, 사람들의 타락한 삶
④ 하나의 문제를 두고 관점을 달리하여 발표하는 의견들
⑤ 문제 상황을 해결하기 위해 친구들과 지혜를 모으면서 노력하는 모습

2 제목찾기

빈칸에 알맞은 말을 넣으세요.

⇨ 글을 통해 ☐☐ ☐☐를 만드는 과정을 보여줍니다.

3
사실이해

글의 내용과 거리가 먼 것은 어느 것입니까? ( )

① 만화 영화를 만드는 데 시나리오가 필요하다.
② 시나리오에는 인물이 어떤 행동을 하는지 밝힌다.
③ 만화 영화의 그림은 한 사람이 인물의 행동을 그린다.
④ 만화 영화의 배경 그림은 인물의 움직임을 예상하고 그린다.
⑤ 만화 영화에서는 움직이는 동작일지라도 한 동작씩 따로따로 그린다.

4
미루어알기

글에서 알 수 없는 것은 무엇입니까? ( )

① 만화 영화는 여러 사람의 협동 작업으로 만들어진다.
② 만화 영화를 만들 때 이야기 계획표는 설계도와 같다.
③ 만화 영화의 시나리오를 쓴 다음에는 주인공을 만든다.
④ 만화 영화에서 원화 여러 장으로 움직임을 보여줄 수 있다.
⑤ 만화 영화에서 인물이 어디 있는지 알려주는 그림이 필요하다.

5
세부내용

㉠에 들어가기에 알맞은 말은 무엇입니까? ( )

① 왜냐하면 ② 그래서 ③ 그러자 ④ 하지만 ⑤ 그런데

6
적용하기

글에서 떠올릴 수 있는 말하기의 방식은 무엇입니까? ( )

① 토의 ② 토론 ③ 독백 ④ 연설 ⑤ 대담

7
요약하기

만화 영화를 만드는 과정을 아래와 같이 정리했습니다. 빈칸을 채워 완성하세요.

① □□□□가 필요해. → ② □□□을 만들어. → ③ □□과 소품을 그리자. → ④ □□□ □□□를 만들어. → ⑤ □□를 그려. → ⑥ □□를 그려야 움직이는 것 같지.

어휘학습

해설편 01쪽

뜻

낱말의 뜻풀이로 알맞은 것을 보기 에서 골라 괄호 안에 기호를 쓰세요.

(1) 꼼꼼히 (　　　)

(2) 삐치다 (　　　)

(3) 본격적 (　　　)

보기

㉠ 제 궤도에 올라 제격에 맞게 적극적인 것.

㉡ 성나거나 못마땅해서 마음이 토라지다.

㉢ 빈틈이 없이 차분하고 조심스러운 모양.

다지기

아래 문장의 빈칸에 알맞은 낱말을 보기 에서 찾아 쓰세요.

보기

삐쳐서　　꼼꼼히　　본격적

(1) 독후감을 쓰기 위해 책을 [　][　][　] 읽었다.

(2) 아이는 조그마한 일에도 자주 [　][　][　] 성을 냈다.

(3) 그 가수는 상반기부터 [　][　][　]인 활동을 시작하였다.

넓히기

다음 한자어의 구성과 뜻을 알아보고, 빈칸에 알맞은 낱말을 쓰세요.

- **동작(動** 움직일 동. **作** 지을 작.) 몸이나 손발 따위를 움직임. 또는 그런 모양.
- **시작(始** 비로소 시. **作** 지을 작.) 어떤 일이나 행위를 처음으로 함.
- **작품(作** 지을 작. **品** 물건 품.) 예술 창작 활동으로 얻어지는 제작물.

(1) 숙제를 [　][　] 한 시각은 저녁 8시이다.

(2) 날씨가 추워지자 곤충의 [　][　]이 눈에 띄게 느려졌다.

(3) 이 부채는 생긴 것 자체가 하나의 [　][　]이다.

시간

공부 날짜 [　]월 [　]일

푸는데 걸린 시간 [　]분

확인

맞은 개수 써보기

독해	[　]개/7개	어휘	[　]개/9개

02

땅이 압력을 받아 솟구쳐 오르는 것이 융기에요. 아주 먼 옛날, 우리나라 땅은 골고루 융기한 것이 아니라 동쪽은 높게 융기하고 서쪽으로 갈수록 낮게 융기했다고 해요. 그래서 우리나라는 동쪽에 높은 산이 몰려 있지요. 이러한 우리나라의 지형을 머릿속에 그려보고 기후와는 어떤 관계가 있을지 생각해보면서 다음 글을 읽어봅시다.

1. 15점 2. 15점 3. 15점 4. 15점 5. 10점 6. 15점 7. 15점

산, 강, 평야, 해안 등과 같은 땅의 모양을 지형이라고 부릅니다. 우리나라 지형의 특징을 간략히 살펴보도록 하지요. 우리 국토는 약 70%가 산지로 이루어져 있으며, 북쪽과 동쪽에는 높고 험한 산이 많아서 이들은 연속적으로 이어져 산맥을 이룹니다. 우리나라에서 가장 높은 북쪽의 백두산에서 시작된 산맥은 금강산, 설악산을 지나 남쪽의 지리산까지 이어져 우리나라의 뼈대(백두대간)를 이룹니다. 큰 산맥에서 나온 작은 산맥들이 서쪽을 향해 뻗어 나가며 점점 낮아져 동쪽은 높고 서쪽은 낮은 지형이 나타납니다. 이렇게 우리나라는 동쪽이 서쪽보다 높아 북쪽과 동쪽의 산에서 시작된 강은 주로 남쪽과 서쪽으로 흐릅니다.

해안의 특징도 살펴보도록 하지요. 동해안은 해안선이 단조롭고 모래사장이 넓어, 해수욕장이 잘 발달하였으며, 수심이 매우 깊습니다. 남해안은 해안선이 복잡하며, 크고 작은 섬이 많아 다도해라고 부릅니다. 서해안은 해안선이 역시 복잡하고 섬과 만, 반도가 많습니다. 또 밀물과 썰물의 차가 대단히 커서 갯벌이 넓게 펼쳐져 있습니다.

한 지역에서 오랜 기간에 걸쳐 나타나는 지속적이고 평균적인 대기 상태를 '기후'라고 하는데, 기온, 강수량, 바람 등으로 나타냅니다. 기후는 지형과 밀접한 관계를 맺으면서 그 특징을 드러냅니다. 우리나라는 남북으로 길어서 위도[1] 차이가 크기 때문에 남북의 기온 차이도 큽니다. 또 동서의 기온 차이도 커서 ㉠<u>비슷한 위도의 동해안 지역이 서해안 지역에 비하여,</u> 해안 지역이 내륙 지역에 비하여 대체로 겨울에 따뜻하고 여름에 시원합니다. 동해안에 있는 강릉은 차가운 북서풍[2]을 막아 주는 태백산맥과 수심이 깊어 바닷물이 빨리 식지 않는 동해의 영향으로, 비슷한 위도에 있는 인천이나 춘천보다 겨울에 덜 춥습니다.

강수량의 특징을 살펴보면, 북쪽에서 남쪽으로 갈수록 강수량이 많아지고, 남해안과 동해안 지역이 내륙보다 강수량이 많습니다. 연평균 강수량의 절반 이상이 여름에 집중됩니다. 여름에는 적도 부근의 태평양에서 불어오는 더운 바람의 영향을 받아 기온이 높아서 덥고 비가 많이 옵니다. 겨울에는 북쪽의 시베리아에서 불어오는 차가운 바람의 영향을 받아 기온이 낮아서 춥고 눈이 많이 내립니다.

❶ 위도 지구 위의 위치를 나타내는 좌표축 중에서 가로로 된 것. 적도를 중심으로 하여 남북으로 평행하게 그은 선이다.
❷ 북서풍 서북쪽에서 동남쪽으로 부는 바람.

1 주제찾기

빈칸을 채워 글의 주제를 완성하세요.

⇨ 우리나라 ☐☐의 ☐☐과 ☐☐와의 관계

2 제목찾기

빈칸에 낱말을 넣어 제목을 완성하세요.

⇨ 우리나라의 ☐☐과 ☐☐

3 사실이해

글에서 자세히 다루지 않은 대상은 어느 것인가요? ( )

① 산맥 ② 강 ③ 평야 ④ 기온 ⑤ 강수량

4 미루어알기

아랫글을 참고하여, 윗글에서 떠올린 내용으로 알맞은 것은 어느 것인가요? ( )

> ‘만’이란 바다가 육지 쪽으로 들어온 곳이고, ‘곶’이란 육지가 바다 쪽으로 나와서 바다로 둘러싸인 곳을 말하는데, 곶보다 규모가 크면 ‘반도’라고 불러요.

① 동해안에는 ‘만’이, 서해안에는 ‘곶’이 잘 발달해 있다.
② 동해안에는 ‘반도’가, 남해안에는 ‘만’이 잘 발달해 있다.
③ 동해안과 남해안에는 ‘반도’라는 지명이 많이 보인다.
④ 남해안과 서해안에는 ‘만’과 ‘곶’이 두루 발달해 있다.
⑤ 우리나라 전 지역에 걸쳐 ‘반도’는 한 군데만 나타난다.

5 세부내용

㉠ 다음에 이어질 내용은 무엇입니까? ( )

① 여름에 무덥고 겨울에 춥다.
② 겨울에 따뜻하고 여름에 시원하다.
③ 사계절에 걸쳐 강수량이 풍부하다.
④ 여름에 남풍이, 겨울에 북풍이 분다.
⑤ 여름에는 비, 겨울에는 눈이 많이 온다.

6 적용하기

글을 읽고 아래와 같은 생각을 떠올려 보았습니다. 빈칸을 채우세요.

⇨ 동해안에 있는 강원도의 삼척은, 같은 위도에 있는 경상북도 봉화나 청송에 비해 겨울에 [ ][ ] [ ][ ].

7 요약하기

글의 주요 내용을 표로 정리했습니다. 빈칸을 채워 완성하세요.

지형	산맥의 특징	• 70%가 산지로 백두대간을 이룸 • 동쪽은 높고 서쪽은 낮은 지형
	강의 특징	• 북쪽과 동쪽의 산에서 시작된 강이 주로 남쪽과 서쪽으로 흐름
	해안의 특징	• ① [ ][ ][ ] : 해안선이 단조롭고 모래사장이 넓어 해수욕장이 발달, 수심이 깊음 • ② [ ][ ][ ] : 해안선이 복잡하며 크고 작은 섬이 많음 • 서해안: 해안선이 복잡하고 섬과 만, 반도가 많음, ③ [ ][ ]이 발달함
기후	기온의 특징	• 남북의 기온 차이, 동서의 기온 차이가 큼 • 동해안의 강릉은 ④ [ ][ ][ ][ ]과 ⑤ [ ][ ]의 영향으로 비슷한 위도의 지역보다 겨울에 덜 추움
	⑥ [ ][ ][ ]의 특징	• 북쪽에서 남쪽으로 갈수록 강수량이 많아짐 • 남해안과 동해안 지역이 내륙보다 강수량이 많음 • 연평균 강수량의 절반 이상이 여름에 집중됨

어휘 넓히기

뜻 낱말의 뜻풀이로 알맞은 것을 보기 에서 골라 괄호 안에 기호를 쓰세요.

(1) 백두대간 (　　　)
(2) 수심 (　　　)
(3) 밀접하다 (　　　)

보기
㉠ 강이나 바다, 호수 따위의 물의 깊이.
㉡ 아주 가깝게 맞닿아 있다. 또는 그런 관계에 있다.
㉢ 백두산 병사봉에서 지리산 천왕봉에 이르는 길이 약 1,470km의 산줄기를 이르는 말. 이것을 중심으로 한반도의 모든 물줄기가 서류와 동류로 갈라진다.

다지기 아래 문장의 빈칸에 알맞은 낱말을 보기 에서 찾아 쓰세요.

보기
수심　　백두대간　　밀접

(1) □□□□이 펼쳐진 풍경 사진을 보고 깊은 감동을 받았다.
(2) □□이 얕아도 물살이 거센 곳에서는 조심해야 한다.
(3) 그는 이번 사건과 □□한 관련이 있는 인물이다.

넓히기 다음 한자어의 구성과 뜻을 알아보고, 빈칸에 알맞은 낱말을 쓰세요.

- **위도(緯** 씨 위. **度** 법도 도.**)** 지구 위의 위치를 나타내는 좌표축 중에서 가로로 된 것.
- **온도(溫** 따뜻할 온. **度** 법도 도.**)** 따뜻함과 차가움의 정도.
- **명도(明** 밝을 명. **度** 법도 도.**)** 색의 밝고 어두운 정도.

(1) 방 안의 □□가 갑자기 올라 창문을 열었다.
(2) 같은 색상이라도 □□에 따라 느낌이 완전히 달라진다.
(3) 일본, 중국, 파키스탄은 우리나라와 같은 □□에 있다.

시간
공부 날짜 　　월 　　일
푸는데 걸린 시간 　　분

확인
맞은 개수 써보기

독해	개/7개	어휘	개/9개

03

우리나라에 처음 들어온 온도계는 1880년대에 서양인 의사들이 가져온 체온계로 알려져 있습니다. 그 후로 온도계는 우리 생활에서 자주 쓰이는 생활용품이 되었지요. 온도계는 어떻게 발명되었고 지금 어떻게 활용되고 있는지 살펴보며 다음 글을 읽어봅시다.

1. 15점 2. 15점 3. 15점 4. 15점 5. 10점 6. 15점 7. 15점

온도계를 처음으로 고안한 사람은 갈릴레이로 1592년에 온도가 높아지면 공기의 부피가 커지는 성질을 이용하여 공기 온도계를 만들었습니다. 하지만 온도 변화에 빨리 반응하지 못하여 피렌체의 학자들은 이 온도계를 개량하여 알코올 온도계를 만들었습니다. 알코올 온도계 역시 체온을 측정하거나 너무 높은 온도를 측정하기에는 어려움이 있어서 수은[1] 온도계가 만들어졌습니다. 이처럼 과학 기술의 발전과 더불어 온도계는 다양하게 발전하였습니다.

온도계를 사용하여 물질의 온도를 측정하게 된 것은 약 300년 전부터입니다. 오늘날 온도계는 그 쓰임새에 따라 다양하게 개발되고 있습니다. 일상생활에서는 기온을 측정하는 온도계와 몸의 온도를 측정하는 체온계를 주로 사용합니다. 또 온도계 기능이 있는 가전제품이나 생활용품을 사용하고 있으며, 병원이나 공장에서도 쓰임새에 맞는 다양한 온도계를 사용합니다. 이렇듯 온도계는 우리 주위에서 늘 사용되고 있으며, 우리 생활을 편리하게 해줍니다.

일상생활에서 흔히 사용하는 체온계의 종류에는 수은 체온계, 귀 체온계, 이마 체온계 등이 있습니다. 그중 수은 체온계는 액체 샘에 알코올이나 기름 대신에 수은이 들어 있는 온도계로, 수은은 온도에 따라 부피가 매우 일정하게 변하여 정확한 온도를 측정할 때 사용합니다. 하지만 수은 체온계는 깨지면 위험하므로 점차 귀 체온계나, 이마 체온계와 같이 온도가 숫자로 나타나는 (　　㉠　　)를 사용하고 있습니다.

부엌에서 사용하는 프라이팬의 온도계와 조리용 온도계로는 맛있는 요리를 만들기 위한 적절한 온도를 알 수 있고, 완성된 요리를 신선하게 보관하기 위하여 냉장고의 온도계를 사용합니다. 수족관의 온도계는 수족관 물속의 온도를 쉽게 측정하여 물속 생태계가 유지될 수 있도록 도와주는 역할을 합

니다. 항상 물속에 담겨 있어서 방수❷ 기능이 좋고 유리에 잘 흡착❸될 수 있도록 만들어졌습니다.

❶ 수은 상온에서 유일하게 액체 상태로 있는 은백색의 금속 원소. ❷ 방수 스며들거나 새거나 넘쳐흐르는 물을 막음.
❸ 흡착 어떤 물질이 달라붙음.

1 주제찾기

글의 중심 내용을 가장 적절하게 표현한 것은 어느 것입니까? ( )

① 온도계를 발명한 과학자
② 온도계의 종류와 활용 방법
③ 온도계와 관련 있는 과학 기술
④ 온도계를 사용할 때 주의할 점
⑤ 온도계로 체온을 측정할 때와 조리할 때의 차이

2 글감찾기

글감을 글에서 찾아 한 낱말로 쓰세요.

( )

3 사실이해

글의 내용과 거리가 먼 것은 어느 것입니까? ( )

① 갈릴레이는 공기 온도계를 만들었다.
② 공기 온도계를 개량한 것이 알코올 온도계이다.
③ 약 300년 전부터 물질의 온도를 측정하기 시작했다.
④ 온도계의 기능이 있는 가전제품으로 체온을 잴 수 있다.
⑤ 수은은 온도에 따라 부피가 매우 일정하게 변하는 성질이 있다.

4
미루어알기

글의 내용으로 미루어 알 수 있는 새로운 생각은 무엇입니까? ( )

① 공기는 온도에 따라 팽창하는 양이 일정하지 않다.
② 알코올은 온도가 높을 때 부피가 빠르게 늘어나는 성질이 있다.
③ 일상생활에서는 주로 온도계와 체온계를 많이 사용하고 있다.
④ 수족관처럼 물로 채워진 곳에서 사용하는 온도계는 방수 기능을 갖추고 있다.
⑤ 정확한 온도계에는 온도에 따라 부피가 일정하게 늘어나는 액체가 액체 샘에 담겨있다.

5
세부내용

㉠에 알맞은 말은 어느 것입니까? ( )

① 수은 온도계
② 공기 온도계
③ 알코올 온도계
④ 디지털 온도계
⑤ 조리용 온도계

6
적용하기

글을 읽고 온도계의 원리를 다음과 같이 정리해 보았습니다. 빈칸에 알맞은 말을 채우세요.

주변의 온도가 변화함에 따라 그 □□ 등이 일정하게 변화하는 액체나 고체의 성질을 응용한 것이 온도계입니다.

7
요약하기

글의 흐름을 다음과 같이 정리하려고 할 때 빈칸에 들어갈 말을 채우세요.

1문단	다양한 온도계의 ① □□
2문단	쓰임새에 따른 다양한 온도계
3문단	일상생활에서 사용하는 ② □□□
4문단	여러 가지 온도계의 쓰임

어휘학습

해설편 02쪽

뜻

낱말의 뜻풀이로 알맞은 것을 보기 에서 골라 괄호 안에 기호를 쓰세요.

(1) 성질 (　　)
(2) 개량하다 (　　)
(3) 측정하다 (　　)

보기
㉠ 나쁜 점을 보완하여 더 좋게 고치다.
㉡ 사물이나 현상이 가지고 있는 고유의 특성.
㉢ 일정한 양을 기준으로 하여 같은 종류의 다른 양의 크기를 재다.

다지기

아래 문장의 빈칸에 알맞은 낱말을 보기 에서 찾아 쓰세요.

보기
측정　개량　성질

(1) 빛은 곧게 나아가는 □□을 가졌다.
(2) 오래된 주택을 사용하기 쉽게 □□했다.
(3) 안경을 맞출 때는 반드시 시력을 먼저 □□해야 한다.

넓히기

다음 한자어의 구성과 뜻을 알아보고, 빈칸에 알맞은 낱말을 쓰세요.

- **체온(體** 몸 체. **溫** 따뜻할 온.) 동물체가 가지고 있는 온도.
- **체중(體** 몸 체. **重** 무거울 중.) 몸의 무게.
- **체면(體** 몸 체. **面** 얼굴 면.) 남을 대하기에 떳떳한 도리나 얼굴.

(1) 중요한 자리에서 □□을 차리려면 행동을 조심해야 한다.
(2) □□이 드디어 37℃로 떨어졌다.
(3) 삼촌은 □□이 100kg이나 나갔다.

시간 공부 날짜 □월 □일
푸는데 걸린 시간 □분

확인 맞은 개수 써보기

독해	□개/7개	어휘	□개/9개

04

경주는 신라의 천 년 역사가 담긴 살아 있는 박물관입니다. 신라 시대 초기부터 통일 이후까지 신라의 역사를 보여 주는 유적과 유물들로 가득하지요. 경주 곳곳에 남아 있는 유적지와 수많은 문화재는 국보로 지정되었답니다.

1. 15점 2. 15점 3. 15점 4. 15점 5. 10점 6. 15점 7. 15점

경주는 신라 천 년의 수도이다. 경주는 도시 전체가 하나의 역사박물관이라고 해도 될 만큼 곳곳에 신라의 유적과 전설이 흩어져 있다. 나는 그동안 책에서만 보았던 신라의 문화재를 직접 눈으로 보고 싶어서 국립경주박물관을 가 보기로 하였다. 오늘날까지 살아 숨쉬는 신라의 문화를 느낄 수 있다는 설렘을 안고 경주로 떠났다. 서울에서 아침 일찍 출발하니 점심나절에 경주에 도착하였다. 나는 곧바로 국립경주박물관을 찾아갔다.

국립경주박물관은 경주 지역에서 출토된 국보와 보물을 비롯한 많은 유물을 보존하고 전시하는 곳이다. 신라 역사관, 신라 미술관, 월지관, 옥외 전시장 등으로 나뉘어 있어 주제별로 신라 천 년의 역사와 문화를 만나 볼 수 있다.

국립경주박물관에서 가장 먼저 가본 곳은 신라 역사관이다. 신라 역사관은 까마득한 선사 시대의 돌도끼부터 고대 왕국 신라의 금관까지 만날 수 있는 전시관이다. 신라 역사관에 들어가니 신라 이전 선사 시대 사람들이 쓰던 빗살무늬 토기, 돌도끼, 돌칼 등이 눈에 띄었다. 간단한 생활 도구에서 전쟁에 사용된 무기까지 다양한 유물이 있었다. 유물들을 보니 신라 이전의 까마득한 옛날에 사람들이 어떻게 살았을지 조금은 짐작할 수 있었다.

신라 역사관에서 본 것 가운데에서 가장 기억에 남는 것은 금관과 금으로 만든 장신구들이었다. 국보 제87호인 금관총 금관과 국보 제188호인 천마총 금관은 눈부시게 아름다웠다. 섬세하게 조각된 장식과 하늘로 솟은 왕관의 모습을 보니 그 옛날 임금님의 권위와 힘이 느껴졌다. 지금 아무리 뛰어난 기술자라도 저렇게 섬세하고 아름다운 금관은 다시 만들지 못할 것 같았다.

신라 역사관을 관람하고 나서 신라 미술관으로 가보았다. 신라 미술관은 신라의 찬란한 미술 문화를 볼 수 있는 곳이다. 신라 미술관에서는 여러 가지 불상과 경주 감은사지 동서 삼층 석탑에서 발견된 사리갖춤도 만날 수 있었다. 그런데 신라 미술관에서 내 눈에 들어온 유물은 국보나 보물로 지정된 화려한 불상이 아니라, 천 년의 세월을 거슬러 여전히 온화한 미소를 짓고 있는 깨진 기왓장이었다. 비록 지금은 얼굴의 한쪽이 깨어져 온전한 얼굴을 볼 수 없지만, 그 속에 숨은 편안하고 따뜻한 미소는 내 마음속에 행복을 느끼게 해주었다. 그동안 '웃는 기와'로 알고 있던 얼굴 무늬 수막새를 보니 옛 신라 사람들이 친근하게 느껴졌다.

그다음으로 간 곳은 월지관이다. 월지관은 월지 유적에서 발견된 문화재를 전시하여 둔 곳이다. 월지는 문무왕 14년(674년)에 삼국 통일을 기념하기 위하여 궁궐 안에 만든 연못이다.

월지관에서 본 연꽃무늬 수막새, 치미, 귀면와 등을 통하여 신라 왕궁의 화려하고 웅장한 모습을 짐작하여 볼 수 있었다. 특히 기와 하나하나에 화려하게 장식한 연꽃, 새, 동물 등 아름다운 무늬를 통하여 신라 사람들의 문화 수준이 굉장히 높았음을 알 수 있었다. 작은 생활용품 하나에도 정성을 다한 신라 사람들의 장인 정신을 느낄 수 있었다.

마지막으로 옥외 전시장을 구경하여 보았다. 옥외 전시장에는 실내에 전시하기 어려운 범종, 석탑, 석불, 석등 등 규모가 큰 유물들이 보였다. 특히 성덕 대왕 신종은 넋을 잃고 바라본다는 말이 실감 날 정도로 내 마음을 사로잡았다. 생각보다 어마어마하게 큰 종 앞에 서니 저절로 경건한 마음이 생겨날 정도였다. 마음을 울리는 종소리를 듣고 싶었지만, 지금은 문화재 보호를 위하여 종을 치지 않는다고 한다. 직접 소리를 듣지는 못하였지만, 마음으로나마 영원히 사라지지 않을 종소리를 느낄 수 있었다.

국립경주박물관을 둘러보고 나니 사라진 신라가 아니라 살아 숨 쉬고 있는 신라를 느낄 수 있었다. 책에서 본 유물은 지식으로 머릿속에 남지만, 직접 보고 느낀 유물은 마음속에 감동으로 남는 것 같다. 이번 여행을 다녀와서 신라의 역사와 인물, 유물과 관련된 이야기를 더 찾아보고 싶은 마음이 생겼다.

해설편 02쪽

1 주제찾기

글쓴이가 여행을 하게 된 목적은 무엇입니까? ( )

① 책에서만 보았던 신라의 문화재를 직접 눈으로 보고 싶어서
② 선사 시대의 돌도끼부터 고대 신라의 금관까지 만날 수 있어서
③ '웃는 기와'의 편안하고 따뜻한 미소가 마음속에 행복을 느끼게 해서
④ 생활용품 하나에도 정성을 다한 신라 사람들의 정신을 느낄 수 있어서
⑤ 직접 보고 느낀 유물은 시간이 흘러가도 감동으로 남아 있는 것 같아서

2 제목찾기

글의 갈래에 어울리도록 빈칸을 채워 제목을 완성하세요.

⇨ 천 년의 역사가 살아 숨 쉬는 ☐☐☐☐☐☐☐

3 사실이해

박물관을 둘러보고 더 알고 싶어 했던 것은 무엇입니까? ( )

① 신라인의 예술 정신
② 중국이 신라에 미친 영향
③ 왕실에서 사용하던 생활용품
④ 통일 신라 시대 사람들의 생활
⑤ 신라의 역사와 유물에 관한 이야기

4 미루어알기

이러한 글을 쓴 이유로 알맞지 않은 것은 무엇입니까? ( )

① 여행의 즐거움과 설렘을 표현하고 싶어서
② 다음에 가고 싶은 여행지를 쉽게 찾기 위해서
③ 다른 사람들에게 여행지에 대해 알리기 위해서
④ 여행지에서 느낀 감상을 오래 기억하기 위해서
⑤ 여행했을 때의 경험을 다른 사람과 생생하게 나눌 수 있어서

5 세부내용

기행문에서 첫머리에 놓이는 내용은 무엇입니까? ( )

① 관람한 차례
② 견문과 감상
③ 전체적인 감상
④ 여행지와 여행의 목적
⑤ 더 알고 싶은 점이나 앞으로의 계획

6 적용하기

이 글을 여행지를 알리는 안내문으로 바꾸어 쓸 때, 관계가 없는 것은 무엇입니까? ( )

① 문화재 소개
② 위치와 규모
③ 교통편
④ 느끼고 생각한 것
⑤ 관람 순서

7 요약하기

글쓴이가 관람한 곳을 중심으로 견문과 감상을 간추렸습니다. 빈칸을 채우세요.

관람한 곳	관심 유물	감상
신라 역사관	금관	① ☐☐하고 아름답게 느껴짐
신라 미술관	얼굴 무늬 수막새	편안하고 따뜻한 ② ☐☐가 행복을 느끼게 함
월지관	생활용품	정성을 다한 신라 사람들의 ③ ☐☐☐☐을 느낌
옥외 전시장	성덕 대왕 신종	저절로 ④ ☐☐한 마음이 생길 정도였음

어휘학습

뜻 **낱말의 뜻풀이로 알맞은 것을 보기 에서 골라 괄호 안에 기호를 쓰세요.**

(1) 출토되다 (   )
(2) 온화하다 (   )
(3) 경건하다 (   )

보기
㉠ 공경하며 삼가고 엄숙하다.
㉡ 땅속에 묻혀 있던 물건이 밖으로 나오게 되다. 또는 그것이 파내어지다.
㉢ 성격, 태도 따위가 온순하고 부드럽다.

다지기 **아래 문장의 빈칸에 알맞은 낱말을 보기 에서 찾아 쓰세요.**

보기
온화 경건 출토

(1) 할머니의 얼굴은 □□하고 정겨워 보였다.
(2) 이 유적지에서는 청동기와 철기가 함께 □□되었다.
(3) □□한 자세로 순국선열에 대한 묵념을 올렸다.

넓히기 **다음 한자어의 구성과 뜻을 알아보고, 빈칸에 알맞은 낱말을 쓰세요.**

- **감동(感** 느낄 감. **動** 움직일 동.**)** 크게 느끼어 마음이 움직임.
- **율동(律** 법칙 율. **動** 움직일 동.**)** 일정한 규칙을 따라 주기적으로 움직임.
- **운동(運** 옮길 운. **動** 움직일 동.**)** 사람이 몸을 단련하거나 건강을 위하여 몸을 움직이는 일.

(1) 형은 □□ 가운데서 야구를 가장 좋아한다.
(2) 유치원 아이들은 노래를 흥얼거리며 선생님의 □□을 따라 했다.
(3) 이 책은 읽을수록 새로운 □□을 준다.

시간
공부 날짜 □ 월 □ 일
푸는데 걸린 시간 □ 분

확인
맞은 개수 써보기

독해	개/7개	어휘	개/9개

05

시에서 자주 쓰이는 표현 중 가장 기본이 되는 것이 비유예요. 둘 사이에 비슷하거나 같은 점이 있어서 하나를 다른 것에 빗대어 표현하는 방법이지요. 아래 시는 작은 돌멩이인 몽돌을 동글동글한 다른 사물에 빗대어 표현했어요.

1. 15점 2. 15점 3. 15점 4. 15점 5. 10점 6. 15점 7. 15점

누가 빚었나
새알 옹심이

외딴 섬
바닷가에

동글동글
작은 돌멩이들

파도가 달려와
앞발로 잡고

예뻐
예뻐

강아지처럼
핥고만 간다.

1 주제찾기

시를 통해 떠올린 핵심적인 느낌은 무엇입니까? ( )

① 신기하고 크게 놀랍다.
② 즐거움을 줄 만큼 예쁘다.
③ 힘차게 움직여 통쾌한 느낌이다.
④ 모르는 사이에 따뜻하게 어루만진다.
⑤ 단단하여 굳건한 인상이다.

2 글감찾기

시에서 그리고 있는 글감을 찾아 한 낱말로 쓰세요.

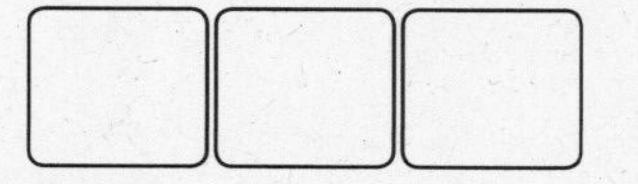

3 사실이해

글감을 표현하기 위해 빗대어 표현한 소재는 무엇입니까? ( )

① 새알 옹심이
② 외딴 섬
③ 바닷가
④ 작은 돌멩이
⑤ 강아지

4 미루어알기

대상에 대한 느낌을 실감 나게 드러내기 위해 사용한 표현 방법은 어떠합니까? ( )

① 모양과 색채를 살려 경치를 그렸다.
② 물건에 말하는 사람의 감정을 집어넣었다.
③ 생명이 없는 것을 생명이 있는 것처럼 꾸몄다.
④ 하나로써 하나가 속한 전체를 대표했다.
⑤ 물건이 여러 의미를 갖도록 했다.

5
세부내용

시의 모양에서 보이는 특징을 알맞게 설명한 것을 고르세요. ( )

① 행의 길이가 모두 같다.
② 행의 길이가 점점 길어지고 있다.
③ 모든 행이 명사로 끝나도록 하고 있다.
④ 모든 연을 2행씩 통일하여 펼쳐 보인다.
⑤ 연을 차지하고 있는 행의 수가 번갈아 가면서 같다.

6
적용하기

다음은 시에 대한 학생들의 반응입니다. 글감을 다른 사물에 빗댄 의견은 무엇입니까? ( )

① 윤수: 돌멩이 사이에 발이 끼일 것 같아.
② 재형: 동그랗고 반들반들한 달걀이 생각나.
③ 지민: 파도를 강아지에 빗댄 표현이 재미있었어.
④ 현주: 이 시를 읽고 지난여름 갔던 바다가 떠올랐어.
⑤ 준하: 파도가 돌멩이에 부딪히는 소리가 들리는 것 같아.

7
요약하기

이 시의 핵심 내용을 아래와 같이 간추렸습니다. 빈칸에 알맞은 낱말을 시에서 찾아 채우세요.

외딴 섬 바닷가에 새알 옹심이 같은 ① □□□ 들
② □□ 가 달려와 앞발로 잡고 강아지처럼 핥고만 간다.

어휘학습

해설편 03쪽

뜻 낱말의 뜻풀이로 알맞은 것을 보기 에서 골라 괄호 안에 기호를 쓰세요.

(1) 빚다 (　　　)
(2) 외딴 (　　　)
(3) 핥다 (　　　)

보기
㉠ 혀가 물체의 겉면에 살짝 닿으면서 지나가게 하다.
㉡ 가루를 반죽하여 만두, 송편, 경단 따위를 만들다.
㉢ 외따로 떨어져 있는.

다지기 아래 문장의 빈칸에 알맞은 낱말을 보기 에서 찾아 쓰세요.

보기
빚다　　외딴　　핥다

(1) 설날에 가족과 함께 만두를 ☐☐.
(2) 우리는 산속에서 길을 잃고 헤매다가 ☐☐ 오두막을 발견했다.
(3) 더운 여름에 시원한 아이스크림을 혀로 ☐☐.

넓히기 다음 한자어의 구성과 뜻을 알아보고, 빈칸에 알맞은 낱말을 쓰세요.

- **파도** (**波** 물결 파, **濤** 물결 도.) 바다에 이는 물결.
- **한파** (**寒** 찰 한, **波** 물결 파.) 겨울철에 기온이 급작스레 내려가는 현상.
- **일파만파** (**一** 하나 일, **波** 물결 파, **萬** 일 만 만, **波** 물결 파.) 하나의 물결이 연쇄적으로 많은 물결을 일으킨다는 뜻으로, 한 사건이 그 사건에 그치지 아니하고 잇따라 많은 사건으로 번짐.

(1) 사태가 ☐☐☐☐로 커지자, 그는 서둘러 도망을 쳤다.
(2) 해변으로 ☐☐가 밀려왔다.
(3) 올겨울은 유난히 극심한 ☐☐가 몰아쳤다.

시간 공부 날짜 ☐ 월 ☐ 일
푸는데 걸린 시간 ☐ 분

확인 맞은 개수 써보기

독해	개/7개	어휘	개/9개

어휘·어법 총정리 1주차

어휘 **보기** 의 낱말을 보고, 뜻과 어울리는 것을 골라 아래의 빈칸에 써보세요.

보기	외딴	개량하다	백두대간	숭배하다	출토되다	흡착	몽돌	수심

1. 나쁜 점을 보완하여 더 좋게 고치다. [ ]
2. 어떤 물질이 달라붙음. [ ]
3. 외따로 떨어져 있는. [ ]
4. 땅속에 묻혀 있던 물건이 밖으로 나오게 되다. [ ]
5. 한반도를 남북으로 가르는 산줄기. 한반도의 북쪽 백두산에서 시작하여 남쪽으로 뻗어 내리다가 남서쪽의 지리산에 이르는 1,400킬로미터의 크고 긴 산줄기. [ ]
6. 모가 나지 않고 둥근 돌. [ ]
7. 강이나 바다, 호수 따위의 물의 깊이. [ ]
8. 우러러 공경하다. [ ]

어법 다음 중 맞춤법에 맞는 것을 골라 동그라미 하세요.

1. 만두를 예쁘게 [빋었다 / 빚었다].
2. 사탕을 [핥아 / 할타] 먹었다.
3. [돌맹이 / 돌멩이]를 던졌다.
4. [경거난 / 경건한] 분위기
5. [온화안 / 온화한] 미소
6. [설렘 / 설레임]을 안고 여행을 떠난다.
7. [가마득한 / 까마득한] 옛날 일
8. [쳄연 / 체면]이 말이 아니다.

나의 점수 확인하기

어휘	개 / 8개	어법	개 / 8개

2주차

회차 / 영역	제목	계획 및 점검
06 인문|논설문	우리말 다듬기 • 나는 ( )월 ( )일 ( )시에 공부할 것입니다.	• 독해력에서 나의 점수는 ( )점입니다. • 어휘력에서 맞은 문제수는 ( )개/8개 입니다. • 어려웠던 문제는 ______ 번입니다.
07 사회|설명문	국토의 의미 • 나는 ( )월 ( )일 ( )시에 공부할 것입니다.	• 독해력에서 나의 점수는 ( )점입니다. • 어휘력에서 맞은 문제수는 ( )개/9개 입니다. • 어려웠던 문제는 ______ 번입니다.
08 과학|설명문	첨단 기술로 만든 옷 • 나는 ( )월 ( )일 ( )시에 공부할 것입니다.	• 독해력에서 나의 점수는 ( )점입니다. • 어휘력에서 맞은 문제수는 ( )개/9개 입니다. • 어려웠던 문제는 ______ 번입니다.
09 산문문학|이야기	옹고집전 • 나는 ( )월 ( )일 ( )시에 공부할 것입니다.	• 독해력에서 나의 점수는 ( )점입니다. • 어휘력에서 맞은 문제수는 ( )개/9개 입니다. • 어려웠던 문제는 ______ 번입니다.
10 운문문학|시	모서리 • 나는 ( )월 ( )일 ( )시에 공부할 것입니다.	• 독해력에서 나의 점수는 ( )점입니다. • 어휘력에서 맞은 문제수는 ( )개/9개 입니다. • 어려웠던 문제는 ______ 번입니다.

• 이번 주 독해력 문제에서 나의 점수는 평균 ( )점입니다.

• 이번 주 어휘력에서 맞은 문제수는 모두 ( )개입니다.

'내가 팔로잉하는 인플루언서가 새로운 핫플레이스를 해시태그 했어.' 이 문장을 잘 이해할 수 있나요? 이해할 수 없다면 그 이유는 무엇인가요? 우리말을 왜 다듬어야 하고 어떻게 다듬어야 할지 생각하며 다음 글을 읽어봅시다.

점수 계산 1. 10점 2. 15점 3. 15점 4. 15점 5. 15점 6. 15점 7. 15점

㉠우리말은 우리 문화의 뿌리이며 더 나은 문화를 만들어 나가기 위한 밑거름입니다. 한국의 언어문화를 풍요롭고 아름답게 하기 위해서는 이러한 우리말을 바르고 품위 있게 사용하여야 합니다.

그러나 오늘날 우리말은 큰 어려움을 겪고 있습니다. 국립국어원의 조사에 따르면 새로이 생겨나는 말 중에서 외국어가 절반 이상을 차지하고 있다고 합니다. 그뿐만 아니라 방송이나 길거리의 광고판 등 주위를 살펴보면 우리말을 존중하기보다는 외국어를 더 중요하게 생각하는 사람이 많아지는 것만 같아 안타깝습니다.

이제부터라도 뜻도 모르고 아무렇게나 사용하는 외국어나 지나치게 어려운 말들을 바르게 다듬어야 합니다. 그러지 않으면 우리말은 결국 본래의 자리를 빼앗기고, ㉡우리에게는 외국어를 옮겨 적는 글자만이 남게 될 것입니다. 우리말이 우리의 정신과 문화를 온전히 담아낼 수 있도록 노력하여야 할 필요가 있습니다.

우리말 다듬기는 '순수 우리말 쓰기'와 '쉬운 우리말 쓰기'를 가리킵니다. '순수 우리말 쓰기'는 일본이나 서양의 영향을 받은 낱말을 순수한 우리말로 다듬는 것입니다. 예를 들어, 서양의 말을 일본식으로 발음한 '벤또'나 '다대기'는 '도시락', '다진 양념'으로 다듬어야 합니다. '쉬운 우리말 쓰기'는 뜻을 파악하기 어려운 외국어와 한자어를 쉬운 우리말로 다듬는 것입니다. 예를 들어, '숙면을 취하다'는 '깊은 잠을 자다'로, '상이하다'는 '서로 다르다'로 다듬어야 합니다.

이에 국립국어원은 2004년부터 '모두가 함께하는 우리말 다듬기' 누리집을 만들어 우리말 다듬기 활동에 국민이 직접 참여하도록 하였습니다. 국립국어원이 다듬어 써야 할 외래어와 외국어를 매주 하나씩 선정하여 발표하면 누리꾼들이 그 말을 대신하여

쓸 '다듬은 말'을 제안하는 것입니다. 이렇게 추천받은 말의 후보들을 국어학자나 언론인 등으로 구성된 말 다듬기 위원회에서 검토하여 최종적으로 '다듬은 말'로 결정하게 됩니다.

지금까지 우리말 다듬기에 대하여 알아보았습니다. 우리말을 하나하나 다듬어 나가는 일도 중요하지만, 가장 중요한 것은 말을 사용하는 우리의 의식을 바꾸는 것입니다. 우리말보다 외국어를 중요하게 여기는 생각이나 어려운 말을 쓰는 것이 말을 잘하는 것이라는 생각은 이제 달라져야 합니다. 이러한 목표를 이루기 위해서라도 모든 국민이 우리말 다듬기에 참여하여 꾸준히 활동하여야 합니다.

해설편 03쪽

1 주제찾기

글의 주제문으로 가장 적절한 것은 어느 것입니까? ( )

① 언어문화를 발전시키기 위해서 우리말을 바르고 품위 있게 사용하여야 한다.
② 어려운 외국어나 한자어를 쉬운 우리말로 다듬는 방법이 있다.
③ 외국어나 지나치게 어려운 말을 다듬어야 한다.
④ 오늘날 우리말이 큰 어려움을 겪고 있다.
⑤ 우리말은 우리 문화의 뿌리이다.

2 제목찾기

글의 제목을 글에서 찾아 쓰세요.

( )

3 사실이해

㉠의 두 문장은 내용으로 볼 때, 어떤 관계입니까? ( )

① 이유-단정 ② 정의-부연
③ 근거-주장 ④ 지시-사례
⑤ 원인-결과

4

미루어알기

무엇 때문에 글을 쓴 것으로 볼 수 있습니까? ( )

① 우리 문화가 대중화하고 있어서

② 우리말이 오염되는 현실이 안타까워서

③ 외국어로 우리의 정신과 문화를 표현해서

④ 뜻을 알기 어려운 외국어를 남용하고 있어서

⑤ 외국어, 한자어를 대신할 수 있는 우리말이 많아서

5

세부내용

ⓒ의 속뜻을 알맞게 풀이한 것을 고르세요. ( )

① 외국어 교육에만 매달릴 것입니다.

② 외국어를 사용하는 생활에 익숙해집니다.

③ 한글보다 외국어를 쓰는 사람이 많아질 것입니다.

④ 한글은 외국어를 표기하는 발음기호 구실만 할 것입니다.

⑤ 외국어가 필요하지도 않은데 굳이 한글로 표기하게 될 것입니다.

6

적용하기

다음 표에서 '다듬은 말'의 빈칸을 채우세요.

다듬어야 할 말	지닌 뜻	다듬은 말
리플	인터넷에 오른 원문에 대하여 짤막하게 답하여 올리는 글	□□
스크린 도어	승객의 안전을 위해 설치한 문	□□□
쓰레빠	실내에서 주로 신는 신발	□□□

7

요약하기

글에 나타난 우리말 다듬기의 방법 세 가지를 각각 '-기'로 끝나는 구절로 쓰세요.

⇨ □□ □□□ □□,

□□ □□□ □□,

말을 사용하는 □□□ □□ □□□

어휘학습

뜻

낱말의 뜻풀이로 알맞은 것을 보기 에서 골라 괄호 안에 기호를 쓰세요.

(1) 본래 (　　)
(2) 선정하다 (　　)
(3) 검토하다 (　　)

보기
㉠ 어떤 사실이나 내용을 분석하여 따지다.
㉡ 여럿 가운데서 어떤 것을 뽑아 정하다.
㉢ 사물이나 사실이 전하여 내려온 그 처음

2주 06회

해설편 03쪽

다지기

아래 문장의 빈칸에 알맞은 낱말을 보기 에서 찾아 쓰세요.

보기
선정　　검토　　본래

(1) 나는 시험 답안지를 여러 번 □□하였다.
(2) 그는 □□부터 말이 없고 점잖다.
(3) 기자단은 그를 이달의 선수로 □□하였다.

넓히기

'환경'과 관련한 다음 외국어 표현을 우리말로 다듬을 때 알맞은 것을 골라 쓰세요.

- 텀블러: 밑이 편평한 컵으로, 음료를 마시는 데 쓰는 컵.
- 에코 백: '환경을 생각하는 가방'이라는 뜻. 주로 천으로 만든 가방.

보기
종이컵　　머그컵　　통컵　　친환경 가방　　어깨 가방　　천 가방

(1) 에코 백 → (　　　　　)
(2) 텀블러 → (　　　　　)

시간
공부 날짜 　월 　일
푸는데 걸린 시간 　분

확인
맞은 개수 써보기

독해	개/7개	어휘	개/8개

07

땅끝마을을 알고 있나요? 땅끝마을은 한반도 육지의 가장 끝에 위치하는 마을로 전라남도 해남군에 속해 있습니다. 그럼 우리나라의 바다 끝은 어디일까요? 다음 글을 읽어보며 우리 국토가 땅, 바다, 하늘의 어디까지인지 살펴봅시다.

1. 15점 2. 15점 3. 10점 4. 15점 5. 15점 6. 15점 7. 15점

'국토'는 다음과 같은 의미를 지니고 있습니다. 첫째, 우리의 생존 공간입니다. 국토가 없이는 국가가 존재할 수 없으므로 우리는 수많은 외부의 침입으로부터 우리 국토를 지켜왔습니다. 둘째, 생활 공간으로 의미가 있습니다. 정치, 사회, 문화 등 다양한 분야에서 삶을 누려온 조상들의 가치관과 생활 양식이 녹아 있습니다. 셋째, 후손들이 살아갈 터전입니다. 조상들이 지켜 왔고 우리가 후손들에게 물려주어야 하는 소중한 자산입니다.

국토는 일정한 영역으로 이루어지는데, 여기에는 한 나라의 힘이 미치며, 영토(땅), 영해(바다), 영공(하늘)으로 이루어집니다. 영토란, 한 나라의 힘이 미치는 땅의 범위를 말하는데, 우리나라의 영토는 한반도와 부속도서로 이루어져 있습니다. 영해란, 한 나라의 힘이 비치는 바다의 범위를 일컫는데, 기준이 되는 선(기선)으로부터 12해리까지를 영해로 정해놓고 있습니다. 동해안은 섬이 적어서 썰물일 때의 해안선을 기선으로 하여 영해를 정하였고, 서해안과 남해안은 섬이 많아서 가장 바깥에 위치한 섬들을 직선으로 그은 선을 기선으로 하여 영해를 정하였습니다. 영공은 한 나라의 힘이 미치는 하늘의 범위를 말하는데, 영토와 영해의 위쪽 하늘까지입니다.

우리나라 국토 중, ㉠독도는 여러 가지의 가치를 가지는 곳입니다. 대한민국의 독립과 주권의 상징임을 가장 먼저 들 수 있습니다. 다음으로 군사적으로 매우 중요한 가치를 지니고 있으며, 선박의 긴급 대피 장소 등으로 활용되고 있습니다. 수산 자원이 풍부하고, 수심 200m 이하의 깊은 곳에는 해양 심층수가 있어서 경제적으로도 가치가 있습니다. 그리고 다양한 동식물과 조류가 살고 있다는 점에서 생태적으로도 그 가치를 인

정할 수 있습니다.

비무장지대 역시 특별한 가치가 있는 국토의 한 부분입니다. 남북한의 경계가 되는 휴전선에서 남북으로 각각 2km씩의 구간에 걸쳐 설정된 지역입니다. 부근에는 군사 시설의 보호와 안전을 위하여 군인이 아닌 사람들의 출입을 제한하는 민간인 통제 구역이 있습니다. 그러니 사람들의 발길이 오랫동안 닿지 않으면서 생태계가 보존되고 복원되어서 최근에 큰 가치를 인정받고 있습니다. 이 부근을 찾는 사람들이 늘면서 한반도의 평화와 생태계 보전의 중요성을 다시 한 번 생각해 보도록 하고 있답니다.

1 주제찾기

글을 쓴 주된 목적은 무엇입니까? ( )

① 국토의 뜻을 알리려고
② 국토의 의미와 가치를 일깨우려고
③ 국토에 대한 이해를 바로잡으려고
④ 독도의 상징적 의미를 알리려고
⑤ 비무장지대의 중요성을 강조하려고

2 제목찾기

글의 내용에 어울리는 제목을 붙이세요.

□□□□의 □□

3 사실이해

글에서 다루지 않은 것은 어느 것입니까? ( )

① 국토는 우리의 생존 공간이다.
② 국토는 조상 대대로 살아온 곳이다.
③ 국토 중에는 섬들도 있다.
④ 국토 중 영토의 면적이 가장 넓다.
⑤ 국토는 영토, 영해, 영공으로 이루어진다.

4
미루어알기

아래의 표를 바탕으로 글의 내용을 바르게 이해한 것은 어느 것입니까? ········· (　　　)

통상 기선	통상적으로 사용하는 기준선으로, 썰물일 때의 해안선이 기선이 됨.
직선 기선	해안선이 복잡하여 일일이 해안선을 긋기가 힘든 곳은 가장 바깥에 있는 섬들을 직선으로 이어서 기선을 만듦.

① 동해안은 통상 기선에 의해 영해를 정할 수 있다.
② 남해안은 통상 기선에 의해 쉽게 영해를 정할 수 있다.
③ 서해안은 직선 기선과 통상 기선을 함께 사용하여 영해를 정한다.
④ 동해안은 남해안보다 영해를 정하기가 훨씬 어렵다.
⑤ 남해안은 서해안보다 영해를 정하기가 어렵다.

5
세부내용

글에서 ㉠을 뒷받침하는 내용이 아닌 것은 어느 것입니까? ········· (　　　)

① 주권의 상징　② 군사적 가치　③ 배타적 권리
④ 경제적 가치　⑤ 생태적 보고

6
적용하기

글을 읽고 비무장 지대에 관한 관심을 촉구하기 위해 비무장 지대를 알리는 문구를 작성해 보았습니다. 빈칸을 채워 완성하세요.

⇨ 비무장 지대, 한반도 □□와 □□□ 보고임을 직접 느껴 보세요.

7
요약하기

우리 국토에 대한 설명을 다음과 같이 간추렸습니다. 빈칸을 채워 완성하세요.

국토의 의미	국토를 이루는 것들
• ① □□ 공간	• ④ □□: 한반도와 부속 도서
• ② □□ 공간	• ⑤ □□: 기선으로부터 12해리
• 후손들이 살아갈 ③ □□	• ⑥ □□: 영토와 영해의 위쪽 하늘

어휘학습

뜻 **낱말의 뜻풀이로 알맞은 것을 보기 에서 골라 괄호 안에 기호를 쓰세요.**

(1) 생존 (　　)
(2) 미치다 (　　)
(3) 복원되다 (　　)

보기
㉠ 원래대로 회복되다.
㉡ 살아 있음. 또는 살아남음.
㉢ 영향이나 작용 따위가 대상에 가하여지다. 또는 그것을 가하다.

다지기 **아래 문장의 빈칸에 알맞은 낱말을 보기 에서 찾아 쓰세요.**

보기
복원　　미쳤다　　생존

(1) 이 탑은 전쟁 때 불타 없어졌다가 최근에 □□되었다.
(2) 환경 오염은 인류의 □□을 위협한다.
(3) 이번 광고는 판매량을 높이는 데에 큰 영향을 □□□.

넓히기 **다음 한자어의 구성과 뜻을 알아보고, 빈칸에 알맞은 낱말을 쓰세요.**

- **기준(基** 터 기. **準** 준할 준.) 기본이 되는 표준.
- **기지(基** 터 기. **地** 땅 지.) 군대, 탐험대 따위 활동의 기점이 되는 근거지.
- **기초(基** 터 기. **礎** 주춧돌 초.) 사물이나 일 따위의 기본이 되는 것.

(1) 그 공장은 오염 물질 배출 □□을 초과했다.
(2) 방학 동안 국어 실력의 □□를 다졌다.
(3) 우리 군은 □□를 지키기 위하여 온 힘을 다하였다.

시간
공부 날짜 □ 월 □ 일
푸는데 걸린 시간 □ 분

확인
맞은 개수 써보기

독해	개/7개	어휘	개/9개

08

생각 열기 우리는 날씨, 장소, 상황에 알맞게 옷을 입습니다. 극한 환경에선 이에 더해 몸을 안전하게 지켜주는 옷을 입어야 합니다. 이런 옷들은 더위와 추위를 막아 주고 체온을 유지해 주는 기능이 있습니다. 인간이 극한 상황에서 활동할 수 있게 해 주는 다양한 옷에 대해 알아봅시다.

접수 계산 1. 15점 2. 15점 3. 15점 4. 15점 5. 10점 6. 15점 7. 15점

인간이 생활하고 있는 지구에는 다양한 환경이 존재합니다. 남극과 북극, 높은 산악 지대와 같이 혹독한 추위가 있는 곳과 정글, 사막과 같이 높은 온도의 환경도 존재합니다. 그리고 지구의 대기를 벗어나면 우리가 경험하지 못한 극한 상황을 접하게 됩니다. 하지만 첨단 기술로 개발된 여러 가지 장비나 특수복, 방화복 등으로 열의 이동을 차단하여 극한 상황에서도 체온을 유지하며 인간이 활동할 수 있습니다.

2012년 10월, 오스트리아 스카이다이버인 바움가르트너는 높이 39km에서 뛰어내렸습니다. 바움가르트너가 뛰어내린 곳의 기온은 영하 60℃로 매우 추운 곳입니다. 이렇게 온도가 매우 낮은 환경에서 체온을 유지하면서 안전하게 뛰어내릴 수 있었던 것은 첨단 과학 기술로 만든 특수복과 헬멧 덕분입니다. 특수복은 영하 68℃부터 영상 38℃까지의 온도를 견딜 수 있습니다. 이 특수복은 섬유 사이에 공기주머니를 넣어 온도와 압력을 조절할 수 있게 만들었고, 높은 곳에서 지상과 비슷한 기압을 유지하여 주는 최첨단 성능을 갖추고 있습니다. 또, 마찰열로부터 인체를 보호하기 위하여 세라믹, 광섬유와 같은 비금속 단열 소재가 쓰였습니다.

한편, 1,000℃ 이상의 뜨거운 불길에서 견딜 수 있는 방화복도 있습니다. 주로 소방관이 입는 방화복은 외부의 열이 몸으로 잘 전달되지 않고 불길에 닿아도 타거나 변형되지 않는 특수 소재로 만듭니다. 소방관이 높은 온도에서도 견딜 수 있는 것은 아라미드 섬유로 제작한 방화복 덕분입니다. 이 섬유는 열에 강하고 지름 5mm로 2톤이 넘는 자동차를 들어 올릴 정도로 튼튼하여 주로 항공용이나 군사용으로 이용되기도 합니다. 이처럼 온도가 매우 낮거나 높은 환경에서 사람의 몸을 보호하고 체온을 유지하기 위하여 첨단 기술을 이용한 옷이 개발되고 있습니다.

옷에 기능성을 부여하기 위해서 다양한 화학 약품을 처리하고 무기 성분을 혼합하는 연구가 활발하게 이루어지고 있는데 불에 타지 않는 섬유 및 항균 섬유 등이 그 예입니다. 또한, 최근 나들이옷 시장이 커지면서 습기를 흡수하고 보온 및 발수성[1]이 뛰어난 섬유에 관한 연구가 ㉠급물결을 타고 발전하고 있습니다. 온도 또는 빛 등의 환경 변화에 따라서 색상이 변하거나 보온 기능을 더해주는 스마트 섬유도 개발되고 있습니다. ㉡옷 표면에 난반사, 굴절 등 물리적 특성을 부여하여 시각적으로 색다른 느낌을 주는 옷부터 좋은 향기를 내주는 옷까지 고감성 옷 재료들이 속속 개발되고 있습니다.

❶ 발수성 직물 따위의 표면에 물이 잘 스며들지 않는 성질.

2주 08회

해설편 04쪽

1 주제찾기

글의 주제문으로 알맞은 것은 어느 것입니까? ( )

① 인간에게는 극한 상황을 이겨낼 능력이 있다.
② 혹독한 추위와 높은 온도는 특수복으로 견뎌낸다.
③ 온도가 매우 낮은 환경에서도 체온을 유지할 수 있다.
④ 열에 강하고 튼튼하여 끊어지지 않는 섬유로 옷을 만든다.
⑤ 첨단 기술에 의한 옷으로 어려운 환경을 이기고 활동할 수 있다.

2 제목찾기

무엇을 글감으로 삼고 있는지 글에서 찾아 쓰세요.

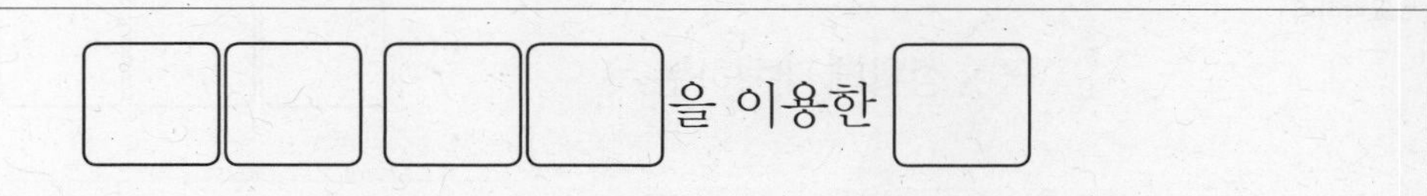

3 사실이해

글에서 설명한 '옷의 기능성'에 속하지 않는 것은 어느 것입니까? ( )

① 불에 타지 않는다.
② 세균이 접근하지 못하게 한다.
③ 빛에 따라 색상을 변화시킨다.
④ 가상현실을 겪고 즐기도록 한다.
⑤ 습기를 흡수하고 보온할 수 있게 한다.

4 미루어알기

글을 읽고 떠올린 생각으로 알맞은 것은 어느 것입니까? ( )

① 우주 공간은 인간이 살 수 없는 곳이다.
② 특수복, 방화복은 열의 이동을 빠르게 한 옷이다.
③ 지상에서 높이 떨어진 곳에서는 체온과 압력을 유지해야 활동할 수 있다.
④ 나들이옷은 천연의 재료로 만들어야 품질이 좋다.
⑤ 향기를 내는 옷이 시력의 보호에 유리하다.

5 세부내용

㉠과 바꾸어 쓸 수 있는 것을 고르세요. ( )

① 큰 진전을 보이고 있습니다.
② 성난 파도와 같은 기세입니다.
③ 무서운 힘으로 덮습니다.
④ 누구도 앞날을 떠올릴 수 없습니다.
⑤ 아무도 막을 수 없는 시대의 흐름입니다.

6 적용하기

옷에는 표현의 기능과 보호의 기능이 있습니다. ㉡은 이 중 어떤 기능인지 쓰세요.

( )

7 요약하기

글에서 설명한 내용을 정리하였습니다. 빈칸에 알맞은 말을 넣어 완성하세요.

극한 상황에 대처하는 옷	• ① □□□ • 방화복
기능을 집어 넣은 옷	• 불에 타지 않는 섬유 • ② □□ 섬유 • 습기를 흡수하고 보온 및 발수성이 뛰어난 섬유 • ③ □□□ 섬유 • 시각적으로 색다른 느낌을 주는 옷 • 향기 나는 옷

어휘학습

해설편 04쪽

뜻 낱말의 뜻풀이로 알맞은 것을 보기 에서 골라 괄호 안에 기호를 쓰세요.

(1) 혹독하다 (   )
(2) 극한 (   )
(3) 부여하다 (   )

보기
㉠ 몹시 심하다.
㉡ 사람에게 권리 · 명예 · 임무 따위를 지니도록 해 주거나, 사물이나 일에 가치 · 의의 따위를 붙여 주다.
㉢ 사물이 진행하여 도달할 수 있는 최후의 단계나 지점.

다지기 아래 문장의 빈칸에 알맞은 낱말을 보기 에서 찾아 쓰세요.

보기
극한 부여 혹독

(1) 나는 [ ][ ]한 시련을 겪은 후에 성숙해질 수 있었다.

(2) 그 선수는 [ ][ ]의 고통을 참아내고 올림픽에서 금메달을 따냈다.

(3) 나는 이번 졸업 여행에 특별한 의미를 [ ][ ]했다.

넓히기 다음 한자어의 구성과 뜻을 알아보고, 빈칸에 알맞은 낱말을 쓰세요.

- **특수(特** 특별할 특. **殊** 다를 수.) 특별히 다름.
- **특기(特** 특별할 특. **技** 재주 기.) 남이 가지지 못한 특별한 기술이나 기능.
- **특징(特** 특별할 특. **徵** 부를 징.) 다른 것에 비하여 특별히 눈에 뜨이는 점.

(1) 이 영화는 [ ][ ] 효과 기술이 아주 뛰어나다.

(2) 존댓말의 발달은 우리말의 두드러진 [ ][ ]이다.

(3) 그 친구는 재미있는 농담으로 사람을 웃기는 [ ][ ]를 가졌다.

시간 **공부 날짜** [ ]월 [ ]일
푸는데 걸린 시간 [ ]분

확인 **맞은 개수 써보기**

독해	[ ]개/7개	어휘	[ ]개/9개

09

'옹고집'이란 말을 들어 본 적이 있나요? 고집이 아주 센 사람을 일컫는 말입니다. 특히 심술궂고 인색한 데다가 고집불통이기까지 한 사람을 뜻하는데요. 다음 이야기 속의 주인공인 옹고집에서 따온 말이에요. 글에서 옹고집의 말과 행동을 살펴보고 그 성격을 파악해 봅시다.

점수 계산 1. 15점 2. 15점 3. 15점 4. 10점 5. 15점 6. 15점 7. 15점

[앞의 줄거리] 옹진 고을에 옹고집이 살았는데 성미가 고약하며 심술이 대단하였다. 몸져누운 어머니께도 약은 커녕 하루에 두 끼만 드릴 정도였다. 어느 날 집에 동냥을 하러 온 스님이 있었는데 종들에게 잡아오게 하여 크게 욕을 보였다. 스님은 옹고집의 나쁜 성격을 고치기 위하여 도술을 부려 가짜 옹고집을 만들어 진짜 옹고집의 집을 찾아가게 했다. 똑같이 생긴 옹고집이 두 명이나 되자 집안사람들은 누가 진짜 옹고집인지 가려내지 못하였다. 그래서 둘은 원님을 찾아갔다.

원님이 한 걸음 나앉으며 두 옹고집을 번갈아 유심히 살폈다. 그러나 곧 고개를 절레절레 내저으며 신음 소리를 냈다. / 진짜 옹고집이 먼저 말했다.

"사또, 저는 조상 대대로 옹당촌에 사옵는데 천만뜻밖에도 저와 똑같이 생긴 놈이 태연히 들어와서 저희 집을 자기 집이라, 저희 가족을 자기 가족이라 하니, 세상에 이런 변이 또 어디 있겠습니까? 슬기로우신 사또께서 엄히 다스려 밝혀 주옵소서."

듣고 있던 가짜 옹고집이 (㉠) 듯이 나섰다.

"사또, 제가 드릴 말씀을 저놈이 미리 다 말해버렸으니 기가 찰 노릇입니다. 현명하신 사또께서 살피시어 진짜와 가짜를 가려만 주신다면 이 몸은 죽어도 한이 없겠습니다." / 원님은 여러 번 헛기침을 하며 난처한 표정을 짓더니 느닷없이 명령을 했다.

"저 두 옹가의 옷을 벗겨라!"

그러나 헛일이었다. 발가벗겨진 두 옹고집의 몸은 어느 한구석도 다른 데가 없었다. 이리저리 샅샅이 뒤지듯 눈여겨 살펴보던 형방이 아뢰었다.

"아무리 봐도 이 옹이 저 옹이고, 저 옹이 이 옹입니다."

"기이한 일이도다. 무슨 다른 도리가 없느냐?" / "두 옹가에게 집안 사정을 물어봄이 어떨지요."

"허허, 그 말이 옳도다. 여봐라, 너희 둘이 각기 집안 사정을 말해 보아라."

"저의 아버지 이름은 옹송이옵고, 할아버지는 만송이옵고……."

듣고 있던 원님이 이맛살을 찡그리며 옹고집의 말을 가로막았다.

"허허 저놈의 호적은 옹송망송하여 전혀 알아들을 수가 없구나. 다음 옹고집 아뢰어라."

가짜 옹고집이 흐르는 물처럼 줄줄 엮어 내려갔다. / "저는 작년에 가난한 백성을 보살펴 주었다 하여 좌수 벼슬을 얻은 옹고집이온데, 아내는 진주 최씨요, 아들놈은 이름이 옹골인데 올해 열아홉 났습니다. 재산으로 말하면 논밭 곡식 합하여 이천 일백 속이요, 마구간의 소와 말이 여섯, 돼지가 스물두 마리, 닭이 육십 마리입니다. ……."

"그만, 그만해도 알겠다. 가짜 옹가 놈은 듣거라. 네놈은 못된 마음을 품고 남의 재산을 빼앗으려 했으니 그 죄가 크다. 네놈의 죄를 매질로 다스리겠다."

그리고 (㉡   ) 목소리로 형방에게 명령했다. / "저놈에게 곤장 삼십 대를 매우 쳐라."

곧 형틀이 갖춰져 매질이 시작되었다. / "너 이놈, 이 뒷날에도 옹 좌수라 하겠느냐?"

진짜 옹고집은 매를 맞으며 울음 섞인 소리로 대답했다.

"한 번만 용서해 주십시오. 다시는 옹가라 하지 않겠습니다."

매질이 그치자 옹고집은 반죽음이 되어 있었다.

"저놈을 끌어내어 이 고을 밖으로 멀리 쫓아내 버려라."

[중간 요약] 진짜 옹고집은 거지 생활을 하다가 예전의 자기 잘못을 뉘우치며 목 놓아 울었다. 그렇게 살다가 갑자기 나타나 자신을 꾸짖는 노인이게 살려 달라고 애원을 하였다.

노인은 옹고집을 굽어보더니 한결 누그러진 목소리로 말했다.

"눈을 씻고 나를 똑똑히 보아라."

옹고집은 눈을 비비고 노인을 올려다보는 순간 "앗!" 하고 비명을 질렀다.

그 노인은 얼마 전에 동냥을 와서 자기한테 구박을 당하고 간 스님, 바로 그 스님이었다. 스님은 놀라는 옹고집을 보고는 얼굴에 부처님의 미소를 띠고 말했다.

"죄를 뉘우쳐 착하게 살렸다!" / "죽을 목숨이 다시 사는데 어찌 다르게 살지 않겠습니까?"

"자, 이 부적을 갖고 집으로 돌아가거라."

스님은 종이 한 장을 옹고집에게 남겨주고 감쪽같이 눈앞에서 사라졌다.

2주 09회

해설편 05쪽

1
주제찾기

이야기의 주제를 가장 잘 표현한 한자 성어는 무엇입니까? .... (   )

① 권선징악(勸善懲惡): 착한 일을 권하고 악한 일을 벌함.
② 노심초사(勞心焦思): 마음을 수고롭게 하고 생각을 너무 깊게 함.
③ 사필귀정(事必歸正): 모든 일은 반드시 바른길로 돌아감.
④ 방약무인(傍若無人): 언행이 방자하고 거리낌이 없음.
⑤ 마이동풍(馬耳東風): 남의 말을 귀담아듣지 아니하고 흘려버림을 이르는 말.

2
제목찾기

주인공의 이름과 '전하다'는 뜻의 한자어를 활용하여 네 글자로 제목을 붙이세요.

(   )

3
사실이해

진짜 옹고집을 궁지에 빠뜨린 결정적 사건은 무엇입니까? .... (   )

① 어머니께 불효함.
② 찾아온 스님을 욕보임.
③ 아내와 몹시 다툼.
④ 서툴게 집안 사정을 이야기함.
⑤ 가난한 백성을 보살펴 줌.

4
미루어알기

인색한 옹고집이 몸져누운 어머니께 했을 말로 알맞은 것을 고르세요. ············ (　　　)

① "자식 된 도리로 그냥 있을 수는 없잖아요?"

② "어머님이 편찮으신데 약이라도 지어 드려야죠."

③ "겨우 두 끼에 그나마도 한 끼는 죽으로 때우라니!"

④ "덕을 쌓는 집에 경사가 있고 악을 쌓는 집에 악이 미친다."

⑤ "약 지을 돈이 어디 있소? 해마다 이맘때면 치르는 몸살이니 저절로 낫겠지."

5
세부내용

㉠과 ㉡에 들어갈 말을 순서대로 늘어놓은 것을 고르세요. ············ (　　　)

① 짐짓 화가 난, 힝 비웃는

② 억울해 죽겠다는, 서슬 푸른

③ 속으로 기어드는, 소귀에 경 읽는

④ 성난 망아지 날뛰는, 뒤통수를 만지는

⑤ 이리저리 헤매는, 호랑이가 산을 향해 우는

6
적용하기

다음 글의 빈칸에 알맞은 낱말을 넣으세요.

이야기를 구성하는 3요소는 인물, 사건, 배경입니다. 이 글에서는 특히 인물의 성격을 강조했는데, 이것은 등장인물의 ① [　] 과 ② [　][　] 에서 잘 드러납니다.

7
요약하기

구성의 단계에 따라 줄거리를 요약하였습니다. 빈칸에 알맞은 말을 쓰세요.

발단	옹고집은 병든 ① [　][　][　] 를 봉양하지 않고, 동냥 온 스님을 구박한다.
전개	스님이 도술을 부려 ② [　][　] 옹고집을 만들었다.
위기	③ [　][　] 옹고집이 ④ [　][　] 옹고집으로 몰려 고을에서 쫓겨난다.
절정	옹고집이 ⑤ [　][　] 로 살다가 노인을 만나 자신의 잘못을 뉘우친다.
결말	옹고집이 노인이 준 부적을 가지고 집으로 달려간다.

어휘학습

2주 09회

해설편 05쪽

뜻

낱말의 뜻풀이로 알맞은 것을 보기에서 골라 괄호 안에 기호를 쓰세요.

(1) 천만뜻밖 (　　　)
(2) 절레절레 (　　　)
(3) 느닷없이 (　　　)

보기
㉠ 나타나는 모양이 아주 뜻밖이고 갑작스럽게.
㉡ 전혀 생각하지 아니한 상태.
㉢ 머리를 좌우로 자꾸 흔드는 모양.

다지기

아래 문장의 빈칸에 알맞은 낱말을 보기에서 찾아 쓰세요.

보기
천만뜻밖　　절레절레　　느닷없이

(1) 나는 더는 못 한다며 머리를 □□□□ 흔들었다.
(2) 강아지는 잘 놀다가 □□□□ 나를 향해 짖기 시작했다.
(3) 선생님께 칭찬을 받을 줄 알았는데 □□□□에도 혼이 났다.

넓히기

다음 한자어의 구성과 뜻을 알아보고, 빈칸에 알맞은 낱말을 쓰세요.

- **명령(命** 목숨 명. **令** 하여금 령.) 윗사람이나 상위 조직이 아랫사람이나 하위 조직에 무엇을 하게 함. 또는 그런 내용.
- **운명(運** 옮길 운. **命** 목숨 명.) 인간을 포함한 모든 것을 지배하는 초인간적인 힘. 또는 그것에 의하여 이미 정하여져 있는 목숨이나 처지.
- **생명(生** 날 생. **命** 목숨 명.) 사람이 살아서 숨 쉬고 활동할 수 있게 하는 힘.

(1) 드디어 우리에게도 출동 □□이 떨어졌다.
(2) 그분은 내 □□의 은인이다.
(3) 사람이 늙어서 죽는 것은 피할 수 없는 □□이다.

시간
공부 날짜 □ 월 □ 일
푸는데 걸린 시간 □ 분

확인
맞은 개수 써보기

독해	□ 개/7개	어휘	□ 개/9개

10

내가 한 일을 시치미 떼고 모른 척한 일이 있었나요? 아니면 친구가 시치미 뗀 일에 속상했던 적이 있었나요? 그때의 마음을 생각하면서 다음 시를 읽어 봅시다.

1. 15점　2. 15점　3. 10점　4. 15점　5. 15점　6. 15점　7. 15점

"아야!
아유, 아파."
책상 모서릴 흘겨보았다.
"내 잘못 아냐."
모서리도 눈을 흘긴다.

쏘아보는 그 눈빛이
나를 돌아보게 한다.
어쩜 내게도
저런 모서리가 있을지 몰라.
누군가 부딪혀 아파했겠지.
원망스런 눈초리에
"네가 조심해야지."
시치미 뗐을 거야.

모서리처럼
나도 그렇게 지나쳤겠지.

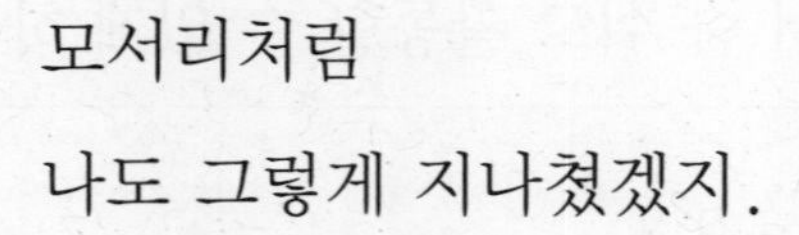

부딪힌 무릎보다
마음 한쪽이
더 아파 온다.

1

주제찾기

시의 중심 생각으로 알맞은 것은 무엇입니까? ( )

① 사람들은 제 잘못을 다른 사람 탓으로 돌린다.
② 내가 하기 싫은 일을 남이 하게 시켜서는 안 된다.
③ 어려움에 처한 친구와 처지를 바꾸어 생각할 줄 알아야 한다.
④ 누군가를 아프게 하고 시치미 뗐던 것이 미안해서 마음이 아파 온다.
⑤ 누구나 마음이 아플 수 있는데 나만 아픈 척하여 사람들에게 몹시 부끄럽다.

해설편 05쪽

2

제목찾기

화자의 마음을 표현하기 위해 끌어들인 소재를 찾아 쓰세요.

( )

3

사실이해

시 속의 '나'는 어떤 경험을 하였습니까? ( )

① 책상에게서 사람 모습을 보았다.
② 책상 모서리에 부딪혀 무릎이 아팠다.
③ 책상 청소를 하다가 떠난 친구를 생각했다.
④ 책상 사이를 지나치다 친구와 부딪혀 서로 눈을 흘겼다.
⑤ 책상을 많이 모아둔 곳에서 친구와 장난을 치다가 넘어졌다.

4

미루어알기

시 속의 '나'가 4연처럼 말한 이유는 무엇입니까? ( )

① 사람들이 모두 남에게 상처를 입고 산다고 생각했기 때문이다.
② 부딪힌 '나'보다 모서리가 더욱 아파하리라 생각했기 때문이다.
③ 본래 몸보다 마음의 상처가 더 아픈 법이라고 생각했기 때문이다.
④ 마음의 상처가 시간의 흐름을 따라 아픔을 더하리라 생각했기 때문이다.
⑤ 자신에게도 남의 마음을 아프게 한 마음속의 모서리가 있을지도 모른다고 생각했기 때문이다.

5
세부내용

2연의 '모서리'가 지닌 뜻으로 가장 알맞은 것은 어느 것입니까? ( )

① 물체의 모가 진 가장자리
② 다면체에서 각 면의 경계를 이루고 있는 선분들
③ 느닷없이 다가와서 마음을 아프게 하는 말이나 행동
④ 스스로 기쁨을 주기 위해 하는 말
⑤ 까닭 없이 다른 사람을 원망하는 태도

6
적용하기

시를 읽고나서 가장 알맞은 생각을 말한 사람은 누구입니까? ( )

① 영수: 모서리를 조심해야겠다.
② 명수: 친구와 다투지 말아야겠다.
③ 윤희: 열심히 공부하여 성공해야겠다.
④ 도희: 마음을 아프게 하는 말이나 행동을 하지 않겠다.
⑤ 소라: 남에게 상처를 주더라도 반성하고 사과하면 상처가 회복된다.

7
요약하기

시의 내용을 아래와 같이 정리해 보았습니다. 빈칸에 알맞은 말을 쓰세요.

1연	책상 모서리에 부딪혔어요. 나는 모서리를 흘겨보고 모서리도 눈을 흘겨요.
2~3연	나도 저렇게 ① [ ][ ][ ] 떼고 지나쳤던 것 같아요.
4연	부딪힌 무릎보다 ② [ ][ ] 한쪽이 더 아파 와요.

어휘학습

뜻

낱말의 뜻풀이로 알맞은 것을 보기 에서 골라 괄호 안에 기호를 쓰세요.

(1) 모서리 (　　)
(2) 눈초리 (　　)
(3) 시치미 (　　)

보기
㉠ 어떤 대상을 바라볼 때 눈에 나타나는 표정.
㉡ 자기가 하고도 아니한 체, 알고도 모르는 체하는 태도.
㉢ 물체의 모가 진 가장자리.

2주 10회

해설편 051쪽

다지기

아래 문장의 빈칸에 알맞은 낱말을 보기 에서 찾아 쓰세요.

보기
눈초리　　시치미　　모서리

(1) 달걀을 그릇 □□□에 부딪쳐 깼다.

(2) 선생님은 날카로운 □□□로 나를 바라보셨다.

(3) 그 아이의 천연덕스러운 □□□에 말문이 막혔다.

넓히기

다음 한자어의 구성과 뜻을 알아보고, 빈칸에 알맞은 낱말을 쓰세요.

- **원망**(**怨** 원망할 원. **望** 바랄 망.) 못마땅하게 여기어 탓하거나 불평을 품고 미워함.
- **희망**(**希** 바랄 희. **望** 바랄 망.) 어떤 일을 이루거나 하기를 바람.
- **실망**(**失** 잃을 실. **望** 바랄 망.) 바라던 일이 뜻대로 되지 아니하여 마음이 몹시 상함.

(1) 그는 실패했지만 □□하지 않았다.

(2) 그는 자신의 의견이 선택되길 □□했다.

(3) 나는 서럽고 슬픈 마음에 그를 □□하였다.

시간
공부 날짜 　　월 　　일
푸는데 걸린 시간 　　분

확인
맞은 개수 써보기

독해	개/7개	어휘	개/9개

어휘·어법 총정리

2주차

어휘 **보기** 의 낱말을 보고, 뜻과 어울리는 것을 골라 아래의 빈칸에 써보세요.

보기: 눈초리 혹독하다 천만뜻밖 변 이맛살을 찌푸리다 권선징악 특수 미치다

1. 마음이 매우 언짢거나 걱정스러워 얼굴을 찡그리다.
2. 착한 일을 권하고 악한 일을 벌함.
3. 어떤 대상을 바라볼 때 눈에 나타나는 표정.
4. 몹시 심하다.
5. 전혀 생각하지 아니한 상태.
6. 특별히 다름.
7. 갑자기 생긴 재앙이나 괴이한 일.
8. 영향이나 작용 따위가 대상에 가하여지다.

어법 **다음 중 맞춤법에 맞는 것을 골라 동그라미 하세요.**

1. [시침이 / 시치미]를 떼는 모습
2. 모서리에 [부딪혀 / 부딛혀] 아팠다.
3. [느닫없이 / 느닷없이] 울었다.
4. 다쳤는지 [유심이/ 유심히] 살폈다.
5. 찾으려고 [샅샅히 / 샅샅이] 뒤졌다.
6. 불길에 [다아도 / 닿아도] 타지 않아.
7. [볼레 / 본래] 말이 없는 성격이다.
8. 우리 문화의 [밑거름 / 믿거름]

나의 점수 확인하기

어휘	개 / 8개	어법	개 / 8개

3주차

회차 / 영역	제목	계획 및 점검
11 인문|논설문	지금 쓰는 말이 미래를 좌우한다 • 나는 [ ] 월 [ ] 일 [ ] 시에 공부할 것입니다.	• 독해력에서 나의 점수는 [ ] 점입니다. • 어휘력에서 맞은 문제수는 [ ] 개 / 9개 입니다. • 어려웠던 문제는 ______ 번입니다.
12 사회|설명문	우리나라 경제의 특징 • 나는 [ ] 월 [ ] 일 [ ] 시에 공부할 것입니다.	• 독해력에서 나의 점수는 [ ] 점입니다. • 어휘력에서 맞은 문제수는 [ ] 개 / 9개 입니다. • 어려웠던 문제는 ______ 번입니다.
13 과학|설명문	우주 탐사선 보이저호 • 나는 [ ] 월 [ ] 일 [ ] 시에 공부할 것입니다.	• 독해력에서 나의 점수는 [ ] 점입니다. • 어휘력에서 맞은 문제수는 [ ] 개 / 9개 입니다. • 어려웠던 문제는 ______ 번입니다.
14 산문문학|전기	먹기 싫은 것, ~ • 나는 [ ] 월 [ ] 일 [ ] 시에 공부할 것입니다.	• 독해력에서 나의 점수는 [ ] 점입니다. • 어휘력에서 맞은 문제수는 [ ] 개 / 9개 입니다. • 어려웠던 문제는 ______ 번입니다.
15 운문문학|시	고양이 발자국, 얄미운 고양이 • 나는 [ ] 월 [ ] 일 [ ] 시에 공부할 것입니다.	• 독해력에서 나의 점수는 [ ] 점입니다. • 어휘력에서 맞은 문제수는 [ ] 개 / 9개 입니다. • 어려웠던 문제는 ______ 번입니다.

• 이번 주 독해력 문제에서 나의 점수는 평균 [ ] 점입니다.

• 이번 주 어휘력에서 맞은 문제수는 모두 [ ] 개입니다.

11

"삶이 있는 한 희망은 있다." "오랫동안 꿈을 그리는 사람은 마침내 그 꿈을 닮아 간다." "사막이 아름다운 것은 어딘가에 샘이 숨겨져 있기 때문이다."처럼 긍정적인 말과 생각에는 엄청난 힘이 있다고 해요. 다음 글을 읽고 스스로 힘이 되는 긍정의 말을 만들어 보는 것은 어떨까요?

1. 15점 2. 15점 3. 10점 4. 15점 5. 15점 6. 15점 7. 15점

성공하기 위해서는 어떤 성공 요소들이 필요할까요? '꿈과 목표', '계획과 실천', '노력과 인내', '도전과 열정', '배움과 겸손' 등이 필요합니다. 그리고 여기에 한 가지 성공 재료가 더 있어야 해요. 바로 긍정적이고 고운 '말버릇'입니다.

미국의 성공학자 나폴레온 힐. 그는 열두 살이 되기 전에 어머니를 여의고 친척들의 도움을 받아 자랐을 만큼 힘겨운 시절을 보냈습니다. 어른이 되어 기자 생활을 했지만 형편은 좀처럼 나아지지 않았습니다. 그러던 어느 날 그는 철강 왕 앤드루 카네기를 인터뷰하게 되었습니다. 그때 카네기는 힐에게 자신의 성공 철학에 대해 자세하게 들려주며 한 가지 제안을 했습니다. 그것은 보통 사람들도 반드시 성공할 수 있는 성공 법칙을 찾아서 책으로 집필해 달라는 것이었습니다.

그동안 많은 사람에게 이 제안을 했지만 성공하지 못했던 카네기는 힐에게 이렇게 물었습니다.

"인생의 패배자로서 생애를 마칠지도 모르는 수많은 사람을 위해 성공 철학을 20년 이상 계속 연구할 각오가 있는가?" / "반드시 해내겠습니다." 힐은 자신 있게 대답했습니다.

그리하여 힐은 토마스 에디슨 등 미국에서 성공한 사회 저명인사 500명을 인터뷰하면서 그들의 성공 철학이 무엇인지를 연구했습니다.

성공한 사람들의 성공 철학을 연구하는 데 예상치 못한 어려움도 많았습니다. 가장 큰 것이 경제적 어려움이었습니다. 아내와 가족은 그가 아무런 보수도 없이 쓸데없는 일을 한다며 당장 그만두라고 강요하기도 했습니다. 하지만 그는 포기하고 싶어질 때마다 다음과 같은 긍정적인 문구를 읽으며 용기를 얻었습니다. "(　　　㉠　　　)"

힐은 이 문구를 중얼거릴 때마다 자신도 모르게 날마다 성공하고 있다는 확신이 생겼습니다. 그리고 앤드루 카네기와의 약속을 지키기 위해 최선을 다했습니다.

그가 성공 법칙을 연구한 지 20년이 흐른 어느 날, 마침내 성공 법칙을 책으로 집필하는 데 성공했습니다. 이렇게 해서 탄생한 책이 바로 『놓치고 싶지 않은 나의 꿈, 나의 인생』입니다. 이 책은 출간되자마자 베스트셀러가 되었습니다. 나폴레온 힐은 이 책으로 부와 명예를 얻을 수 있었습니다. 훗날 나폴레온 힐은 자신의 성공 비결은 긍정적인 말버릇에 있다고 고백했습니다. 그는 사람들이 성공 비결을 물을 때마다 "나는 매일 조금씩 성공하고 있다."라는 문구를 눈에 잘 띄는 곳에 붙여 두고 자주 습관처럼 중얼거렸다고 대답했습니다.

긍정적인 생각과 말로 성공한 또 한 사람이 있습니다. 바로 창조와 혁신의 대명사 스티브 잡스입니다. 잡스는 스무 살에 세계 최초의 개인용 컴퓨터를 개발해 스물다섯 살에 백만장자가 되었습니다. 그러나 독단적인 성격으로 인해 30대의 나이에 자신이 설립한 회사에서 쫓겨났습니다. 처음에 잡스는 절망에 빠졌지만 언제까지나 좌절하지 않았습니다. 잡스는 자신의 상황을 긍정적으로 보기 시작했습니다. 그러자 자신이 일을 얼마나 사랑하는지 깨달을 수 있었습니다. "비록 회사에서 해고되었지만 아직도 나는 내 일을 사랑하고 있어. 그래, 다시 시작하는 거야."

성공하는 인생을 살고자 한다면 가장 먼저 예쁘고 사랑이 담긴 성공의 언어를 써야 합니다. 이런 긍정적인 언어들이 성공의 기회를 끌어당기기 때문이지요. 자신이 쓰는 말버릇이 자신을 소중한 사람으로 만들기도, 천박한 사람으로 만들기도 합니다.

저마다 여러분의 가슴속에는 꿈이 담겨 있습니다. 지금 어떤 말버릇을 가지느냐에 따라 꿈을 이룰 수도, 꿈을 이루지 못할 수도 있다는 것을 명심하세요.

해설편 06쪽

1

주제찾기

글쓴이가 전하려는 생각을 가장 잘 표현한 문장을 고르세요. ……… (　　)

① 지금 쓰는 말이 미래를 좌우한다.
② 하는 말보다 사람의 내면이 중요하다.
③ 삶에서 말은 생각과 기억의 창고이다.
④ 운명보다 말에 기대어 성공할 수 있다.
⑤ 인생을 사랑하는 만큼 말이 아름답게 다가온다.

2

제목찾기

글에 나온 낱말을 활용하여 제목을 붙이세요.

☐☐하기 위한 요소들

3

사실이해

글쓴이가 성공의 필수 요소로 가장 강조한 것은 무엇입니까? ……… (　　)

① 긍정적인 생각과 말
② 근면하고 성실한 성격
③ 원만한 대인 관계와 포부
④ 자신감과 끈질긴 성품
⑤ 천박한 말의 배척

4
미루어알기

㉠에 들어갈 말로 알맞은 것은 무엇입니까? ( )

① 나는 패배자가 아니다.
② 나는 남들 이상으로 영리하다.
③ 나는 매일 조금씩 성공하고 있다.
④ 나는 내년에는 백만장자가 될 것이다.
⑤ 나는 세상을 원망하거나 비난하지 않겠다.

5
세부내용

글을 읽고 떠올린 속담으로 적절한 것은 어느 것입니까? ( )

① 말은 앵무새.
② 말이 씨가 된다.
③ 말로 온 동네를 겪는다.
④ 말 많은 집은 장맛도 쓰다.
⑤ 말 한마디에 천 냥 빚도 갚는다.

6
적용하기

글의 내용을 바탕으로 하여 다음 이야기의 빈칸에 공통으로 들어갈 말을 쓰세요.

2016년 리우 올림픽 펜싱 남자부 결승에서 있었던 일입니다.

결승에 오른 우리나라 선수가 4점 차이로 막다른 길에 몰렸고, 잠시 숨을 돌리기 위해 작전시간을 요청했습니다. 모두 절망에 빠져 있었는데, 마침 우리 선수의 얼굴이 화면에 비쳤습니다.

"[ ].", "[ ].", "그래, 나는 "[ ]."

경기가 다시 이어졌을 때, 기적 같은 일이 벌어졌습니다. 도저히 극복할 수 없을 것 같았던 점수 차를 이겨내고 그가 금메달을 차지한 것입니다.

7
요약하기

등장 인물의 성공 장면을 표로 간추렸습니다. 빈칸에 알맞은 말을 써보세요.

	성공의 요소	자기 확신의 말
나폴레온 힐	①	②
스티브 잡스		비록 회사에서 해고되었지만 ③ ( ) 그래, 다시 시작하는 거야.

어휘학습

뜻

낱말의 뜻풀이로 알맞은 것을 보기에서 골라 괄호 안에 기호를 쓰세요.

(1) 집필하다 (　　　)
(2) 보수 (　　　)
(3) 독단적 (　　　)

보기
㉠ 일한 대가로 주는 돈이나 물품.
㉡ 남과 상의하지 않고 혼자서 판단하거나 결정하는 것.
㉢ 직접 글을 쓰다.

해설편 06쪽

다지기

아래 문장의 빈칸에 알맞은 낱말을 보기에서 찾아 쓰세요.

보기
집필　　보수　　독단적

(1) 그 소설가는 두 달 만에 소설 [　][　]을 끝냈다.
(2) 동아리 회장은 [　][　][　]인 의사 결정으로 회원들에게 믿음을 얻지 못했다.
(3) 많은 일을 했지만 [　][　]가 적어 아쉬웠다.

넓히기

다음 한자어의 구성과 뜻을 알아보고, 빈칸에 알맞은 낱말을 쓰세요.

- **성공(成** 이룰 성. **功** 공 공.) 목적하는 바를 이룸.
- **성적(成** 이룰 성. **績** 길쌈할 적.) 하여 온 일의 결과로 얻은 실적.
- **찬성(贊** 도울 찬. **成** 이룰 성.) 옳다고 동의함.

(1) 올림픽에서 우리 선수단은 기대 이상의 좋은 [　][　]을 거두었다.
(2) 이번 영화는 흥행에 [　][　]하였다.
(3) 이 안건에 [　][　]하는 사람이 50명이 되었다.

시간
공부 날짜 [　]월 [　]일
푸는데 걸린 시간 [　]분

확인
맞은 개수 써보기

독해	개/7개	어휘	개/9개

12

보통, 경제 활동은 '자유롭게'와 '통제에 따라'로 나누어져요. 자유시장경제와 통제경제라는 것이지요. 어떤 선택을 하느냐는 국민의 뜻을 받들어 국가가 결정해요. 우리나라는 자유시장경제를 원칙으로 하고 통제경제를 일부 적용하고 있어요.

1. 15점 2. 15점 3. 10점 4. 15점 5. 15점 6. 15점 7. 15점

우리나라 경제 제도의 특징은 세 가지로 요약해서 설명할 수 있습니다. 첫째, 사유 재산 제도입니다. 정당한 방법으로 얻은 재산은 개인 소유로 인정되며, 자유롭게 사용할 수 있습니다. 둘째, 혼합 경제 제도입니다. 자본주의 경제 체제를 기본으로 하고, 경제 질서를 유지하기 위해 정부가 부분적으로 개입합니다. 셋째, 자유와 경쟁입니다. 직업 선택과 소득의 사용이 자유롭고, 자신의 이익을 위하여 서로 겨룹니다. 자유와 경쟁은 경제 활동의 모습에서 우리 경제의 특징을 드러나게 합니다.

물건을 사는 모습, 은행에 돈을 저축하는 모습, 물건을 파는 모습, 물건을 팔아 번 돈을 다시 투자하는 모습 등에서 자유로운 경제 활동을 확인할 수 있습니다. 사람들은 자신의 능력과 적성에 따라 자유롭게 직업을 선택하며, 선택한 직업에서 자유롭게 일해서 벌어들인 소득을 자유롭게 소비하고 저축할 수 있습니다. 기업에서는 무엇을 얼마만큼 생산하여 판매할지 스스로 결정하고, 판매하여 얻은 수입을 어떻게 사용할지 자유롭게 결정합니다. 이와 같이 (㉠)

원하는 직업을 얻기 위해 경쟁하는 모습, 물건을 더 많이 팔기 위해 경쟁하는 모습, 기업에 필요한 인재를 구하는 모습 등에서 다양한 경쟁이 이루어지는 경제 활동을 하고 있습니다. 개인은 자신이 원하는 것을 얻기 위하여 노력하며, 원하는 직업을 얻기 위하여 경쟁합니다. 기업은 많은 물건을 팔아 더 많은 이윤을 얻기 위하여 여러 가지 방법으로 경쟁합니다. 더 많은 이윤을 얻기 위하여 질 좋은 제품을 만들거나 새로운 기술을 개발하고, 인재를 뽑는 등 다양한 노력을 합니다.

자유로운 경제 활동을 함으로써 자신이 원하는 직업을 가질 수 있으므로 더 즐겁게 일할 수 있으며, 자신이 선택한 일에서 자기 생각대로 직업 활동을 할 수 있으므로 일의 능률이 오릅니다. 또 자신이 번 돈을 자신의 의지대로 사용할 수 있으므로 더 열심히 일할 수 있습니다. 기업 간의 경쟁은 소비자들에게 다양하고 질 좋은 물건을 싸게 살 기회를 제공한다는 점에서 도움이 됩니다. 또한, 외국 시장에서 우리나라 제품의 경쟁력을 높여 국가 경제의 발전에 도움을 주기도 합니다.

3주 12회

해설편 06쪽

1
주제찾기

글에서 내용의 초점을 맞춘 두 분야는 무엇입니까? ( )

① 사유 재산, 혼합 경제
② 경제 제도, 경제 활동
③ 경제 체제, 경제 질서
④ 직업 선택, 이윤 추구
⑤ 기술 개발, 인재 양성

2
제목찾기

글감을 떠올려 아래의 빈칸을 채우세요.

□□□□ □□의 특징

3
사실이해

우리나라의 경제 활동을 특징짓는 말은 무엇입니까? ( )

① 소유와 독점
② 통제와 분배
③ 자유와 경쟁
④ 소득과 저축
⑤ 소비와 투자

4
미루어알기

글을 읽고 떠올린 생각으로 적절한 것을 고르세요. ( )

① 우리나라 정부는 개인의 경제 활동에 일절 개입하지 않는다.
② 우리나라에서는 번 돈을 외국에 있는 기업에 투자할 수 없다.
③ 우리는 학생 때부터 적성과 취미에 맞는 직업 훈련을 받게 된다.
④ 기업은 경쟁을 통해 더 많은 물건을 팔아 더 많은 이윤을 얻을 수 있다.
⑤ 기업은 개인들이 더 열심히 일할 수 있는 환경을 조성하고 있지 않다.

5 세부내용

글의 흐름에 따라, ㉠에 들어갈 문장을 구성할 때 필요한 낱말이 아닌 것은 어느 것입니까? ( )

① 국가
② 조작
③ 경제
④ 자유
⑤ 활동

6 적용하기

다음 문장에서 떠올릴 수 있는 두 자로 된 낱말을 글에서 찾아 쓰세요.

> 기업은 더 많은 이윤을 얻기 위해, 질 좋은 제품을 만들거나 새로운 기술을 개발하고 인재를 뽑는 등 다양한 노력을 합니다.

( )

7 요약하기

글의 중심 내용을 아래의 표로 정리했습니다. 빈칸에 알맞은 말을 쓰세요.

경제 제도	• ① □□□□ 제도 • ② □□□□ 제도 • 자유와 경쟁
경제 활동 - ③ □□	• 개인: 직업 선택, 소득 사용 • 기업: 생산 및 판매 방식 결정, 판매 수입 사용
경제 활동 - ④ □□	• 개인: 원하는 것, 직업을 얻기 위하여 • 기업: 많은 물건을 팔아 더 많은 이윤을 얻기 위하여

어휘학습

뜻

낱말의 뜻풀이로 알맞은 것을 보기 에서 골라 괄호 안에 기호를 쓰세요.

(1) 정당하다 (　　)
(2) 이윤 (　　)
(3) 능률 (　　)

보기
㉠ 이치에 맞아 올바르고 마땅하다.
㉡ 일정한 시간에 할 수 있는 일의 비율.
㉢ 장사 따위를 하여 남은 돈.

다지기

아래 문장의 빈칸에 알맞은 낱말을 보기 에서 찾아 쓰세요.

보기
정당 　 능률 　 이윤

(1) 각각으로 보면 모두가 그 나름대로 [　][　]한 이유가 있다.
(2) 외국 상인들로부터 사들인 물건에 많은 [　][　]을 붙여 팔았다.
(3) 스트레스가 많이 쌓이면 일의 [　][　]이 떨어지게 된다.

넓히기

다음 한자어의 구성과 뜻을 알아보고, 빈칸에 알맞은 낱말을 쓰세요.

- **경제(經** 지날 경. **濟** 건널 제.) 인간의 생활에 필요한 재화나 용역을 생산 · 분배 · 소비하는 모든 활동. 또는 그것을 통하여 이루어지는 사회적 관계.
- **경험(經** 지날 경. **驗** 시험 험.) 자신이 실제로 해 보거나 겪어 봄. 또는 거기서 얻은 지식이나 기능.
- **신경(神** 귀신 신. **經** 지날 경.) 어떤 일에 대한 느낌이나 생각.

(1) 아직은 [　][　]이 부족하여 일하는 게 서툴다.
(2) 큰 시험을 앞두고 있어서 [　][　]이 곤두서 있다.
(3) 국가 [　][　]가 눈에 띄게 성장하였다.

시간
공부 날짜 [　] 월 [　] 일
푸는데 걸린 시간 [　] 분

확인
맞은 개수 써보기

독해	개/7개	어휘	개/9개

해설편 06쪽

13

보이저호는 인류 역사상 가장 먼저 우주로 발사된 탐사선입니다. 보이저호가 보내주는 자료 모두가 인류 최초의 자료랍니다. 보이저호의 수명을 최대한 늘리는 것이 매우 중요하겠죠? 다음 글을 읽고 보이저호의 역사와 지금까지 해온 일에 대해 살펴봅시다.

1. 15점 2. 15점 3. 15점 4. 15점 5. 10점 6. 15점 7. 15점

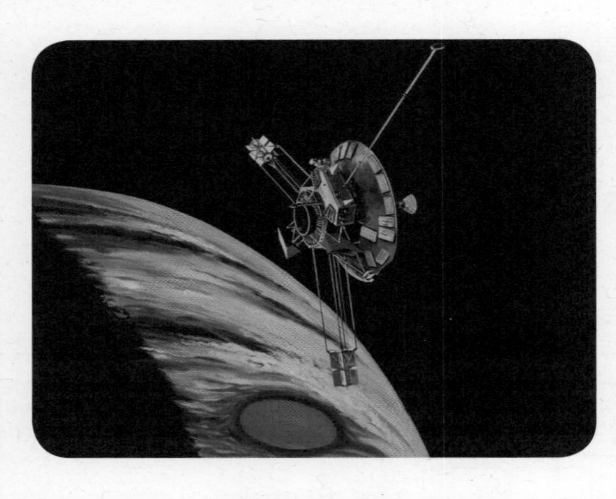

지구를 떠나 다른 별이나 외계 생명체를 찾는 것은 인류의 오랜 꿈입니다. 1977년 미국 국립항공우주국은 태양계에서 비교적 먼 거리에 있는 목성형 행성인 목성, 토성, 천왕성 등을 탐사하기 위하여 보이저 1호와 보이저 2호를 발사하였습니다. 1호는 주로 태양계 외곽을 탐사하기 위한 목적으로 발사하였고, 그보다 먼저 발사된 2호는 주로 목성형 행성을 탐사하기 위한 좋은 조건을 고려하였습니다. 이 두 탐사선은 목성, 토성, 천왕성, 해왕성을 지나가며 행성 표면의 자세한 모습을 지구로 보내왔습니다. 이러한 모습은 아무리 성능이 좋은 망원경이라고 해도 지구에서는 알아낼 수 없습니다.

보이저호는 목성 근처를 지나며 목성 표면에 매우 강한 소용돌이 바람이 불고 있고, 목성이 고리를 가지고 있다는 것을 확인하였습니다. 그리고 목성의 북극과 남극에 지구에서 일어나는 오로라[1]와 같은 현상이 있다는 것을 발견하였습니다. 이후 보이저호는 토성에 접근하여 토성의 고리가 수많은 얇은 고리로 이루어져 있다는 것을 알아냈습니다. 또 천왕성과 해왕성 근처를 지나면서 행성의 기상 상태와 위성[2], 고리 등을 탐사하였습니다. 이를 통하여 해왕성의 표면에 폭풍과 같은 거센 바람이 끊임없이 불고 있고, 해왕성의 위성 중에는 표면이 얼음과 암석으로 덮여 있는 위성도 있다는 것을 알아냈습니다.

(㉠) 보이저호는 30여 년간 여러 행성을 지나며 행성에 대한 자료를 지구로 보내왔고, 지금까지 지구에서 알아낼 수 없었던 많은 것을 알려주었습니다. 또 앞으로도 탐사선의 수명이 다할 때까지 먼 우주로 여행하면서 자료를 보내올 것입니다. 태양계를 벗어난 우주에도 생명체가 살고 있는 곳이 있을까요? 어떤 과학자들은 우

주에 매우 많은 별이 있으므로 우주 어딘가에는 지구처럼 문명을 이룬 생명체가 살고 있을 것이라고 말합니다. 은하계에는 지구와 닮은 행성이 170억 개나 있다는 주장도 있습니다. 지구와 환경이 비슷하다면 생명체가 존재할 가능성이 있습니다.

❶ 오로라 주로 극지방에서 초고층 대기 중에 나타나는 발광(發光) 현상. ❷ 위성 행성의 인력에 의하여 그 둘레를 도는 천체.

1
주제찾기

이 글의 주제로 가장 알맞은 것을 고르세요. ( )

① 태양계 외곽 탐사
② 외계 생명체 연구
③ 행성 탐사의 조건
④ 태양계 행성의 기상 상태
⑤ 우주 탐사와 보이저호의 성과

2
제목찾기

글감이 무엇인지, 아래의 빈칸을 채워 답하세요.

□□ 탐사선 □□□호

3
사실이해

글의 내용과 어긋나는 것은 어느 것입니까? ( )

① 1977년에 보이저호를 발사함.
② 목성형 행성이 여러 개 존재함.
③ 보이저 2호를 1호보다 먼저 발사함.
④ 보이저호는 목성 표면의 모습을 보내옴.
⑤ 천왕성의 위성 표면에는 얼음이 덮여 있음.

4
미루어알기

글을 바탕으로 미루어 짐작한 생각으로 알맞은 것을 고르세요. ( )

① 외계 생명체의 신호를 발견한 적이 있다.
② 목성형 행성의 극지방에는 오로라 현상이 발생한다.
③ 태양계의 먼 행성을 탐사하는 데는 우주선이 두 대 필요하다.
④ 목성형 행성들의 기상 상태는 지구보다 훨씬 나쁘다.
⑤ 태양계를 벗어난 우주에는 별이 많지 않다.

5
세부내용

㉠에 들어가기에 알맞은 말은 무엇입니까? ( )

① 따라서
② 이처럼
③ 그러나
④ 그런데
⑤ 그러므로

6
적용하기

다음 글을 참고하여, 윗글에 나온 행성을 모두 찾아 쓰세요.

항성: 스스로 빛을 내며, 마치 천구 상에서 움직이지 않는 것처럼 보이는 별.
행성: 항성 주위를 도는, 스스로 빛을 내지 못하는 천체의 한 부류로, 질량이 충분하여 구형의 형태를 유지해야 하고 다른 행성의 위성이 아니어야 한다.

( )

7
요약하기

문단의 중심 내용을 아래와 같이 간추렸습니다. 빈칸에 알맞은 말을 쓰세요.

문단	중심 내용
1문단	우주 탐사선에 의한 행성 탐사
2문단	보이저호에 의한 ① [ ][ ] 형 행성 탐사
3문단	외계 ② [ ][ ][ ] 존재 가능성에 대한 기대

어휘학습

뜻

낱말의 뜻풀이로 알맞은 것을 보기 에서 골라 괄호 안에 기호를 쓰세요.

(1) 외곽 (　　　)
(2) 표면 (　　　)
(3) 수명 (　　　)

보기
㉠ 사물 따위가 사용에 견디는 기간.
㉡ 바깥 테두리.
㉢ 사물의 가장 바깥쪽. 또는 가장 윗부분.

다지기

아래 문장의 빈칸에 알맞은 낱말을 보기 에서 찾아 쓰세요.

보기
외곽　　수명　　표면

(1) 탁자 ☐☐ 이 매끄럽고 깨끗하다.
(2) 도시 ☐☐ 에 살면 공기가 좋은 장점이 있다.
(3) ☐☐ 이 다 된 건전지를 갈았다.

넓히기

다음 한자어의 구성과 뜻을 알아보고, 빈칸에 알맞은 낱말을 쓰세요.

- **탐사(探** 찾을 탐. **査** 조사할 사.) 알려지지 않은 사물이나 사실 따위를 샅샅이 더듬어 조사함.
- **탐정(探** 찾을 탐. **偵** 염탐할 정.) 드러나지 않은 사정을 몰래 살펴 알아냄. 또는 그런 일을 하는 사람.
- **탐구(探** 찾을 탐. **究** 연구할 구.) 진리, 학문 따위를 파고들어 깊이 연구함.

(1) 〈주홍색연구〉라는 소설에 나오는 ☐☐ 이 셜록 홈스이다.
(2) 이번 ☐☐ 는 세계 최초라는 점에서 그 의의가 크다.
(3) 그 학자는 평생을 진리 ☐☐ 에 힘썼다.

시간　공부 날짜 ☐ 월 ☐ 일
푸는데 걸린 시간 ☐ 분

확인　맞은 개수 써보기

독해	개/7개	어휘	개/9개

3주 13회

해설편 07쪽

14

생각 열기

이 전기의 주인공은 "돈이란 써야 돈값을 한다. 쓰지 않는 돈을 모아서 무엇에 쓰려는가."라고 말했어요. 딸이라는 이유로 태어날 때부터 이름이 없었지만 베풂을 통해 이름을 갖게 된 위대한 자선가의 전기를 읽어 봅시다.

접수 계산 1. 15점 2. 15점 3. 15점 4. 15점 5. 10점 6. 15점 7. 15점

백선행에게는 좌우명이 있었습니다.

"먹기 싫은 것 먹고, 입기 싫은 옷 입고, 하기 싫은 일 하고."

이를 보며 주변 사람들은 구두쇠처럼 독하게 돈을 모은다고 수군대기도 하였습니다. 그러나 백선행은 아랑곳하지 않고 열심히 돈을 모아 마침내 큰 부를 이루게 되었습니다.

백선행은 부자가 되었다고 해서 생활 습관을 바꾸지 않았습니다. 여전히 근검절약하는 생활을 하였지요. 집에 손님이 오면 백선행은 냉면을 대접하였습니다. 그런데 다 먹지 않고 남기는 사람이 있으면 꼭 한마디 하였습니다. / "아깝게 왜 남기십니까? 귀한 음식인데……."

그러고는 손님이 지켜보는 가운데 그 냉면 그릇을 깨끗이 비웠습니다.

백선행은 입버릇처럼 말하였습니다.

"음식은 사람이 아니라 하늘이 주신 거야. 감사하며 먹어야지. 농사짓는 사람의 정성을 생각한다면 밥풀 하나라도 그냥 버려선 안 돼."

그러던 어느 날 밤 백선행의 집에 도둑이 들었습니다.

"꼼짝 마라! 돈을 내놓지 않으면 죽여 버리겠다!"

도둑은 칼을 들이대고 이렇게 위협하였습니다. 그러나 백선행은 조금도 떨지 않고 당당하게 맞섰습니다.

"네놈에게 줄 돈은 없다! 썩 꺼져라!"

백선행은 큰 소리로 외치며 도둑에게 달려들었습니다. 도둑은 당황하였습니다. 설마 자신에게 덤벼들 줄은 전혀 생각지 못하였기 때문입니다. 도둑은 백선행을 칼로 찌르고는 얼른 달아나 버렸습니다. 부상을 입은 백선행은 의원에게 치료를 받았습니다. 소식을 들은 사람들이 위문을 와서 한결같이 말하였습니다.

"도둑이 요구하는 대로 돈을 내주지 그러셨어요. 그랬으면 이렇게 다치시지는 않았을 텐데,"

그러자 백선행이 단호하게 말하였습니다.

"가난하고 불쌍한 사람들에게도 다 못 나누어 주는 돈이에요. 그런데 도둑에게 돈을 내줘요? 어림없지요." / "목숨을 건지려면 할 수 없지요."

"내가 목숨을 잃더라도 내 돈만 남아 있으면 좋은 일에 쓰이지 않겠어요? 하지만 내 돈이 도둑에게 넘어가 봐요, 나쁜 일에 쓰일 게 뻔하잖아요."

어느 날, 백선행은 혼자 생각하였습니다. / '돈이 무엇인가? 내가 가졌다가 남이 가지고, 이렇게 돌고 도는 게 돈이 아닌가. 하느님이 나를 이 세상에 보내 주셨으니 멋진 일이나 하고 가

야겠다. 우리 고장과 이웃을 위하여 내 돈을 쓰는 거야.'

백선행이 이런 결정을 하고 난 며칠 뒤 추석이 되었습니다. 추석날 아침, 남편의 무덤에 성묘를 하러 가던 백선행은 발길을 돌려야 하였습니다. 남편의 무덤에 가려면 대동군 용산면 객산리에 있는 '솔뫼 다리'를 건너야 하는데, 전날 밤 비가 많이 내려 다리가 떠내려가 다리를 건널 수 없었기 때문입니다. 백선행은 ㉠불현듯 이런 생각이 떠올랐습니다.

'그래, 솔뫼 다리를 튼튼한 돌다리로 바꾸어 놓자. 그러면 홍수가 나더라도 떠내려가지 않겠지.'

1919년에 삼일 운동이 일어났습니다. 백선행은 독립 만세를 외치며 감격스러워하였습니다.

"내가 번 돈을 우리 민족을 위하여 써야겠다. 전 재산을 사회에 돌리는 거야."

백선행은 우리 민족이 독립을 이루려면 교육에 힘써야 한다고 생각하였습니다. 그래서 1925년 2월 평양광성소학교에 1만 4천 여 평의 땅을 기부하였으며, 같은 해 10월 평양숭현여학교에 2만 6천여 평의 땅을 기부하였습니다. 그리고 1927년 1월에는 창덕소학교에 재단법인을 만들고 '기백창덕보통학교'라고 이름을 붙였습니다. 또, 1929년에는 평양 시내에 1천 2백여 명을 수용할 수 있는 평양 시민을 위한 공회당을 세웠습니다.

백선행은 자신의 모든 재산을 사회에 돌린 후 1933년 5월 8일, 조용히 눈을 감았습니다.

3주 14회

해설편 07쪽

1 주제찾기

주인공의 행적에서 본받을 점은 무엇입니까? ( )

① 궂은일을 마다않고 열심히 돈을 모은다.
② 홀어머니 밑에서 가난한 어린 시절을 보낸다.
③ 검소하고 성실한 노력으로 남에게 베풀며 산다.
④ 부자가 되었다고 해서 생활 습관을 바꾸지 않는다.
⑤ 목숨을 잃더라도 도둑에게는 재물을 내주지 않는다.

2 글감찾기

글에 나타난 말을 활용하여 글감을 10자 이내로 쓰세요.

( )

3 사실이해

백선행의 업적과 거리가 먼 것은 어느 것입니까? ( )

① 솔뫼 다리를 튼튼한 돌다리로 바꾸었다.
② 평양광성소학교에 학교 지을 땅을 기부하였다.
③ 재단 법인을 만들어 기백창덕보통학교를 세웠다.
④ 평양 시내에 시민을 위한 공회당을 지었다.
⑤ 민족의 독립을 위하여 모금하였다.

4
미루어알기

백선행의 말이나 행동에서 떠올려 본 삶을 알맞게 표현한 것을 고르세요. ( )

① 평생 남편을 그리워하며 살았다.
② 좋은 옷 입는 것이 왠지 부끄럽기만 하였다.
③ 돌고 도는 게 돈인데 거기에 집착할 수는 없었다.
④ 희생을 각오하고라도 재산이 좋은 일에 쓰이길 바랐다.
⑤ 착한 일을 하기는 했지만 자랑하지 않고 조용히 눈을 감았다.

5
세부내용

㉠과 바꾸어 쓸 수 <u>없는</u> 말은 무엇입니까? ( )

① 갑자기 ② 갑작스럽게 ③ 느닷없이
④ 홀연 ⑤ 줄곧

6
적용하기

이 글을 읽고 정할 수 있는 토의 주제로 가장 알맞은 것은 무엇입니까? ( )

① 이웃끼리 서로 잘 어울리는 방법 ② 근검절약을 실천하는 방법
③ 돈을 가치 있게 쓰는 방법 ④ 돈을 잘 벌 수 있는 방법
⑤ 건강하게 하루하루를 지내는 방법

7
요약하기

백선행의 말과 행동에 배어있는 마음을 떠올려서 표로 정리했습니다. 빈칸에 알맞은 말을 쓰세요.

손님이 남긴 음식을 그 자리에서 깨끗이 비움	① □□함
돈을 내놓으라고 위협하는 도둑에게 돈을 줄 수 없다며 달려들어 부상을 입음	돈이 ② □□□에 의미 있게 쓰이길 바람
많은 돈을 내놓아 튼튼한 돌다리를 세움	다른 사람에게 ③ □□을 주기 위해 노력함

어휘학습

뜻

낱말의 뜻풀이로 알맞은 것을 보기 에서 골라 괄호 안에 기호를 쓰세요.

(1) 궂은일 (　　　)
(2) 아랑곳하다 (　　　)
(3) 단호하다 (　　　)

보기
㉠ 언짢고 꺼림칙하여 하기 싫은 일.
㉡ 결심이나 태도, 입장 따위가 결단력 있고 엄격하다.
㉢ 일에 나서서 참견하거나 관심을 두다.

다지기

아래 문장의 빈칸에 알맞은 낱말을 보기 에서 찾아 쓰세요.

보기
아랑곳　　단호　　궂은일

(1) 지시가 너무 [ ][ ]해서 거절할 수 없었다.
(2) 그는 착한 성품으로 [ ][ ][ ]을 마다하지 않았다.
(3) 이마에 땀방울이 줄줄 흐르는 것도 [ ][ ][ ] 않고 열심히 일했다.

넓히기

다음 한자어의 구성과 뜻을 알아보고, 빈칸에 알맞은 낱말을 쓰세요.

- **위문(慰** 위로할 위. **問** 물을 문.**)** 위로하기 위하여 문안하거나 방문함.
- **질문(質** 바탕 질. **問** 물을 문.**)** 알고자 하는 바를 얻기 위해 물음.
- **문제(問** 물을 문. **題** 제목 제.**)** 해답을 요구하는 물음.

(1) 수업 시간에 선생님께 궁금한 점을 [ ][ ]하였다.
(2) 수재를 입은 사람들을 위해 [ ][ ]금을 모아 전달했다.
(3) 그것은 중학생이나 풀 수 있는 어려운 [ ][ ]이다.

시간
공부 날짜 [　　] 월 [　　] 일
푸는데 걸린 시간 [　　] 분

확인
맞은 개수 써보기

독해	[　　] 개/7개	어휘	[　　] 개/9개

15

학교와 집을 오가는 길에 고양이 발자국을 본 일이 있나요? 어떤 느낌이었나요? 고양이에 대해 느끼는 생각이 고양이 발자국을 꽃처럼 보이게도 하고 보기 싫게도 하겠지요. 두 시를 감상하며 말하는 이에 따라 같은 대상을 어떻게 보고 있는지 살펴봅시다.

1. 15점 2. 10점 3. 15점 4. 15점 5. 15점 6. 15점 7. 15점

(가) 하수도가 막혀

공사를 했다
새 관 다시 묻고
시멘트 새로 발라
말끔하게 마무리한 아저씨

–오늘은 사용하지 마세요
밟아도 안 됩니다–
당부하고 갔다

밟지 말랬는데
고양이가 밟았다

발자국은 꽃 모양
무슨 꽃일까
고양이는 알까?

새로 바른 시멘트 위에
다섯 송이 꽃이 피었다.

(나) 김이 모락모락 / 따끈따끈
소중한 내 밥

살금살금 / 우리 집에 들어와
야금야금 먹고 간 / 옆집 고양이 녀석
–흰둥이, 너 / 또 마당 어지럽혔지!

내 발자국은 연꽃 모양

고양이 발자국은 안개꽃 모양

내 발자국도 몰라보는 / 아주머니 야속해

아주머니 새 구두 / 꼭꼭 숨겨 놨다.

1 주제찾기

(가), (나)에서 말하는 이가 대상을 대하는 마음을 순서대로 늘어놓은 것은 어느 것입니까? ( )

① 순하게 대하기-억세게 대하기 ② 올려보기-굽어보기
③ 머물러있기-돌아다니기 ④ 따르기-거절하기
⑤ 따뜻하게 감싸기-미워하고 원망하기

2 제목찾기

(가)와 (나)의 공통된 글감을 6자로 쓰세요.

( )

3 사실이해

(가)에서 말하는 이의 마음을 표현하기 위해 끌어들인 소재는 무엇입니까?

( )

① 하수도 ② 시멘트 ③ 고양이
④ 발자국 ⑤ 다섯 송이 꽃

4 미루어알기

(나)에서 말하는 이의 원망하는 생각을 품고 있는 구절은 어느 것입니까? ( )

① 누가 마당을 어지럽혀 놓았지?
② 고양이 발자국이 안개꽃 모양 같아!
③ 아이고, 속상해. 밥을 새로 해야 하나?
④ 내 밥을 노리는 얄미운 옆집 고양이 녀석, 언제 왔다 갔지!
⑤ 어휴, 찝찝해, 발에 묻은 흙이 도무지 떨어지지를 않네!

5

세부내용

(가), (나)가 보통의 시 갈래 작품들과 뚜렷하게 차이가 나는 점은 무엇입니까? ( )

① 대화로 이루어져 있다.
② 사건의 요소를 포함하고 있다.
③ 인물의 행동으로 성격을 표현하고 있다.
④ 뜻을 여러 가지 품은 낱말을 사용하고 있다.
⑤ 같거나 비슷한 소리를 반복하여 운율을 이루고 있다.

6

적용하기

(나)를 이야기글로 바꾸어 보았습니다. 빈칸에 알맞은 말을 쓰세요.

소중한 내 밥을 ① □□ □□□가 몰래 들어와 훔쳐먹고 가면서 마당까지 어지럽혔는데, 아주머니는 ② □□□□도 내 ③ □□□도 몰라보고 나를 꾸짖었다.

7

요약하기

시의 내용을 아래와 같이 간추렸습니다. 빈칸을 채우세요.

(가)	(나)
하수도가 막혀 공사를 했다. 아저씨가 오늘은 사용하면 안 되고 밟아도 안 된다고 당부했다. 그런데 고양이가 밟았다. 새로 바른 시멘트 위에 다섯 송이 ① □이 피었다.	소중한 내 밥을 옆집 고양이가 먹었다. 그런데 아주머니가 마당이 어지럽혀졌다며 날 꾸짖었다. 내 ② □□□ 모양도 몰라보는 아주머니가 야속해 아주머니 새 구두를 꼭꼭 숨겨놨다.

어휘학습

뜻 낱말의 뜻풀이로 알맞은 것을 보기 에서 골라 괄호 안에 기호를 쓰세요.

(1) 당부 (　　)
(2) 모락모락 (　　)
(3) 야금야금 (　　)

보기
㉠ 무엇을 입 안에 넣고 잇따라 조금씩 먹어 들어가는 모양.
㉡ 연기나 냄새, 김 따위가 계속 조금씩 피어오르는 모양.
㉢ 말로 단단히 부탁함. 또는 그런 부탁.

다지기 아래 문장의 빈칸에 알맞은 낱말을 보기 에서 찾아 쓰세요.

보기
야금야금　　모락모락　　당부

(1) 저 멀리 지평선에 아지랑이가 □□□□ 피어오른다.
(2) 형은 꼬리만 먹겠다던 붕어빵을 □□□□ 절반을 더 먹었다.
(3) 특별히 비밀을 지켜 달라는 □□를 했다.

넓히기 다음 한자어의 구성과 뜻을 알아보고, 빈칸에 알맞은 낱말을 쓰세요.

- **야속(野** 들 야. **俗** 풍속 속.) 무정한 행동이나 그런 행동을 한 사람이 섭섭하게 여겨져 언짢음.
- **야구(野** 들 야. **球** 공 구.) 9명씩으로 이루어진 두 팀이 9회씩 공격과 수비를 번갈아 하며 승패를 겨루는 구기 경기.
- **야생(野** 들 야. **生** 날 생.) 산이나 들에서 저절로 나서 자람. 또는 그런 생물.

(1) 친구는 내 부탁을 □□하게도 거절하였다.
(2) 멸종 위기에 처한 □□ 동물을 보호해야 한다.
(3) 저 □□ 선수는 순발력이 뛰어나다.

시간 공부 날짜 　월 　일
푸는데 걸린 시간 　분

확인 맞은 개수 써보기

독해	개/7개	어휘	개/9개

3주 15회
해설편 08쪽

어휘·어법 총정리

어휘 보기 의 낱말을 보고, 뜻과 어울리는 것을 골라 아래의 빈칸에 써보세요.

보기	당부	위문	보수	불현듯	탐사	능률	집필하다	문구

1. 알려지지 않은 사물이나 사실 따위를 샅샅이 더듬어 조사함. [   ]
2. 말로 단단히 부탁함. 또는 그런 부탁. [   ]
3. 일정한 시간에 할 수 있는 일의 비율. [   ]
4. 위로하기 위해 문안하거나 방문함. [   ]
5. 불을 켜서 불이 일어나는 것과 같다는 뜻으로, 갑자기 어떠한 생각이 걷잡을 수 없이 일어나는 모양. [   ]
6. 일한 대가로 주는 돈이나 물품. [   ]
7. 글의 구절. [   ]
8. 직접 글을 쓰다. [   ]

어법 다음 중 맞춤법에 맞는 것을 골라 동그라미 하세요.

1. [엽집 / 옆집] 고양이
2. [굳은일 / 궂은일]도 척척 했다.
3. 잔소리에 [아랑곧 / 아랑곳]하지 않고
4. [구두쇄 / 구두쇠]처럼 돈을 아꼈다.
5. [조용히 / 조용이] 눈을 감았다.
6. 태양계 [외각 / 외곽]을 탐사
7. 혼란의 [소용돌이 / 소용도리] 속에서
8. [사유제산 / 사유재산] 제도

나의 점수 확인하기

어휘	개 / 8개	어법	개 / 8개

4주차

회차 / 영역	제목	계획 및 점검
16 인문 | 논설문	용준이네 반의 토론 • 나는 ☐ 월 ☐ 일 ☐ 시에 공부할 것입니다.	• 독해력에서 나의 점수는 ☐ 점입니다. • 어휘력에서 맞은 문제수는 ☐ 개 / 9개 입니다. • 어려웠던 문제는 ______ 번입니다.
17 사회 | 설명문	광고의 좋은 점과 나쁜 점 • 나는 ☐ 월 ☐ 일 ☐ 시에 공부할 것입니다.	• 독해력에서 나의 점수는 ☐ 점입니다. • 어휘력에서 맞은 문제수는 ☐ 개 / 9개 입니다. • 어려웠던 문제는 ______ 번입니다.
18 과학 | 설명문	다양한 결정 • 나는 ☐ 월 ☐ 일 ☐ 시에 공부할 것입니다.	• 독해력에서 나의 점수는 ☐ 점입니다. • 어휘력에서 맞은 문제수는 ☐ 개 / 9개 입니다. • 어려웠던 문제는 ______ 번입니다.
19 산문문학 | 이야기	늦달이 아저씨 • 나는 ☐ 월 ☐ 일 ☐ 시에 공부할 것입니다.	• 독해력에서 나의 점수는 ☐ 점입니다. • 어휘력에서 맞은 문제수는 ☐ 개 / 9개 입니다. • 어려웠던 문제는 ______ 번입니다.
20 운문문학 | 시	함께 쓰는 우산 • 나는 ☐ 월 ☐ 일 ☐ 시에 공부할 것입니다.	• 독해력에서 나의 점수는 ☐ 점입니다. • 어휘력에서 맞은 문제수는 ☐ 개 / 9개 입니다. • 어려웠던 문제는 ______ 번입니다.

• 이번 주 독해력 문제에서 나의 점수는 평균 ☐ 점입니다.

• 이번 주 어휘력에서 맞은 문제수는 모두 ☐ 개입니다.

16

다음은 '학습 만화는 유익하다'라는 주제로 토론을 펼치고 있어요. 내가 최근에 읽었던 학습 만화를 떠올려 보면, 어떤 장단점이 있다고 생각하나요? 양쪽의 주장과 근거를 파악해 보며 다음 글을 읽어봅시다.

1. 15점 2. 15점 3. 10점 4. 15점 5. 15점 6. 15점 7. 15점

사회자: 지금부터 '학습 만화는 유익하다'라는 주제로 토론을 시작하겠습니다. 본격적인 토론에 앞서 토론 규칙을 말씀드리겠습니다. 양쪽 토론자께서는 발언권을 얻고 말씀하여 주시고, 발언 시간을 지켜 주십시오. 그리고 토론 주제에서 벗어난 발언을 삼가 주세요. 먼저, 찬성편에서 주장을 펼쳐주십시오.

찬성편 남학생: 학습 만화는 유익하다고 생각합니다. 왜냐하면 어려운 개념을 만화로 쉽고 재미있게 설명해 주어 공부에 도움이 되기 때문입니다. 우리가 조사한 자료에 따르면 학습 만화 덕분에 알게 된 개념이나 지식이 더 많아……. (반대편 토론자가 끼어든다.)

반대편 남학생: 말도 안 됩니다.

사회자: 반대편 토론자는 발언권을 얻고 말씀하여 주시기 바랍니다. 찬성편 토론자는 계속해서 말씀하여 주십시오.

찬성편 남학생: 네, 우리가 조사한 자료에 따르면, 학생들이 학습 만화에서 새로운 개념이나 지식을 많이 배우는 것을 알 수 있습니다. 이러한 까닭에 '학습 만화는 유익하다'고 생각합니다.

사회자: 다음으로 반대편에서 주장을 펼쳐 주십시오.

반대편 여학생: 저는 학습 만화는 유익하지 않다고 생각합니다. 왜냐하면 만화는 흥미 위주로 이야기가 전개되고 짧은 대사가 많아 깊이 생각하는 습관을 기르기 어렵기 때문입니다.

사회자: 양쪽의 주장을 잘 들어 보았습니다. 이번에는 상대의 주장을 반론하는 시간을 가지도록 하겠습니다. 반대편에서 찬성편의 주장을 반론하여 주시기 바랍니다.

반대편 남학생: 찬성편에서는 근거를 뒷받침하기 위하여 통계 자료를 제시하였는데, 언제 누구를 대상으로 한 것인지 알 수 없어서 신뢰가 가지 않습니다. 자료의 출처를 밝혀주시기 바랍니다.

사회자: 다음으로 찬성편에서 반대편의 주장을 반론하여 주시기 바랍니다.

찬성편 여학생: 반대편 토론자께서는 어제 점심시간에 학습 만화를 읽으셨습니다. 따라서 이 주제에 대하여 반대할 자격이 없다고 생각합니다. 그리고 반대편의 주장은 모두 거짓입니다.

사회자: 찬성편 토론자가 상대편 토론자의 행동과 토론 내용을 연관 지어 말한 것은 인신공격에 해당합니다. 인신공격은 삼가 주시기 바랍니다. 양쪽의 반론을 잘 들어 보았습니다. 이번에는 마무리 발언을 해 주시기 바랍니다. 반대편부터 말씀하여 주십시오.

반대편 여학생: 저는 독서를 많이 해야 한다고 생각합니다. 그래야 훌륭한 사람이 될 수 있기 때문입니다.

사회자: 반대편 토론자가 말한 독서를 많이 하자는 의견은 토론 주제에서 벗어난 이야기입니다. 토론 주제에서 벗어난 이야기는 삼가 주시길 바랍니다. 찬성편의 마무리 발언을 듣도록 하겠습니다.

찬성편 여학생: 학습 만화는 유익하다고 생각합니다. 재미있는 이야기로 원리를 잘 설명해 주어 공부에 도움이 되고 상상력도 풍부하게 해주기 때문입니다.

사회자: 주장을 다지는 양쪽의 마무리 발언을 들어 보았습니다. 그럼 판정단의 판정 결과를 듣도록 하겠습니다.

판정단: 토론자들이 진지하게 토론에 참여하였지만 발언권을 얻지 않고 말하였고, 인신공격을 하거나, 토론 주제에서 벗어난 발언을 하는 등 토론 규칙이 잘 지켜지지 않아 아쉬웠습니다. 저희 판정단이 논의한 결과, 이번 토론에서는 주장에 대한 타당한 근거를 제시해 준 찬성편이 승리한 것으로 판정하였습니다.

사회자: 다음 토론에서는 토론 규칙을 잘 지키는 성숙한 자세를 보여 주시길 바랍니다. 이것으로 토론을 마치겠습니다.

해설편 08쪽

1 주제찾기

토론에서 찬성편 발표자의 주장과 근거를 가장 잘 정리한 것을 고르세요. ( )

① 상대편 토론자도 읽었기 때문에 학습 만화는 유익하다.
② 공부에 도움이 되기 때문에 학습 만화는 유익하다.
③ 재미있고 쉬운 설명이어서 학습 만화는 유익하다.
④ 흥미 위주의 이야기여서 학습 만화는 유익하지 않다.
⑤ 깊이 생각하는 습관을 기르기 어려워서 유익하지 않다.

2 제목찾기

토론의 문제로 삼은 것을 찾아서 한 문장으로 쓰세요.

( )

3 사실이해

토론 참가자에 속하지 않는 사람을 고르세요. ( )

① 질문자 ② 사회자 ③ 찬성편 토론자
④ 반대편 토론자 ⑤ 판정단

4 미루어알기

토론의 승패를 판정하는 데 가장 중요한 기준이 된 것은 무엇입니까? ( )

① 판정단의 원래 생각 ② 청중의 질문에 대한 답변
③ 토론자에 대한 사회자의 인상 ④ 토론자가 발언하는 자세
⑤ 주장과 근거의 타당성과 신뢰성

5 세부내용

토의와 토론을 견주어 정리한 아래 표의 빈칸에 공통으로 들어갈 말을 쓰세요.

	토의	토론
공통점	여러 사람이 함께 최선의 결론을 얻기 위해 의견을 주고받음.	
차이점	[ ][ ]으로 나누어지지 않음.	[ ][ ]으로 입장이 나누어짐.

6 적용하기

다음 토론의 진행 중 사회자가 할 말로 알맞은 것은 무엇입니까? ( )

> **토론 주제:** 초등학생이 화장을 해도 된다.
> **찬성편 토론자:** 초등학생이 화장을 해도 된다고 생각합니다. 왜냐하면 초등학생도 표현의 자유가 있기…….
> **반대편 토론자:** 그런데 화장에 너무 신경을 쓰다 보면 학업에 집중하기가 어렵습니다.
> **사회자:** 반대편 토론자는 발언권을 얻고 말씀하여 주시기 바랍니다. 찬성편 토론자는 계속해서 말씀하여 주십시오.
> **찬성편 토론자:** 그런데 반대편 토론자께서는 어제 화장을 왜 하셨습니까?
> **사회자:** ( )

① 반대편 토론자의 주장을 펼쳐 주시기 바랍니다.
② 발언권을 얻고 말씀하여 주시기 바랍니다.
③ 상대방에 대한 인신공격을 삼가 주시기 바랍니다.
④ 주제에서 벗어난 발언을 삼가 주시기 바랍니다.
⑤ 상대방 주장과 근거의 잘못을 철저히 따져 주시기 바랍니다.

7 요약하기

글의 토론에서 주제에 대한 찬성편과 반대편의 주장과 근거를 정리해 보았습니다. 빈칸에 알맞은 낱말을 쓰세요.

찬성편	주장	학습 만화는 ① [ ][ ]하다.
	근거	어려운 개념을 만화로 쉽고 ② [ ][ ][ ][ ] 설명해 주어 공부에 도움이 되기 때문입니다.
반대편	주장	학습 만화는 ③ [ ][ ][ ][ ] 않다.
	근거	만화는 ④ [ ][ ] [ ][ ]로 이야기가 전개되고 짧은 대사가 많아 깊이 생각하는 습관을 기르기 어렵기 때문입니다.

어휘 넓히기

뜻

낱말의 뜻풀이로 알맞은 것을 보기 에서 골라 괄호 안에 기호를 쓰세요.

(1) 유익 (　　)
(2) 삼가다 (　　)
(3) 논의 (　　)

보기
㉠ 어떤 문제에 대하여 서로 의견을 내어 토의함. 또는 그런 토의.
㉡ 이롭거나 도움이 될 만한 것이 있음.
㉢ 몸가짐이나 언행을 조심하다.

다지기

아래 문장의 빈칸에 알맞은 낱말을 보기 에서 찾아 쓰세요.

보기
삼가야　　유익　　논의

(1) 이 책은 나에게 매우 [　][　]한 책이다.
(2) 어른 앞에서는 행동을 [　][　][　] 한다.
(3) 어린이 교통 문제 해결을 위한 [　][　]가 활발하다.

넓히기

다음 한자어의 구성과 뜻을 알아보고, 빈칸에 알맞은 낱말을 쓰세요.

- **판정(判** 판단할 판. **定** 정할 정.) 판별하여 결정함.
- **안정(安** 편안 안. **定** 정할 정.) 바뀌어 달라지지 아니하고 일정한 상태를 유지함.
- **측정(測** 헤아릴 측. **定** 정할 정.) 길이나 무게 따위를 재어서 정함.

(1) 신체검사에서 합격 [　][　]을 받았다.
(2) 간호사는 온도계로 체온을 [　][　]하였다.
(3) 저 환자는 절대적인 [　][　]이 필요합니다.

시간
공부 날짜 [　]월 [　]일
푸는데 걸린 시간 [　]분

확인
맞은 개수 써보기

독해	개/7개	어휘	개/9개

4주 16회

해설편 08쪽

17

광고란, 상품이나 서비스에 대한 정보를 여러 가지 매체를 통해 소비자에게 널리 알리는 의도적인 활동이라고 해요. TV 광고를 비롯해 여러 매체를 통해 광고를 접할 수 있죠. '이게 광고야?' 싶은 광고도 많아요. "입소문광고"라고 해서 기업이 직접 홍보하지 않은 척 하며 유명한 사람들의 입을 통해 광고하기도 하죠. 이 글을 통해 현명하게 광고를 받아들이는 방법을 알아봅시다.

1. 10점 2. 15점 3. 15점 4. 15점 5. 15점 6. 15점 7. 15점

기업이 광고하는 이유는 소비자들이 자기 회사 제품을 더 많이 사도록 해서 이윤을 더 많이 얻기 위해서입니다. 그만큼 광고는 사람들의 욕구를 자극하기 때문에 소비자들의 소비 결정에도 커다란 영향을 미칩니다. 그렇다면 우리는 광고를 잘 알아야 현명하게 소비할 수 있겠죠? 광고의 좋은 점과 나쁜 점에 대해서 함께 알아보아요.

우리 집은 보통 배달 음식을 시켜 먹을 때 집에 들어온 광고지를 보고 주문을 하는 경우가 많아요. 만약 음식점이 광고하지 않았더라면 우리가 어떤 식당에서 무슨 메뉴를 팔고 있는지 어떻게 알 수 있겠어요? 엄마가 장을 보실 때에도 어느 슈퍼마켓에서 언제 어떤 물건을 할인해 팔고 있는지 광고지를 꼼꼼히 살펴보고 가세요.

저희 누나는 굉장히 날씬한 모델들을 내세워 광고하는 식품 회사에서 일주일에 10kg을 무조건 빼게 한다고 광고해서 다이어트 식품을 구매했는데, 아무런 효과도 보지 못했어요. 요즘에는 소비자들이 후기를 참고하여 구매 결정을 한다는 점을 이용해서 돈을 받고 블로그에 ㉠구매 후기를 올리는 경우가 많아요. 사실 그런 글은 공정하게 쓴 것 같지만 그렇지 않은 경우가 많대요. 진짜 체험하고 자신의 이야기를 적은 글인지 아닌지 잘 판단해야 해요.

광고는 기본적으로 소비자에게 상품의 장점만을 부각해 판매로 이끌어 내야 하기 때문에 어느 정도 과장된 표현을 할 수는 있겠지요. 하지만 지나친 허위 과대광고는 소비자를 속이고, 피해를 주는 일이에요. 물건을 판매하는 사람도, 구입하는 사람도 스스로에게 떳떳하게, 바른 방법을 사용해야 합니다. 이제 광고가 지닌 좋은 점과

나쁜 점을 제대로 이해하게 되었으니, 광고로부터 좋은 정보는 얻되, 과장된 내용은 받아들이지 않는 현명한 소비자가 될 수 있을 거예요.

1 주제찾기

글을 읽고 어떤 부류의 사람이 가장 크게 공감할까요? ( )

① 상품을 만드는 사람
② 광고를 만드는 사람
③ 집에서 상품을 고르는 사람
④ 광고에 대한 지식이 부족한 사람
⑤ 광고의 피해를 본 적이 있는 사람

4주 17회

해설편 09쪽

2 제목찾기

글에 나온 말을 사용하여 빈칸을 채워 글의 제목을 붙이세요.

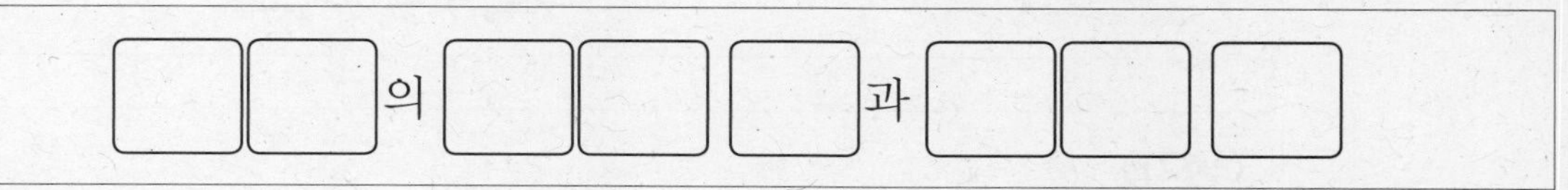

3 사실이해

글의 내용과 거리가 먼 것을 고르세요. ( )

① 광고의 목적은 이윤을 더 많이 얻는 데 있다.
② 광고는 소비자의 욕구를 자극하려는 경향이 있다.
③ 광고는 보는 사람에게 정보를 제공하여 이득을 준다.
④ 광고는 실제의 성능을 과장하는 거짓을 일삼기도 한다.
⑤ 광고가 지나친 허위 과대가 아니라면 아무런 해가 없다.

4 미루어알기

물건을 사는 쪽에서 광고를 보는 목적은 무엇이라고 할 수 있나요? ( )

① 공정한 거래
② 현명한 소비
③ 유리한 판매
④ 세련된 행동
⑤ 준비된 투자

5

세부내용

㉠의 본래 뜻을 적절하게 풀어놓은 것을 고르세요. ( )

① 광고한 다음 올리는 글
② 친한 친구에게 쓰는 답장의 글
③ 상품의 결점과 단점을 따져서 써놓은 글
④ 사들인 물건을 사용하고 감상이나 평가를 적은 글
⑤ 기업에서 광고를 위해 상품의 평가단을 모집하여 발표한 글

6

적용하기

다음 광고를 보고 내린 평가입니다. 빈칸을 채우세요.

〈키노피오 주스〉

뼈 성장에 꼭 필요한 영양이 듬뿍!
하루 한 컵으로 키가 쑥쑥!
모든 의료인이 추천하는 키노피오 주스,
지금 바로 구매하세요!

〈평가〉
상품이 뼈 성장에 도움은 주지만 하루 한 컵으로 키가 쑥쑥 큰다는 것은 상품이 가지고 있는 기능을 부풀린 것이므로 ① ☐☐ 광고이다. 또한, 모든 의료인이 추천한다는 것은 진실이 아닌 자료나 정보를 진실인 것처럼 꾸민 것이므로 ② ☐☐ 광고이다.

7

요약하기

글의 중심 내용을 아래와 같이 정리해 보았습니다. 빈칸을 채워 쓰세요.

기업은 소비자들이 자기 회사 제품을 더 많이 사도록 해서 ① ☐☐을 더 많이 얻기 위해 광고를 한다. 현명한 소비자가 되기 위해서는, 광고를 통해 좋은 ② ☐☐를 얻되, ③ ☐☐ · ☐☐ 광고는 받아들이지 않아야 한다.

어휘 넓히기

뜻

낱말의 뜻풀이로 알맞은 것을 보기 에서 골라 괄호 안에 기호를 쓰세요.

(1) 구매 (　　)
(2) 부각하다 (　　)
(3) 허위 (　　)

보기
㉠ 어떤 사물을 특징지어 두드러지게 하다.
㉡ 진실이 아닌 것을 진실인 것처럼 꾸민 것.
㉢ 물건 따위를 사들임.

다지기

아래 문장의 빈칸에 알맞은 낱말을 보기 에서 찾아 쓰세요.

보기
구매　　부각　　허위

(1) 이 그림은 빛의 효과를 ☐☐시켰다.
(2) 친구들 열 명을 모아 물건을 싼값에 공동 ☐☐했다.
(3) 그의 자백은 모두 ☐☐였음이 밝혀졌다.

넓히기

다음 한자어의 구성과 뜻을 알아보고, 빈칸에 알맞은 낱말을 쓰세요.

- **광고(廣** 넓을 광. **告** 고할 고.) 상품이나 서비스에 대한 정보를 여러 가지 매체를 통하여 소비자에게 널리 알리는 의도적인 활동.
- **광장(廣** 넓을 광. **場** 마당 장.) 많은 사람이 모일 수 있게 거리에 만들어 놓은, 넓은 빈터.
- **광범위(廣** 넓을 광. **範** 법 범. **圍** 에워쌀 위.) 범위가 넓음. 또는 넓은 범위.

(1) ☐☐가 방송에 나가자 문의 전화가 빗발쳤다.
(2) 그는 매우 ☐☐☐한 사회 활동을 하고 있다.
(3) ☐☐ 한가운데에 분수가 있다.

시간
공부 날짜 ☐월 ☐일
푸는데 걸린 시간 ☐분

확인
맞은 개수 써보기

독해	개/7개	어휘	개/9개

18

염전에 가둬둔 바닷물이 햇볕에 증발하면 하얀 눈꽃 같은 결정이 생깁니다. 그것이 바로 소금이랍니다. 문단별로 내용을 정리하면서 소금과 같은 결정들에 대해 알아봅시다.

1. 15점 2. 10점 3. 15점 4. 15점 5. 15점 6. 15점 7. 15점

추운 겨울에 하얗게 내리는 눈을 본 적이 있나요? 돋보기로 눈을 자세하게 관찰하면 아름다운 형태를 볼 수 있습니다. 육각형 눈 결정은 꽃 모양, 가시 모양 등으로 모양이 조금씩 다르게 보입니다. 이처럼 입자가 일정하게 배열되어 규칙적인 형태를 가지고 있는 고체를 결정[1]이라고 부릅니다.

결정은 순수한 물질로 이루어지기 때문에 그 물질이 갖는 독특한 모양을 지니게 됩니다. 따라서 이 독특한 모양을 이용하여 여러 물질을 구별할 수 있습니다. 즉, (　　　㉠　　　) 또한 비슷한 물질들을 서로 비교할 때에 용액에 녹인 다음 다시 결정을 만들고, 결정의 모양이나 구조를 비교하여 비슷한 두 물질을 구별하기도 합니다. 결정이 만들어질 때 불순물은 용액에 그대로 남게 되기 때문에 순수한 물질이 얻어집니다. 염전에서 얻어지는 천연 소금에는 소금 이외에 여러 가지 물질이 들어 있는데, ㉡<u>천연 소금을 녹여 진한 용액을 만든 후 천천히 식혀 생긴 소금은 천연 소금보다 불순물이 적어 훨씬 더 깨끗하고 짠맛이 납니다.</u>

액체로 된 손난로 속의 금속 조각을 구부리면 하얀색 고체가 생기면서 열이 발생합니다. 현미경으로 손난로 속의 하얀색 고체를 관찰하면 길쭉한 바늘 모양이나 평행사변형 결정을 관찰할 수 있습니다. 손난로 속에 들어 있는 물질은 아세트산나트륨인데, 이 물질은 젤[2] 상태로 매우 불안정하여 손난로 속의 금속 조각을 구부리면 결정화가 시작되어 고체로 변하고 열이 발생합니다. 손난로에 아세트산나트륨 대신 티오황산나트륨을 사용하기도 합니다.

따뜻한 백반 용액을 서서히 식히면 정팔면체의 결정을 얻을 수 있습니다. 이 밖에 정육면체의 소금 결정, 납작한 육각 기둥 모양의 황산구리 결정도 있습니다. 대부분의 결정은 사람이 손으로 들 수 있을 만큼의 크기입니다. 그런데 멕시코의 나이카 광산에는 사람이 걸어 다닐 수 있을 만큼 커다란 결정이 있습니다. 이 결정은 셀레나이트 결정으로 길이가 11m 정도이고 무게가 55톤이나 되는 기둥 모양입니다.

❶ 결정 원자, 이온, 분자 따위가 규칙적으로 일정한 법칙에 따라 배열되고, 외형도 대칭 관계에 있는 몇 개의 평면으로 둘러싸여 규칙 바른 형체를 이룸. 또는 그런 물질. ❷ 젤 용액 속의 콜로이드 입자가 유동성을 잃고 약간의 탄성과 견고성을 가진 고체나 반고체의 상태로 굳어진 물질.

1 주제찾기

글의 중심 내용을 가장 잘 표현한 것은 어느 것입니까? ( )

① 눈은 육각형의 결정으로 이루어져 있다.
② 물질의 결정은 과학적인 특성을 지니고 있다.
③ 용액 속에는 순수한 물질과 불순물이 섞여 있다.
④ 액체로 된 손난로 속에는 고체로 된 결정이 들어 있다.
⑤ 여러 종류의 결정이 나트륨 화합물이어서 소금 맛을 띤다.

2 글감찾기

설명의 중심 대상이 된 낱말을 찾아 쓰세요.

( )

3 사실이해

글의 내용과 일치하지 않는 것은 어느 것입니까? ( )

① 돋보기로 눈의 결정을 관찰할 수 있다.
② 결정은 대개 순수한 물질로 이루어져 있다.
③ 결정을 용액에 녹인 후 다시 결정을 만들 수 있다.
④ 결정을 만들 때 불순물은 용액에 남게 된다.
⑤ 손난로 속의 결정은 젤 상태로 되어 있다.

4 미루어알기

㉠에 들어가기에 알맞은 문장을 고르세요. ( )

① 물질은 제각기 고유한 특성을 지닙니다.
② 용액의 결정은 하나라도 같은 것이 없습니다.
③ 각각의 물질이 서로 비슷한 모양을 지니고 있습니다.
④ 비슷한 물질들을 구별하는 데 물과 용액을 이용합니다.
⑤ 물질이 순수한지 아닌지를 연구하는 데 결정이 이용됩니다.

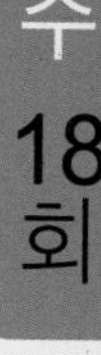

해설편 09쪽

5 세부내용

ⓛ의 이유로 적절한 것은 어느 것입니까? ( )

① 소금 결정만 분리되기 때문에
② 용액 속의 불순물이 결합하기 때문에
③ 소금과 불순물을 구별할 수 없게 되기 때문에
④ 소금 결정이 걸러진 뒤에 불순물이 나오기 때문에
⑤ 순수한 소금 결정이 용액에서 소금기를 빨아들이기 때문에

6 적용하기

글을 읽고 소금 결정 만들기 실험을 하였습니다. 빈칸을 채우세요.

1. 소금을 ① □□□ 물이 담긴 비커에 넣는다.
2. 최대한 ② □□ 용액으로 만들기 위해 더이상 소금이 녹지 않을 때까지 녹인다.
3. 헝겊으로 덮고 상자에 넣어 ③ □□□ 식힌다.

7 요약하기

글 내용을 다음과 같이 정리하였을 때, 빈칸에 알맞은 말을 글에서 찾아 쓰세요.

결정은 입자가 일정하게 배열되어 규칙적인 형태를 가지고 있는 ① □□이다. 결정은 ② □□한 물질로 이루어지는데 이 물질의 독특한 모양을 이용하여 여러 물질을 ③ □□할 수 있다.

어휘 넓히기

뜻

낱말의 뜻풀이로 알맞은 것을 보기 에서 골라 괄호 안에 기호를 쓰세요.

(1) 형태 (　　)
(2) 불순물 (　　)
(3) 천연 (　　)

보기
㉠ 순수한 물질에 섞여 있는 순수하지 않은 물질.
㉡ 사물의 생김새나 모양.
㉢ 사람의 힘을 가하지 아니한 상태.

다지기

아래 문장의 빈칸에 알맞은 낱말을 보기 에서 찾아 쓰세요.

보기
형태　　불순물　　천연

(1) ☐☐ 자원이 부족한 우리나라는 가공 무역에 힘쓰고 있다.

(2) 이번에 발견된 유물은 지난번 것과 ☐☐가 비슷하다.

(3) 녹물이나 모래 같은 ☐☐☐이 많이 섞인 수돗물이 나와 문제가 되고 있다.

넓히기

다음 한자어의 구성과 뜻을 알아보고, 빈칸에 알맞은 낱말을 쓰세요.

- **결정(結** 맺을 결. **晶** 맑을 정.) 고체 성분의 용질로 용액을 만든 다음, 용매를 증발시키거나 용액의 온도를 낮추면 만들어지는 특별한 모양의 고체.
- **결혼(結** 맺을 결. **婚** 혼인할 혼.) 남녀가 정식으로 부부 관계를 맺음.
- **결국(結** 맺을 결. **局** 판 국.) 일의 마무리에 이르러서. 또는 일의 결과가 그렇게 돌아가게.

(1) ☐☐하여 한 가정을 이루다.

(2) 바닷물에서 물이 증발하면 소금 ☐☐이 남는다.

(3) 피로가 쌓여 ☐☐ 몸살에 걸렸다.

시간 공부 날짜 ☐월 ☐일
푸는데 걸린 시간 ☐분

확인 맞은 개수 써보기

독해	☐ 개/7개	어휘	☐ 개/9개

4주 18회

해설편 09쪽

19

여러분은 별명이 있나요? 보통 이름을 따거나 행동, 모습을 빗대어서 별명을 짓습니다. 다음 이야기를 읽어 보며 주인공은 어떠한 이유에서 그 별명이 붙여졌고, 그의 삶과 어떤 관련이 있는지 살펴봅시다.

1. 15점 2. 10점 3. 15점 4. 15점 5. 15점 6. 15점 7. 15점

우리 집 식구는 모두 중국 음식을 좋아합니다. 어머니와 아버지께서는 물만두와 탕수육을 좋아하시고, 나와 동생은 자장면을 좋아하지요. 우리 동네의 중국 음식점 '짜짜루'에 우리는 일주일에 한 번씩 전화를 겁니다. / "물만두 하나, 자장면 셋."

주문하는 음식은 거의 바뀌지 않습니다. 어머니와 아버지께서 탕수육을 좋아하시기는 하지만, 탕수육은 값이 비싸 한 달에 한 번쯤이나 주문을 하지요. 주문 끝에 아버지께서는, / "늦달 군에게 배달을 시키세요."

라는 말씀을 잊지 않으십니다. '짜짜루'에는 두 명의 배달원이 있습니다. 한 명이 '번개'이고, 다른 한 명이 아버지께서 말씀하신 '늦달이'이지요.

'번개'가 배달을 하는 모습을 보면 정말 번개와 같습니다. 색안경을 쓰고 목에 휴대 전화를 건 번개는 오토바이 경주에 나선 선수처럼 오토바이를 몰며 음식을 배달합니다. 그러고도 철가방 속의 음식은 조금도 넘치지 않으니, 사람들이 그를 번개라고 부르는 것도 무리는 아닙니다.

'늦달 군'은 아버지께서 부르시는 이름이고, 사람들은 보통 '늦달이'라고 부릅니다. 늦달이 아저씨는 다른 나라 사람이지요. 얼굴이 까무잡잡하고 키는 작고 깡말랐습니다. 체격만 보면 동작이 빠를 것 같은데, 실제 행동은 굼뜨기 짝이 없습니다. 자전거 발걸이를 천천히 밟으면서 입으로는 흥얼흥얼 노래까지 부르며 배달을 합니다.

"왜 이렇게 배달이 늦었어요?"

하고 누군가 말하면, 하얀 이를 드러내어 놓고 씩 웃습니다. 원래 이름이 '만달리'였는데, 배달을 늦게 한다고 해서 우리 동네에서는 '늦달이'로 불리게 되었지요. 대부분의 동네 사람은 번개에게 음식 배달을 시킵니다. 중국 음식은 면이 중요한데, 늦달이 아저씨에게 배달을 시켰다가는 자칫 면발이 불어 터질 수가 있으니까요. 배달 횟수로 월급을 받는다고 하니, 늦달이 아저씨는 아마 번개의 반도 훨씬 못 되는 월급을 받을 것입니다. 그래도 우리 집에서는 꼭 늦달이 아저씨에게 음식 배달을 시키지요.

처음 늦달이 아저씨가 음식 배달을 왔을 때입니다. 우리 식구는 좀 놀랐습니다. 얼굴이 까무잡잡한, 분명 외국인 같은 사람이 철가방을 들고 문 앞에 서 있었으니까요. 게다가 그는 귀와 머리 사이에 철쭉 한 송이를 꽂고 있었습니다. 나는 그에게 말도 시켜 볼 겸 물었지요. / "이게 무슨 꽃이에요?"

아저씨의 대답이 ㉠걸작이었습니다. / "나도 몰라요."

우리 식구는 아저씨의 조금 서투른 외국식 발음에 모두 까르르 웃었지요. 다음 번 배달 때에는 작은 목련 한 송이를 야구 모자에 꽂고 왔고, 그 다음에는 꽃잔디 몇 송이를 귀에 꽂고 왔습니다. 라일락을 야구 모자에 꽂고 오기도 하였습니다. 그럴 때마다 우리 식구는 꽃 이름을 묻지요. 아저씨는 흰 이를 드러내고 씩 웃으며 매번 똑같이 모른다고 대답합니다.

얼마 전의 일입니다. 그날도 우리 식구는 '짜짜루'에 음식을 주문하였지요. 얼마 뒤에 늦달이 아저씨가 철가방을 들고 나타났습니다. 아저씨는 이번에는 주머니에 보라색 꽃 한 송이를 꽂고 있었습니다. 무슨 꽃이냐고 내가 묻자, 그는 씩 웃으며

"들국화" / 하고 대답하였습니다.

"다른 사람에게 꽃 이름을 물어보았어요. 꼭 물어볼 것 같아서."

아저씨는 주머니에 꽂은 들국화를 꺼내어 내게 건네주며 말하였습니다.

"고향에 아들이 하나 있어요. 너와 똑같은……."

그 늦달이 아저씨는 보름 전부터 우리 동네에서 볼 수 없게 되었습니다. 돈 많이 벌어 고향으로 돌아가겠다던 늦달이 아저씨, '짜짜루'에 오기 전에 염색 공장에서 힘들게 일하였다는 늦달이 아저씨, 늘 꽃을 꽂고 배달을 오던 늦달이 아저씨.

아저씨가 떠난 뒤, 우리 가족은 '짜짜루'에 전화를 거는 일이 신나지 않았습니다.

해설편 10쪽

1 주제찾기

우리 집 식구는 어떤 삶을 추구한다고 할 수 있습니까? ( )

① 넉넉하진 않지만 인정이 어린 삶
② 쫓기는 듯이 바쁘게 사는 삶
③ 가족의 화목을 중요시하는 삶
④ 부와 명예를 소중하게 여기는 삶
⑤ 사람들에게 널리 사랑을 베푸는 삶

2 제목찾기

주인공의 별명을 활용하여 글의 제목을 붙이세요.

( )

3 사실이해

'늦달이 아저씨'를 옳게 설명한 것을 고르세요. ( )

① '번개'와 같은 나라 출신이다.
② 배달이 빠르면서 실수가 없다.
③ 늘 웃는 얼굴에 동작이 굼뜨다.
④ 외국인이지만 우리말을 잘한다.
⑤ 여러 가지 모자를 수집하며 산다.

4
미루어알기

아버지가 '번개' 대신 '늦달이 아저씨'에게 음식 배달을 시킨 까닭은 무엇일까요? ( )

① 봉사료를 받지 않아서
② 여유와 인정이 있어 보여서
③ 음식을 제때 먹을 수 있어서
④ 상하지 않은 음식을 먹을 수 있어서
⑤ 고향에 나이가 같은 아들이 있다고 해서

5
세부내용

다음 중 ㉠과 같은 뜻으로 쓰인 것은 어느 것입니까? ( )

① 당시 작품 중 걸작만을 모아 전시회를 열었다.
② 이 건물은 세계의 유명 건축물 중에서도 걸작으로 불린다.
③ 그 작가는 우리말 어휘를 자유자재로 구사하여 많은 걸작을 남겼다.
④ 그 화가는 자신의 그림을 걸작으로 내세우지 못해 안달이 나 있었다.
⑤ 그 친구의 대답이 걸작이어서 다들 웃고 말았다.

6
적용하기

'늦달이 아저씨'와 '번개 아저씨' 중에서 바람직하게 살고 있다고 생각하는 한 사람을 고르고 그 이유도 쓰세요.

( )

7
요약하기

'번개 아저씨'와 '늦달이 아저씨'의 특징적인 행동을 찾아보고 그것을 통하여 두 인물이 추구하는 삶을 표로 정리했습니다. 빈칸에 알맞은 낱말을 넣으세요.

	번개 아저씨	늦달이 아저씨
특징적인 행동	오토바이 경주에 나선 선수처럼 ① ☐☐ 같이 음식을 배달한다.	자전거 발걸이를 천천히 밟으면서 입으로는 흥얼흥얼 ② ☐☐ 까지 부르며 배달한다.
추구하는 삶	맡은 일에 최선을 다하며, ③ ☐☐ 를 중요시하는 삶.	④ ☐☐ 가 있고 자신의 삶을 즐기는 삶.

어휘 넓히기

뜻

낱말의 뜻풀이로 알맞은 것을 보기 에서 골라 괄호 안에 기호를 쓰세요.

(1) 까무잡잡하다 (   )

(2) 깡마르다 (   )

(3) 굼뜨다 (   )

보기
㉠ 살이 없이 몹시 수척하다.
㉡ 동작, 진행 과정 따위가 답답할 만큼 매우 느리다.
㉢ 약간 짙게 까무스름하다.

다지기

아래 문장의 빈칸에 알맞은 낱말을 보기 에서 찾아 쓰세요.

보기
까무잡잡 깡마른 굼뜨다

(1) ☐☐☐ 체구의 내 친구는 달리기를 잘한다.

(2) 여름 휴가를 보내고 나니 피부가 ☐☐☐☐해졌다.

(3) 아침에 동생이 피곤한지 움직임이 많이 ☐☐☐.

넓히기

다음 한자어의 구성과 뜻을 알아보고, 빈칸에 알맞은 낱말을 쓰세요.

- **배달(配** 나눌 배. **達** 통달할 달.) 물건을 가져다가 각각의 몫으로 나누어 돌림.
- **배려(配** 나눌 배. **慮** 생각할 려.) 도와주거나 보살펴 주려고 마음을 씀.
- **지배(支** 지탱할 지. **配** 나눌 배.) 어떤 사람이나 집단, 조직, 사물 등을 자기의 의사대로 복종하게 하여 다스림.

(1) 식민 ☐☐로부터 벗어나 독립을 쟁취하다.

(2) 그들은 늘 나에게 세심한 ☐☐를 아끼지 않았다.

(3) 집 앞의 가게에서 반찬 ☐☐을 시켰다.

시간 공부 날짜 ☐ 월 ☐ 일
푸는데 걸린 시간 ☐ 분

확인 맞은 개수 써보기

독해	개/7개	어휘	개/9개

4주 19회

해설편 10쪽

20

친구와 우산을 나눠 쓰고 걸어 본 적 있나요? 아무래도 혼자 쓸 때보단 비를 맞지요. 그래도 왠지 더 즐겁고 따뜻한 발걸음이 되었을 것입니다. 비슷한 경험을 떠올리며 시를 감상해 봅시다.

1. 15점 2. 15점 3. 10점 4. 15점 5. 15점 6. 15점 7. 15점

친구와 나눠 쓴 우산

우산 밖
반은 비 맞고

우산 속
반은 안 맞고

비 안 맞은
반 때문에
더 따스해진
반 때문에

비 젖은 반도 따뜻하고
시린 반도 훈훈하고

1 주제찾기

시에서 말하는 사람의 중심 생각으로 알맞은 것은 무엇입니까? .... ( )

① 비가 와서 마음이 울적하다.
② 우산이 없어도 비를 맞지 않는다.
③ 비 오는 날에는 우산으로 차가움을 던다.
④ 친구와 함께 우산을 써서 뿌듯하고 행복하다.
⑤ 우산 밖에 있어도 친구와 함께 있어 쓸쓸하지 않다.

2 글감찾기

시에서 말하는 이와 추억을 나눈 대상을 찾아 쓰세요.

( )

3 사실이해

시를 읽고 떠오르는 장면은 무엇입니까? .... ( )

① 두 사람이 우산 없이 비를 맞고 서 있다.
② 두 사람이 쏟아져 내리는 비를 바라보고 있다.
③ 두 친구가 우산 하나를 함께 쓰고 걸어가고 있다.
④ 우산 속의 친구가 우산 밖의 친구를 불러들이고 있다.
⑤ 우산 하나를 두 친구가 함께 쓰려고 하지만 바람이 분다.

4 미루어알기

2연과 3연에서 짐작할 수 있는 두 인물의 상황은 어떠합니까? .... ( )

① 우산 밖의 친구는 비를 맞고 우산 안의 친구는 비를 피한다.
② 우산 하나를 두 친구가 함께 쓰고 가는데 마침 비가 그치고 있다.
③ 우산 하나를 두 사람이 쓰고 있어서 한 사람은 온통 비를 맞고 있다.
④ 우산 하나는 한 사람의 몸을 가리고 다른 하나는 다른 사람의 몸을 가린다.
⑤ 우산 하나를 친구와 함께 쓰고 있어서 두 사람 모두 몸의 일부는 비를 맞고 있다.

4주 20회
해설편 10쪽

5 세부내용

화자의 마음을 전하는 데 어떤 종류의 감각이 두드러지게 나타났습니까? (　　　)

① 시각
② 촉각
③ 청각
④ 미각
⑤ 후각

6 적용하기

빈칸을 채워 시의 감상을 완성하세요.

이 시를 새겨읽고 나면 마음이 따스해지며 시에 공감하게 되는데, 이는 작품 속 인물의 상황과 비슷한 자신의 [ ][ ]을 떠올렸기 때문이다.

7 요약하기

시의 중심 내용을 아래와 같이 정리해 보았습니다. 빈칸에 알맞은 말을 쓰세요.

① [ ][ ]와 ② [ ][ ]을 나눠 썼다.

친구와 나 모두 ③ [ ]은 비를 맞았지만,

마음은 ④ [ ][ ]하고 ⑤ [ ][ ]하다.

어휘 넓히기

뜻

낱말의 뜻풀이로 알맞은 것을 보기 에서 골라 괄호 안에 기호를 쓰세요.

(1) 따스하다 ( )
(2) 시리다 ( )
(3) 훈훈하다 ( )

보기
㉠ 마음을 부드럽게 녹여 주는 따스함이 있다.
㉡ 알맞게 조금 따뜻하다.
㉢ (몸의 한 부분이) 차가운 것에 닿아서 춥고 얼얼하다.

다지기

아래 문장의 빈칸에 알맞은 낱말을 보기 에서 찾아 쓰세요.

보기
따스했다 시렸다 훈훈하게

(1) 날씨가 추워 손발이 ☐☐☐.
(2) 난로가 있어서 방 안의 공기가 ☐☐☐☐.
(3) 친구의 착한 마음씨는 주변 사람들의 마음을 ☐☐☐☐ 만들었다.

넓히기

다음 한자어의 구성과 뜻을 알아보고, 빈칸에 알맞은 낱말을 쓰세요.

- **우산(雨** 비 우. **傘** 우산 산.) 우비의 하나. 펴고 접을 수 있어 비가 올 때 펴서 손에 들고 머리 위를 가린다.
- **폭우(暴** 사나울 폭. **雨** 비 우.) 갑자기 많이 쏟아지는 비.
- **우기(雨** 비 우. **期** 기약할 기.) 1년 중에 비가 가장 많이 오는 시기.

(1) 이번 ☐☐로 땅에 웅덩이가 파였다.
(2) 들고 있던 ☐☐이 바람에 훌렁 뒤집혔다.
(3) 말라 버린 나무들도 ☐☐가 되면 한꺼번에 싹이 튼다.

시간
공부 날짜 ☐ 월 ☐ 일
푸는데 걸린 시간 ☐ 분

확인
맞은 개수 써보기

독해	☐ 개/7개	어휘	☐ 개/9개

4주 20회
해설편 10쪽

어휘·어법 총정리 4주차

보기 의 낱말을 보고, 뜻과 어울리는 것을 골라 아래의 빈칸에 써보세요.

보기	결정	시리다	굼뜨다	걸작	천연	허위	이윤	삼가다

1. 동작, 진행 과정 따위가 답답할 만큼 매우 느리다.
2. 사람의 힘을 가하지 아니한 상태.
3. 장사 따위를 하여 남은 돈.
4. 몸가짐이나 언행을 조심하다.
5. 진실이 아닌 것을 진실인 것처럼 꾸민 것.
6. 고체 성분의 용질로 용액을 만든 다음, 용매를 증발시키거나 용액의 온도를 낮추면 만들어지는 특별한 모양의 고체.
7. 우스꽝스럽거나 유별나서 남의 주목을 끄는 사물이나 사람.
8. 차가운 것에 닿아서 춥고 얼얼하다.

어법 **다음 중 맞춤법에 맞는 것을 골라 동그라미 하세요.**

1. 마음이 [후눈해진다 / 훈훈해진다].
2. [자칫 / 차짓]하면 넘어진다.
3. 할아버지의 [돋보기 / 돗보기] 안경
4. 사회문제로 [부곽 / 부각]되었다.
5. 토의의 [발원건 / 발언권]
6. [인심공격 / 인신공격] 금지
7. [유이칸 / 유익한] 책을 고르는 법
8. 배달 주문 [횟수 / 회수]가 많다.

나의 점수 확인하기

어휘	개 / 8개	어법	개 / 8개

5주차

회차 / 영역	제목	계획 및 점검
21 인문 | 논설문	호수를 살리자 • 나는 [ ]월 [ ]일 [ ]시에 공부할 것입니다.	• 독해력에서 나의 점수는 [ ]점입니다. • 어휘력에서 맞은 문제수는 [ ]개 / 9개 입니다. • 어려웠던 문제는 ________ 번입니다.
22 사회 | 설명문	세계 속의 고려 • 나는 [ ]월 [ ]일 [ ]시에 공부할 것입니다.	• 독해력에서 나의 점수는 [ ]점입니다. • 어휘력에서 맞은 문제수는 [ ]개 / 9개 입니다. • 어려웠던 문제는 ________ 번입니다.
23 과학 | 설명문	기상 관측 기구 • 나는 [ ]월 [ ]일 [ ]시에 공부할 것입니다.	• 독해력에서 나의 점수는 [ ]점입니다. • 어휘력에서 맞은 문제수는 [ ]개 / 9개 입니다. • 어려웠던 문제는 ________ 번입니다.
24 산문문학 | 이야기	베니스의 상인 • 나는 [ ]월 [ ]일 [ ]시에 공부할 것입니다.	• 독해력에서 나의 점수는 [ ]점입니다. • 어휘력에서 맞은 문제수는 [ ]개 / 9개 입니다. • 어려웠던 문제는 ________ 번입니다.
25 운문문학 | 시	분수 • 나는 [ ]월 [ ]일 [ ]시에 공부할 것입니다.	• 독해력에서 나의 점수는 [ ]점입니다. • 어휘력에서 맞은 문제수는 [ ]개 / 9개 입니다. • 어려웠던 문제는 ________ 번입니다.

• 이번 주 독해력 문제에서 나의 점수는 평균 [ ]점입니다.

• 이번 주 어휘력에서 맞은 문제수는 모두 [ ]개입니다.

21

산성 호수는 ph5 이하의 강한 산성을 나타내는 호수입니다. ph가 약 4.8 정도가 되면 이끼류, 조개, 갑각류 등이 살 수 없으며, ph가 4.5로 내려가면 거의 모든 생물에 막대한 영향을 끼치게 됩니다. 글을 읽고 호수의 산성화에 대해 알아봅시다.

1. 10점 2. 15점 3. 15점 4. 15점 5. 15점 6. 15점 7. 15점

스웨덴에 있는 약 2만 1,500개의 호수가 산성비의 영향을 받아 그 중 약 1만 5,000개는 이미 산성화하였고, 그 가운데 약 4,500개의 호수에서는 물고기가 죽어 가고 있습니다. 노르웨이에서도 약 2,650개의 호수에서 물고기가 죽어 가고 있으며, 캐나다에서는 약 4,000개의 호수가 죽어 가고 있습니다. 미국에서도 북동부를 중심으로 호수의 산성화가 진행되고 있어요. 이러한 현상은 대기오염의 증가로 인한 산성비가 주요 원인이기도 합니다.

산성비가 내리는 과정은 석유, 석탄 등 화석 연료가 연소되면 황산화물, 질소산화물, 이산화탄소 등이 배출되는 데서 시작합니다. 배출된 황산화물, 질소산화물은 대기 중에서 이동 · 확산해 가는 동안 태양빛이나 탄화수소, 산소, 수분 등에 의해 황산이온, 질산이온의 산성 입자나 가스로 됩니다. 이러한 산성 입자나 가스가 빗방울 속에 스며든 채 빗물로 낙하하거나 직접 마른 상태의 입자로 떨어지는 것 가운데 pH 5.6 이하인 것을 산성비라고 합니다. 이 산성비로 인해 호수가 강한 산성을 띠게 되는 것이죠.

그 밖에 호수가 산성화하는 원인으로 첫째, 공장 폐수, 생활하수 등에 포함된 산성 물질이 직접 호수로 흘러들어가는 것을 듭니다. 둘째, 자동차와 공장, 발전소 등에서 내뿜는 매연에 의한 공기 오염을 듭니다. 셋째 가축의 배설물, 농약으로 인한 토양 오염을 원인으로 들기도 합니다.

호수가 산성화하면 물속에 살고 있는 작은 갑각류[1]나 플랑크톤[2]이 살지 못하게 됩니다. 이들은 녹조류를 먹고 살며, 작은 물고기에게 잡아먹혀 생태계의 먹이 사슬을 유지시키는 데 중요한 역할을 하고 있습니다. 이 생물이 죽으면 물속에 사는 생물의 먹이 사슬이 파괴되어 생태계 전체에 큰 혼란이 오게 됩니다. 그리고 호수의 산성화로 물속 생태계가 파괴되면 결국 우리 사람의 삶에도 나쁜 영향을 주게 됩니다.

호수의 산성화가 심한 나라에서는 호수를 살리기 위하여 석회를 뿌리기도 합니다. 석회는 물에 녹아 호수의 산성을 중화시키기 때문입니다. 그러나 이 방법은 효과가 두드러지지 않으며, 또 다른 과정을 거쳐 생태계를 파괴한다는 비판을 받기도 합니다. 무엇보다 중요한 것은 산성비의 발생을 원천적으로 방지하는 것입니다. 예를 들면, 석유에서 황을 제거한 후 사용하거나 공장의 굴뚝과 자동차의 배기통에 황산화물이나 질소산화물을 걸러 내는 장치를 부착할 수도 있습니다. 나아가 화석 연료 대신 신재생 에너지를 개발하고 그 사용을 확대하는 노력과 실천이 필요할 것입니다.

이처럼 한 번 산성화한 호수를 원래 상태로 되돌리기는 매우 어렵습니다. 그러므로 더 이상 호수가 산성화하지 않도록 우리 모두 함께 노력하는 자세가 매우 중요합니다.

❶ 갑각류 몸은 머리, 가슴, 배의 세 부분이 뚜렷하나, 머리와 가슴이 붙어 두흉부를 형성한다. 두 쌍의 더듬이가 있고 가슴과 배의 부속지는 둘로 나누어져 있다. 게, 새우, 가재 따위가 있다. ❷ 플랑크톤 물속에서 물결에 따라 떠다니는 작은 생물을 통틀어 이르는 말.

1 주제찾기

글을 쓴 동기가 잘 드러난 주제문을 고르세요. ( )

① 산성비는 대기 오염의 결과이다.
② 지구의 북반구에 산성비가 많이 내린다.
③ 호수 생태계의 파괴는 사람의 삶을 심각하게 위협한다.
④ 더 이상 호수가 산성화하지 않도록 우리 모두 함께 노력해야 한다.
⑤ 호수의 산성화가 심한 나라에서는 호수를 살리기 위하여 석회를 뿌린다.

2 글감찾기

글감을 글에서 찾아 쓰세요.

⇨ □□의 □□□

3 사실이해

글의 내용과 거리가 먼 것은 어느 것입니까? ( )

① 호수의 산성화로 물고기가 죽어가고 있다.
② 대기오염은 토양 오염, 수질 오염에서 비롯된다.
③ 화석 연료를 태우면 여러 가지 황산화물이 생긴다.
④ 생활하수에 포함된 산성 물질이 산성화의 원인이 된다.
⑤ 산성화가 심한 지역에서는 호수에 석회를 뿌리기도 한다.

4 미루어알기

글의 내용에서 미루어 새롭게 알 수 있는 것은 무엇입니까? ( )

① 호수의 산성화는 산성비가 주요 원인이다.
② 가축의 배설물, 농약에 의해 토양 오염이 일어난다.
③ 깨끗하다고 알려진 나라에서도 호수의 산성화가 일어날 수 있다.
④ 작은 물고기는 먹이사슬의 가장 아래 단계에 있다.
⑤ 석유에서 황을 제거하면 신재생 에너지를 만들 수 있다.

5 세부내용

글의 내용 흐름을 알맞게 정리한 것은 어느 것입니까? ( )

① 용어 정리 → 원인 분석 → 해결의 방안
② 문제 상황 → 해결의 필요성 → 해결의 방안
③ 원인 분석 → 해결의 필요성 → 해결의 방안
④ 원인 분석 → 해결의 방안 → 해결의 필요성
⑤ 영향의 소개 → 문제 상황 → 해결의 방안

6 적용하기

아래의 그래프를 보고, '아시아'에 예상되는 문제를 한 문장으로 표현했습니다. 빈칸에 알맞은 말을 글에서 찾아 쓰세요.

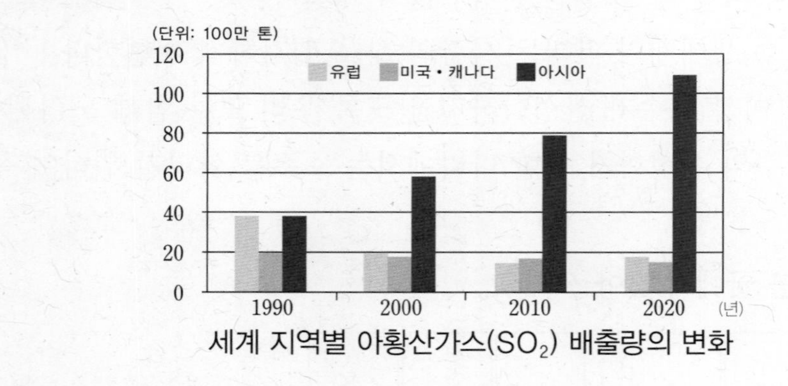

세계 지역별 아황산가스(SO_2) 배출량의 변화

⇨ 아시아에서 ☐☐의 ☐☐☐가 점점 심해질 것이다.

7 요약하기

글의 주요 내용을 아래의 표로 정리했습니다. 빈칸에 적절한 낱말을 쓰세요.

호수의 산성화	
원인	① ☐☐☐, 오염된 물에 포함된 산화 물질, 공기 오염, ② ☐☐ 오염 등
문제점	③ ☐☐☐ 전체의 혼란, 사람의 삶에 나쁜 영향
해결 방안	④ ☐☐☐의 발생을 원천적으로 방지 호수가 산성화하지 않도록 함께 노력하는 ⑤ ☐☐

어휘 넓히기

뜻 **낱말의 뜻풀이로 알맞은 것을 보기 에서 골라 괄호 안에 기호를 쓰세요.**

(1) 연소 (　　)
(2) 유지 (　　)
(3) 원천적 (　　)

보기
㉠ 어떤 상태나 상황을 그대로 보존하거나 변함없이 계속하여 지탱함.
㉡ 화학 물질이 산소와 화합할 때, 많은 빛과 열을 내는 현상.
㉢ 사물의 근원에 관계된 것.

다지기 **아래 문장의 빈칸에 알맞은 낱말을 보기 에서 찾아 쓰세요.**

보기
원천적　　연소　　유지

(1) 건강을 □□하려면 꾸준히 운동해야 한다.
(2) 수영이나 달리기 같은 유산소 운동은 지방 □□에 효과적이다.
(3) 이곳은 개발이 □□□으로 금지되는 자연 보호 지역이다.

5주 21회
해설편 11쪽

넓히기 **다음 한자어의 구성과 뜻을 알아보고, 빈칸에 알맞은 낱말을 쓰세요.**

- **낙하(落** 떨어질 낙. **下** 아래 하.) 높은 데서 낮은 데로 떨어짐.
- **낙엽(落** 떨어질 낙. **葉** 잎 엽.) 말라서 떨어진 나뭇잎.
- **낙서(落** 떨어질 낙. **書** 글 서.) 글자, 그림 따위를 장난으로 아무 데나 함부로 씀. 또는 그 글자나 그림.

(1) 숲속에서 떨어진 □□은 썩어 거름이 된다.
(2) 나는 친구의 노트에 장난으로 □□를 했다.
(3) 그는 고도 만 미터의 상공에서 □□했다.

시간
공부 날짜 □ 월 □ 일
푸는데 걸린 시간 □ 분

확인
맞은 개수 써보기

독해	개/7개	어휘	개/9개

22

'배경지식'이란 글을 읽을 때 필요한 지식이에요. 몸소 겪은 일이나 책에서 읽어서 이해하고 기억한 지식이 배경지식이 되어요. 이 글은 고려가 여러 나라와 교류하면서 온건책과 강경책을 적절히 활용하여 나라의 이익을 추구하였다는 내용입니다. 글을 읽으면 고려가 복잡하고 미묘한 대외 관계 문제를 어떻게 헤쳐 나갔는지, 세계에 이름을 어떻게 알리게 되었는지 알 수 있어요.

1. 15점 2. 15점 3. 10점 4. 15점 5. 15점 6. 15점 7. 15점

후삼국 통일 이후 안정을 이룬 고려는 주변 나라들과 싸우기도 하였지만, 평화적인 관계를 이어 나가려고 노력하였습니다. 당나라 이후 다시 중원을 차지하고 통일 왕조를 이루고자 했던 송나라와 고려는 초기부터 우호[1]적인 관계였습니다. 하지만 북방 민족 중 거란, 여진, 몽골은 시대를 이어가면서 고려에 침입하여 고려를 곤경에 빠뜨렸습니다.

거란은 고려가 북진 정책을 추진하여 사이가 좋지 않았는데 거란이 발해를 멸망시킨 후에는 더욱 적대[2]적인 관계가 되었습니다. 거란은 3차에 걸쳐 고려에 침입했는데, 서희가 거란의 장수와 담판을 벌여, 고려가 송과 관계를 끊고 거란과 교류할 것을 약속하고 거란을 물러나게 하였습니다. 여진 역시 세력을 넓혀 고려의 국경을 자주 위협하였는데, 윤관이 별무반이라는 부대를 이끌고 여진을 물리쳤습니다. 몽골의 침입은 고려가 치명적인 피해를 보게 되는 사건이어서, 무신 정권이 허울[3]뿐인 고려왕과 더불어 맞섰지만 세계적인 대제국을 막을 수는 없었습니다.

북방 민족과의 적대적인 관계와 달리, 송과는 대체로 친밀한 관계였습니다. 송은 당 말기의 혼란기를 이겨내고 중국을 다시 통일하였는데, 고려는 송에 사신을 보내 정식으로 외교 관계를 맺고, 친선 관계를 유지하고자 했습니다. ㉠<u>송은 북방의 거란과 여진을 의식하여 정치적 · 군사적 의도에서 고려와 교류하였고, 고려는 선진 문물을 받아들이려는 목적으로 송과 교류하였습니다.</u>

이러한 군사 · 외교 · 문화 분야의 관계보다 고려와 주변 나라들의 무역 활동은 고려 사회에 힘을 주고 문화를 융성하게 하는 바탕이 되었습니다. 벽란도는 고려의 도읍인 개경과 가깝고, 수심이 깊어 큰 배가 드나들기 쉬웠습니다. 그래서 송의 상인은 물론이고 멀리 아라비아의 상인들까지 무역을 위해 이 항구를 통해 고려에 오면서 국제 무역항으로 크게 번성하였습니다. 아라비아와 고려의 무역 활동은 계속 이루어졌다거나 대규모로 이루어진 것은 아니었고, 송을 통해 고려에 건너와 아라비아의 문물을 소개하고 고려의 특산품을 들고 가는 정도로 이루어졌습니다. 그렇지만 고려를 다녀간 아라비아 상인들에 의하여 고려는 처음으로 '코리아'라는 이름으로 외국에 알려지게 되었다는 사실은 큰 의미가 있습니다.

외국과 무역 활동이 활발하게 전개되면서, 고려의 수도인 개경은 국제도시로서 면모를 갖추어갔습니다. 개경에서 팔관회라는 불교 행사가 열리면 송의 상인과 여진 상인이 참여하였고, 멀리 아라비아에서도 상인들이 왔습니다. 그리고 무역 활동은 화폐를 주조하게 하는 계기가 되기도 했습니다. 외국과의 무역이 활발해지고 상업과 수공업이 발전하면서 화폐를 만들게 된 것입니다. 무역에서는 주로 은을 사용하였고, 나라 안에서는 화폐를 만들었으나 화폐 대신 주로 쌀과 옷감을 사용하였습니다. 조정에서는 화폐 사용을 늘리려고 노력하였지만 큰 효과를 보지는 못하였습니다.

낱말 풀이 ❶ 우호 개인끼리나 나라끼리 서로 사이가 좋음. ❷ 적대 적으로 대함. 또는 적과 같이 대함. ❸ 허울 실속이 없는 겉모양.

1
주제찾기

글의 중심어만 모아 놓은 것을 고르세요. ( )

① 고려, 초기, 북방 민족
② 고려, 북진 정책, 국경
③ 고려, 주변 나라, 관계
④ 고려, 중국, 친선 관계
⑤ 고려, 개경, 무역 활동

2
제목찾기

글의 어느 한 가지 내용에 치우치지 않도록 하면서 제목을 붙이세요.

고려의 □□ □□와 경제

3
사실이해

글에서 말한 고려의 내용과 일치하지 않는 것을 고르세요. ( )

① 후삼국을 통일하였다.
② 송과 외교 관계를 맺었다.
③ 초기에 거란의 침략이 있었다.
④ 초기부터 몽골이 북방을 어지럽혔다.
⑤ 벽란도가 무역 활동의 중심이었다.

4
미루어알기

글의 내용에서 미루어 떠올려낸 생각으로 알맞은 것은 어느 것입니까? ( )

① 고려는 단일 민족 국가가 아니었다.
② 고려는 북방 민족과 같은 핏줄이었다.
③ 거란은 외교 관계를 위해 고려에 굴복했다.
④ 여진은 고려 침입 후 북방 민족을 통일했다.
⑤ 조선 시대부터는 화폐가 널리 사용되었다.

5주 22회

해설편 11쪽

5
세부내용

㉠에서 떠올릴 수 있는 한자 성어는 무엇입니까? ( )

① 갈이천정(渴而穿井): 목이 말라야 비로소 우물을 판다는 뜻, 곧 미리 준비하지 않고 일이 임박해야 서둘러 해결을 추구함.
② 등고자비(登高自卑): 높은 곳에 오르기 위해서는 낮은 곳부터 밟아야 한다는 말. 천 리 길도 한 걸음부터.
③ 백년하청(百年河淸): 오랜 세월이 흘러도 일이 좋아질 가망이 없다는 뜻. 원뜻은 황하의 물이 백 년이 지나도 맑아지지 않다는 말.
④ 상부상조(相扶相助): 이웃한 둘이 이익이 될 수 있도록 서로서로 도움.
⑤ 원교근공(遠交近攻): 먼 나라와 친하고 가까운 나라를 쳐서 점차로 영토를 넓힘.

6
적용하기

글을 읽고 아래와 같은 생각을 떠올려 보았습니다. 빈칸을 채우세요.

고려와 송의 관계는 오늘날 우리나라와 ☐☐의 관계와 비슷한 점이 있습니다.

7
요약하기

글의 주요 내용을 표로 정리했습니다. 빈칸에 알맞은 말을 넣으세요.

고려 역사의 이해	
대외 관계	송-우호 관계/북방 민족-① ☐☐ 관계
무역 활동	중심지-② ☐☐☐와 개경 주요 교역국-송, ③ ☐☐☐☐

어휘 넓히기

뜻

낱말의 뜻풀이로 알맞은 것을 보기 에서 골라 괄호 안에 기호를 쓰세요.

(1) 우호적 (　　)
(2) 적대적 (　　)
(3) 허울 (　　)

보기
㉠ 개인끼리나 나라끼리 서로 사이가 좋은 것.
㉡ 실속이 없는 겉모양.
㉢ 적으로 대하거나 적과 같이 대하는 것.

다지기

아래 문장의 빈칸에 알맞은 낱말을 보기 에서 찾아 쓰세요.

보기
적대적　　우호적　　허울

(1) □□뿐인 칭찬이어도 들으니 기분이 좋았다.

(2) 갑자기 □□□이던 태도를 바꿔 반대표를 던졌다.

(3) 그는 의견이 맞지 않자 즉시 □□□인 관계로 되돌아섰다.

넓히기

다음 한자어의 구성과 뜻을 알아보고, 빈칸에 알맞은 낱말을 쓰세요.

- **교류(交** 사귈 교. **流** 흐를 류.) 문화나 사상 따위가 서로 통함.
- **교통(交** 사귈 교. **通** 통할 통.) 자동차 · 기차 · 배 · 비행기 따위를 이용하여 사람이 오고 가거나, 짐을 실어 나르는 일.
- **교체(交** 사귈 교. **替** 바꿀 체.) 사람이나 사물을 다른 사람이나 사물로 대신함.

(1) 아직도 배는 나라끼리의 □□수단으로 매우 중요한 역할을 한다.

(2) 두 나라는 서로 이웃하며 예로부터 □□가 활발하였다.

(3) 부상 당한 선수가 다른 선수로 □□되었다.

시간
공부 날짜 (　　) 월 (　　) 일
푸는데 걸린 시간 (　　) 분

확인
맞은 개수 써보기

독해	개/7개	어휘	개/9개

5주 22회

해설편 11쪽

23

“여름 4월 동방에 붉은 기운이 있었다.” 고려 인종 때 김부식이 펴낸 <삼국사기>에서 확인할 수 있는 최초의 오로라 기록입니다. 캐나다나 아이슬란드에 가야 볼 수 있는 오로라를 옛날엔 우리나라에서도 볼 수 있었다는 거예요. 참 신기하지요? 이렇게 기상 관측 자료를 차곡차곡 쌓으면 현재를 이해하고 미래를 예측하는 데에 큰 도움이 된답니다.

1. 15점 2. 15점 3. 10점 4. 15점 5. 15점 6. 15점 7. 15점

단군의 건국 이야기에는 환웅이 땅으로 내려올 때에 바람, 구름, 비를 다스리는 신하 세 명을 데리고 왔다는 내용이 나옵니다. 농사를 중심으로 하여 살던 시대에는 바람, 구름, 비와 같은 기상 현상이 매우 중요하였습니다. 농산물을 생산하는 데 비의 양과 바람은 많은 영향을 끼칩니다. 우리 조상은 예전부터 농사를 짓는 데 필요한 정보를 얻기 위하여 비와 바람에 대한 기상 관측을 해왔습니다. 이러한 시도와 노력은 오늘날에도 이어지고 있습니다.

조선 시대 초기에는 비가 내린 뒤에 빗물이 땅에 스며든 깊이를 재어 비가 내린 정도를 측정하였습니다. 하지만 땅속에 스며드는 빗물의 양이 장소에 따라 달라 측정 결과가 정확하지 않았습니다. 이것을 보완하기 위하여 세종 때에는 세계 최초로 비가 내린 양을 측정할 수 있는 측우기를 만들어 활용하였습니다. 이것은 이탈리아의 가스텔리가 측우기를 사용한 것보다 약 200년 빠릅니다. 그리고 수표를 설치하여 하천에 흐르는 물의 양을 측정함으로써 홍수와 가뭄에 대비하기도 하였습니다. 세종 때 나무로 만들어서 마전교(지금의 수표교)에 세웠던 수표는 지금은 전하지 않고, 현재 세종대왕기념관에 보관되어 있는 수표는 후대에 만들어졌는데, 높이 약 3m, 폭이 약 20cm의 화강석으로 된 돌기둥입니다. 돌기둥의 양쪽 면에는 눈금을 새겼고, 뒷면의 눈금 위에는 ㅇ표를 파서 수량을 헤아리는 표지로 삼았습니다.

바람도 농작물의 생산에 영향을 줍니다. 꽃이 피거나 열매를 맺는 시기에 강한 바람이 불면 꽃과 열매뿐만 아니라 가지까지 부러지는 등 농작물의 피해가 있습니다. 풍기는 바람을 관측하기 위한 도구로, 풍기 끝에 깃발이 나부끼는 정도를 보고 바람의 방향과 세기를 측정하였습니다. 강우량과 바람을 과학적으로 관측하고 통계적으

로 파악하여 농사를 준비할 수 있게 하고 피해를 예방할 수 있도록 하였다는 점에서 측우기, 수표, 풍기는 조선 시대의 농업 기상학에 나타난 우리 조상의 기술과 노력이 돋보이는 기상 관측 기구라고 할 수 있습니다.

오늘날에는 조선 시대보다 더 과학적인 기상 관측 기구를 이용하여 날씨를 관측합니다. 오늘날의 기상 관측 기구에는 자동 기상 관측 기구와 기상 위성 등이 있습니다. 자동 기상 관측 장비는 예전에 사람들이 했던 기상 관측을 슈퍼컴퓨터의 도움을 받아 자동으로 할 수 있도록 설계한 장비로, 관측, 기록, 송신, 편집, 통계 등을 자동으로 처리합니다. 또 기상 위성은 우주 공간에서 지구의 기상 현상을 관측하기 위한 장비로 구름이나 태풍 등의 상태를 알 수 있습니다.

1 주제찾기

글의 중심 내용을 파악하는 데 가장 큰 도움을 주는 문장은 어느 것입니까? ( )

① 우리 조상은 예전부터 농사를 짓는 데 필요한 정보를 얻기 위하여 비와 바람에 대한 기상 관측을 해왔습니다.
② 조선 시대 초기에는 비가 내린 뒤에 빗물이 땅에 스며든 깊이를 재어 비가 내린 정도를 측정하였습니다.
③ 돌기둥의 양쪽 면에는 눈금을 새겼고, 뒷면의 눈금 위에는 ○표를 파서 수량을 헤아리는 표지로 삼았습니다.
④ 바람도 농작물의 생산에 영향을 줍니다.
⑤ 오늘날의 기상 관측 기구에는 자동 기상 관측 장비와 기상 위성 등이 있습니다.

2 제목찾기

글의 제목을 완성하기 위해 빈칸을 채우세요.

조선 시대의 □□ □□ □□

5주 23회

해설편 12쪽

3 사실이해

'수표'에 대해 글의 내용과 어긋나는 설명은 어느 것입니까? ( )

① 하천에 흐르는 물의 양을 측정한다.
② 세종 때 만든 것이 지금까지 전한다.
③ 세종 때 처음 만든 것은 나무로 만들었다.
④ 현재 볼 수 있는 것은 돌기둥으로 되어있다.
⑤ 돌기둥에 새긴 눈금과 표지로 수량을 측정했다.

4 미루어알기

조선 시대에 기상 관측 기구가 발달했던 점으로 미루어 볼 때, 전통 사회의 주된 산업은 무엇이었던 것으로 볼 수 있습니까? ( )

① 농업 ② 어업
③ 임업 ④ 수산업
⑤ 수공업

5 세부내용

이 글에 나온 '풍기'와 거리가 먼 것을 고르세요. ( )

① 바람 ② 풍향
③ 풍속 ④ 깃발
⑤ 천둥

6 적용하기

오늘날 기상 위성이 제공하는 정보가 아닌 것은 무엇입니까? ( )

① 태풍 ② 미세먼지
③ 강수 ④ 바람
⑤ 통신

7 요약하기

조선 시대의 기상 관측 기구 이름을 글에서 찾아 모두 쓰세요.

( )

어휘 넓히기

뜻

낱말의 뜻풀이로 알맞은 것을 보기 에서 골라 괄호 안에 기호를 쓰세요.

(1) 보완하다 (　　)
(2) 후대 (　　)
(3) 나부끼다 (　　)

보기
㉠ 천, 종이, 머리카락 따위의 가벼운 물체가 바람을 받아서 가볍게 흔들리다. 또는 그렇게 하다.
㉡ 뒤에 오는 세대나 시대.
㉢ 모자라거나 부족한 것을 보충하여 완전하게 하다.

다지기

아래 문장의 빈칸에 알맞은 낱말을 보기 에서 찾아 쓰세요.

보기
후대　　보완　　나부끼며

(1) 나는 바람을 쐬는 자세로 머리칼을 ☐☐☐☐ 운동장에 서 있었다.
(2) 이 일은 좀 더 자료를 ☐☐해서 다시 의논하기로 했다.
(3) 깨끗한 자연환경을 ☐☐에 물려주어야 한다.

넓히기

다음 한자어의 구성과 뜻을 알아보고, 빈칸에 알맞은 낱말을 쓰세요.

- **관측(觀** 볼 관. **測** 헤아릴 측.) 눈이나 기계로 자연 현상 특히 천체나 기상의 상태, 추이, 변화 따위를 관찰하여 측정하는 일.
- **관광(觀** 볼 관. **光** 빛 광.) 다른 지방이나 다른 나라에 가서 그곳의 풍경, 풍습, 문물 따위를 구경함.
- **관점(觀** 볼 관. **點** 점 점.) 사물이나 현상을 관찰할 때, 그 사람이 보고 생각하는 태도나 방향 또는 처지.

(1) 제주도는 뛰어난 경치를 자랑하는 ☐☐의 명소이다.
(2) 그들은 한 가지 사물을 서로 다른 ☐☐에서 바라보았다.
(3) 어린 시절 경험한 은하수 ☐☐은 내게 우주의 경이로움을 일깨워 주었다.

5주 23회

해설편 12쪽

시간
공부 날짜 ☐ 월 ☐ 일
푸는데 걸린 시간 ☐ 분

확인
맞은 개수 써보기

독해	☐ 개/7개	어휘	☐ 개/9개

24

<베니스의 상인>은 영국의 유명한 극작가 윌리엄 셰익스피어의 작품이에요. 인종 차별로 인해 부당한 대우를 받고 잔인한 복수심에 사로잡힌 샤일록과 사랑과 우정을 위해 목숨을 담보로 위험한 거래를 하는 안토니오와 바사니오, 포셔의 일대 모험을 그린 작품입니다. 르네상스 시대 유럽에서 가장 부유했던 도시 베니스를 배경으로 하고 있어요.

1. 15점 2. 10점 3. 15점 4. 15점 5. 15점 6. 15점 7. 15점

[앞의 줄거리] 베니스의 상인 안토니오는, 친구 바사니오가 사랑하는 여인 포셔에게 청혼하기 위하여 돈을 빌려 달라고 하자 고리대금업자인 샤일록을 찾아가 돈을 빌린다. 바사니오는 안토니오가 준 돈으로 포셔와 결혼하지만, 그 사이에 안토니오는 파산하여 샤일록의 돈을 갚지 못하게 되고 결국 법정에 서게 된다. 재판관으로 변장한 포셔는 샤일록에게 계약대로 안토니오의 살 일 파운드를 베어 내라고 하였다.

샤일록은 칼날이 예리한 칼을 품에서 꺼내 들더니 날이 잘 섰는지 살폈다. 그러고는 손잡이를 단단히 움켜쥐고 안토니오에게 다가왔다. / "자, 각오해라!"

안토니오는 눈을 감은 채 꼿꼿이 서 있었 다. 날카로운 칼끝이 안토니오의 가슴에 막 닿으려는 순간 젊은 재판관이 소리쳤다. / "기다려라! 아직 판결이 끝난 것이 아니다."

샤일록은 먹이를 잡다가 방해받은 늑대처럼 그 자리에 우뚝 멈춰 섰다. 젊은 재판관이 낭랑한 목소리로 판결을 계속 이어 갔다. (㉠)

젊은 재판관의 말에 샤일록은 꼼짝도 하지 못했다.

"우아, 공정하신 재판관님! 정말 훌륭한 판결이십니다. 샤일록, 들었습니까?"

그레시아노가 신이 나서 환호했다. 젊은 재판관은 샤일록을 향해 말했다.

"샤일록, 당신이 법의 정의를 그토록 좋아하니 당신에게는 특별히 법의 엄격함을 알려 주지."

"그럼, 아까 말씀하신 대로…… 세 배의 돈을 받을 테니 안토니오를 푸, 풀어 주시오."

샤일록은 얼마나 당황했는지 말까지 더듬거렸다. 바사니오가 기다렸다는 듯이 돈을 꺼내 들었으나 젊은 재판관이 얼른 막아섰다.

"잠깐! 계약서에 쓰인 금액 외에는 아무것도 줄 수 없다. 자, 샤일록은 뭘 하고 있나? 어서 계약서에 쓰인 대로 살을 베도록 하라. 물론 피는 단 한 방울도 흘러선 안 된다. 살도 일 파운드보다 많거나 적어선 안 되고. 조금이라도 더 많거나 적게 베어 낸다면 당신을 사형시키고 전 재산을 몰수할 것이다."

"정말 현명하신 재판관님이군! 그렇지 않소, 샤일록?" / 그레시아노가 외쳤다.

"그렇다면 원금만 받겠습니다." / 샤일록이 고개를 숙인 채 중얼거렸다.

"그렇게는 안 된다네. 왜냐하면 그대가 이미 거절했으니까. 자, 계약서대로 해야 하네."

샤일록의 얇은 입술이 파르르 떨렸다. 잠시 뒤 샤일록은 얼굴을 흉하게 일그러뜨리고 욕지거리를 내뱉었다.

"으윽, 정말 분통이 터져서 못 살겠군! 이런 재판은 더 이상 필요 없소, 난 그만 돌아가겠소."

"기다리게, 선량한 베니스 시민 안토니오를 괴롭힌 죄가 한 가지 더 남았으니까. 베니스의 법에 따르면 베니스 시민의 생명을 위협한 죄인에게는 그에 합당한 벌이 있다. 즉, 죄인의 전 재산 가운데 절반은 피해자에게 주고 나머지 절반은 국고에 몰수하도록 되어 있고, 죄인의 생명은 공작의 손에 달려 있다. 이 자리에서 샤일록 당신이 안토니오의 생명을 위협했다는 사실은 모두가 아는 일! 따라서 샤일록의 전 재산을 몰수하여 절반은 안토니오에게 주고, 절반은 국고에 넘길 것이며, 샤일록의 목숨은 베니스 공작의 손에 맡기는 바이다."

젊은 재판관은 두꺼운 책에서 관련 법 조항을 찾아 모두에게 하나하나 세세히 읽어 주었다. 샤일록은 그 자리에 털썩 주저앉았다. 공작이 자리에서 일어나 샤일록에게 말했다.

"자비심이 뭔지 가르쳐 주기 위해서 그대의 생명을 빼앗지는 않겠다. 그리고 진심으로 반성한다면 국고로 넘어갈 그대의 재산 절반을 보호해 줄 수도 있다."

"필요 없소. 아예 내 목숨까지 다 가져가시오. 전 재산을 빼앗기는 건 내 생명을 빼앗기는 것이나 다름없으니까."

5주 24회

해설편 12쪽

1 주제찾기

연극으로 공연된다면 관객들이 가장 크게 환호할 내용은 무엇입니까? ( )

① 바사니오가 빚을 대신 갚겠다고 선언함.
② 샤일록이 안토니오의 살 1파운드를 떼어냄.
③ 샤일록이 자비를 베풀 것을 그레시아노가 소망함.
④ 안토니오가 모든 것을 체념하고 죽음을 받아들이려 함.
⑤ 젊은 재판관이 지혜로운 판결로 안토니오의 목숨을 구함.

2 글감찾기

빈칸에 중심인물 둘을 넣어서 글감이 무엇인지 완성하세요.

⇨ □□□□와 □□□의 재판

3 사실이해

이야기를 위태로운 지경으로 몰고 간 사건은 어느 것입니까? ( )

① 안토니오가 샤일록에게 돈을 빌렸다.
② 바사니오가 사랑하는 포셔에게 청혼하였다.
③ 안토니오가 파산하여 샤일록의 돈을 갚지 못하게 되었다.
④ 샤일록이 고집을 부려 계약을 이행할 것을 강하게 주장하였다.
⑤ 바사니오와 그레시아노가 죽을 운명의 안토니오를 위해 눈물을 흘렸다.

4
미루어알기

등장인물의 성격을 옳게 설명한 것을 고르세요. ( )

① 샤일록-고집이 세고 매정하다. ② 안토니오-나약하고 다정다감하다.
③ 바사니오-굳세고 집념이 강하다. ④ 그레시아노-섬세하고 셈이 빠르다.
⑤ 포셔-공정하고 정에 매여 일을 처리한다.

5
세부내용

샤일록의 행동에 어울리는 속담은 어느 것입니까? ( )

① 언 발에 오줌 누기. ② 제 꾀에 제가 넘어간 꼴.
③ 쥐 소금 나르듯. ④ 고양이 낯짝만 하다.
⑤ 남의 집 금송아지가 우리 집 송아지만 못하다.

6
적용하기

㉠은 안토니오와 샤일록의 운명을 바꾸어 놓은 생략된 판결문의 결정적인 부분입니다. 빈칸에 알맞은 낱말을 넣으세요.

"계약서에는 살 1파운드라고만 되어 있을 뿐 ① [ ]에 관한 언급은 단 한마디도 적혀 있지 않다. 자, 안토니오의 몸에서 ② [ ]을 베어 내라. 다만 안토니오의 몸에서 단 한 방울의 ③ [ ]라도 흐를 경우 샤일록 당신의 전 재산은 베니스의 법에 따라 몰수될 것이다."

7
요약하기

사건을 중심으로 이야기의 주요 내용을 요약했습니다. 빈칸을 채우세요.

안토니오는 친구인 바사니오를 도와주기 위하여 ① [ ][ ][ ][ ][ ][ ]인 샤일록에게 돈을 빌리고, 갚지 못하면 살 1파운드를 베어 내겠다고 계약합니다. 그러나 돈을 갚지 못하여 ② [ ][ ]을 하게 됩니다. 재판정에서 샤일록은 조금도 ③ [ ][ ]를 베풀지 않고 결국 재판관은 샤일록에게 계약대로 안토니오의 살을 베어 내도 좋다고 판결합니다. 그러나 지혜로운 재판관은 ④ [ ] 이외에 ⑤ [ ]는 흘려서는 안 된다고 판결하고, 결국 안토니오의 목숨을 노린 샤일록에게 재산을 몰수하는 벌을 내립니다.

어휘 넓히기

뜻

낱말의 뜻풀이로 알맞은 것을 보기 에서 골라 괄호 안에 기호를 쓰세요.

(1) 몰수하다 (　　　)
(2) 자비심 (　　　)
(3) 합당하다 (　　　)

보기
㉠ 사람을 사랑하고 가엾게 여기는 마음.
㉡ 모조리 빼앗아 거두다.
㉢ 어떤 기준, 조건, 용도, 도리 따위에 꼭 알맞다.

다지기

아래 문장의 빈칸에 알맞은 낱말을 보기 에서 찾아 쓰세요.

보기
자비심　　합당　　몰수

(1) 할아버지는 □□□이 우러나 있는 온화한 미소를 지으셨다.
(2) 왕은 탐관오리가 옳지 않게 얻은 재산까지도 □□했다.
(3) 뿌린 자가 거두어들이는 것이 □□하다.

넓히기

다음 한자어의 구성과 뜻을 알아보고, 빈칸에 알맞은 낱말을 쓰세요.

- **국고(國** 나라 국. **庫** 곳집 고.**)** 나라의 재산인 곡식이나 돈 따위를 넣어 보관하던 창고.
- **창고(倉** 곳집 창. **庫** 곳집 고.**)** 물건을 저장하거나 보관하는 건물.
- **금고(金** 쇠 금. **庫** 곳집 고.**)** 화재나 도난을 막기 위하여 돈, 귀중한 서류, 귀중품 따위를 간수하여 보관하는 데 쓰는 궤. 또는 창고.

(1) 지하 □□에는 쓰지 않은 물건이 가득 쌓여 있었다.
(2) 군사에게 월급도 못 줄 만큼 □□가 텅 비었는데도 왕비의 허영심은 끝이 없었다.
(3) 스크루지의 □□에는 금화가 두둑이 쌓여 있었다.

시간 **공부 날짜** □ 월 □ 일
푸는데 걸린 시간 □ 분

확인 **맞은 개수 써보기**

독해	□ 개/7개	어휘	□ 개/9개

5주 24회

해설편 12쪽

25

우리가 늘 보아왔던 것을 낯설게 보이도록 한다면 새롭다는 느낌을 받을 수 있어요. 이렇게 낯설게 보이도록 하는 표현을 문학에서 자주 사용해요. 물이 일어설 줄 알고, 버틸 줄도 알고, 수그릴 줄도 안다고 표현한다면 얼마나 새로운 느낌이 들겠어요?

1. 15점 2. 15점 3. 15점 4. 15점 5. 10점 6. 15점 7. 15점

물이라고
고여 있거나
흐르기만 하는 것은
아냐

키를 세워
일어설 줄도
알아

선 채
버틸 줄도
알아

추켜들었던[1] 고개를
꺾어
수그릴 줄도
알아

좌르륵좌르륵!

❶ 추켜들다 치올리어 들다.

1

주제찾기

시에서 떠올릴 수 있는 사람의 모습을 모두 모아 놓은 것을 고르세요. ( )

① 강인함, 자립성, 참을성
② 강인함, 의존성, 겸손함
③ 강인함, 인내심, 겸손함
④ 자립성, 참을성, 경박함
⑤ 의존성, 비겁함, 인내심

2

주제찾기

묘사된 대상의 특징에 어울리게 한 낱말로 이 시에 제목을 붙이세요.

⇨ 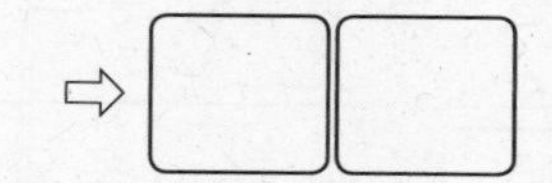

3

사실이해

표현상의 가장 큰 특징은 무엇입니까? ( )

① 소리를 반복하여 운율을 이루고 있다.
② 대상에 인격을 주어서 사람처럼 그리고 있다.
③ 거센소리를 자주 사용하여 날카로운 인상을 준다.
④ 주로 시골에서 사용하는 말에 의해 분위기를 이루고 있다.
⑤ 하나의 물건에 여러 가지 뜻을 덧붙여 상징성을 갖도록 한다.

4

미루어알기

시의 내용 흐름이 어떤 방식으로 표현되어 있습니까? ( )

① 확대 → 축소
② 축소 → 확대
③ 긍정 → 부정
④ 부정 → 긍정
⑤ 사람 → 자연

해설편 13쪽

5
세부내용

'추켜들었던 고개'에서 떠올릴 수 있는 사람의 특성은 무엇입니까? ( )

① 오만 ② 활기 ③ 역동
④ 원만 ⑤ 온화

6
적용하기

이 시를 친구에게 소개하려 합니다. 빈칸에 공통으로 들어갈 낱말을 넣으세요.

소개하고 싶은 친구	어려운 상황에서 □□□을 가지면 더 좋을 것 같은 친구
소개하고 싶은 까닭	선 채 버틸 줄 아는 물처럼, □□□을 가지면, 어려움을 이겨내리라 생각하기 때문입니다.

7
요약하기

시의 중심 내용을 아래와 같이 정리해 보았습니다. 빈칸에 알맞은 말을 쓰세요.

1연	물에 대한 상식 뒤집기
2연	① □□□ 줄 아는 물
3연	② □□ 줄 아는 물
4연	③ □□□ 줄 아는 물

어휘 넓히기

뜻 낱말의 뜻풀이로 알맞은 것을 보기 에서 골라 괄호 안에 기호를 쓰세요.

(1) 고이다 (　　)
(2) 추켜들다 (　　)
(3) 수그리다 (　　)

보기
㉠ 깊이 숙이다.
㉡ 높이 올리어 들다.
㉢ 액체나 가스, 냄새 따위가 우묵한 곳에 모이다.

다지기 아래 문장의 빈칸에 들어갈 낱말을 보기 에서 찾아 알맞게 고쳐 쓰세요.

보기
추켜들다　　고이다　　수그리다

(1) 슬픔으로 눈물이 [　][　]서 고개를 돌렸다.
(2) 친구는 홍당무같이 붉어진 얼굴을 아래로 푹 [　][　]렸다.
(3) 어부는 잡은 고기를 [　][　]들고 환히 웃었다.

넓히기 다음 한자어의 구성과 뜻을 알아보고, 빈칸에 알맞은 낱말을 쓰세요.

- **분수** (**噴** 뿜을 분. **水** 물 수.) 압력으로 좁은 구멍을 통하여 물을 위로 세차게 내뿜거나 뿌리도록 만든 설비.
- **분무기** (**噴** 뿜을 분. **霧** 안개 무. **器** 그릇 기.) 물이나 약품 따위를 안개처럼 뿜어내는 도구.
- **분화** (**噴** 뿜을 분. **火** 불 화.) 불을 내뿜음. 화산성 물질이 지구 내부에서 표면으로 방출됨. 또는 그런 동적 현상을 통틀어 이르는 말.

(1) 저 휴화산이 언제 또 [　][　]할지 궁금하다.
(2) [　][　][　]로 화분에 물을 주다.
(3) [　][　]를 보니 순간적으로 가슴이 시원해졌다.

시간 공부 날짜 [　]월 [　]일
푸는데 걸린 시간 [　]분

확인 맞은 개수 써보기

독해	개/7개	어휘	개/9개

5주 25회

해설편 13쪽

어휘·어법 총정리 5주차

어휘 **보기의 낱말을 보고, 뜻과 어울리는 것을 골라 아래의 빈칸에 써보세요.**

보기	고이다	허울	합당하다	면모	후대	관점	상부상조	교류

1. 문화나 사상 따위가 서로 통함.
2. 사물이나 현상을 관찰할 때, 그 사람이 보고 생각하는 태도나 방향, 처지.
3. 이웃한 둘이 이익이 될 수 있게 서로서로 도움.
4. 액체나 가스, 냄새 따위가 우묵한 곳에 모이다.
5. 실속이 없는 겉모양.
6. 뒤에 오는 세대나 시대.
7. 어떤 기준, 조건, 용도에 꼭 맞다.
8. 사물이나 현상의 상태나 모습.

어법 **다음 중 맞춤법에 맞는 것을 골라 동그라미 하세요.**

1. 손을 [추켜들다 / 축혀들다].
2. [곧깐 / 곳간]에 가득한 곡식
3. [꼿꼿이 / 꼿꼿이] 서 있다.
4. 머리칼을 [나부끼며 / 나붓기며]
5. 은을 [화폐 / 화패]로 사용
6. [생태계 / 생태개]의 [파괴 / 파괘]
7. [낙엽 / 낙엽]을 주웠다.
8. 가재는 [갑과류 / 갑각류]이다.
9. [폐수 / 패수]로 오염이 심각하다.
10. [우오적 / 우호적] 관계

나의 점수 확인하기

어휘	개 / 8개	어법	개 / 10개

6주차

회차 / 영역	제목	계획 및 점검
26 인문 | 논설문	어린이 보행 안전 • 나는 ☐ 월 ☐ 일 ☐ 시에 공부할 것입니다.	• 독해력에서 나의 점수는 ☐ 점입니다. • 어휘력에서 맞은 문제수는 ☐ 개/9개 입니다. • 어려웠던 문제는 ______ 번입니다.
27 사회 | 논설문	지속 가능한 발전 • 나는 ☐ 월 ☐ 일 ☐ 시에 공부할 것입니다.	• 독해력에서 나의 점수는 ☐ 점입니다. • 어휘력에서 맞은 문제수는 ☐ 개/9개 입니다. • 어려웠던 문제는 ______ 번입니다.
28 과학 | 설명문	한국의 김치 이야기 • 나는 ☐ 월 ☐ 일 ☐ 시에 공부할 것입니다.	• 독해력에서 나의 점수는 ☐ 점입니다. • 어휘력에서 맞은 문제수는 ☐ 개/9개 입니다. • 어려웠던 문제는 ______ 번입니다.
29 산문문학 | 전기	주시경 • 나는 ☐ 월 ☐ 일 ☐ 시에 공부할 것입니다.	• 독해력에서 나의 점수는 ☐ 점입니다. • 어휘력에서 맞은 문제수는 ☐ 개/9개 입니다. • 어려웠던 문제는 ______ 번입니다.
30 운문문학 | 시	언젠가는 나도, 들깨 털기 • 나는 ☐ 월 ☐ 일 ☐ 시에 공부할 것입니다.	• 독해력에서 나의 점수는 ☐ 점입니다. • 어휘력에서 맞은 문제수는 ☐ 개/8개 입니다. • 어려웠던 문제는 ______ 번입니다.

• 이번 주 독해력 문제에서 나의 점수는 평균 ☐ 점입니다.

• 이번 주 어휘력에서 맞은 문제수는 모두 ☐ 개입니다.

26

'어린이 보호구역'이라는 표지판을 본 적이 있나요? 어린이들은 주위를 잘 둘러보지 않고 급하게 행동할 수 있기 때문에 사고가 날 위험이 크지요. 그래서 어린이들이 많이 오고 가는 학교 근처에서 어린이 보호구역이 꼭 필요해요. 어린이들이 안전하게 길을 건너도록 하는 방안이 그 밖에 무엇이 있을지 글을 읽으며 살펴봅시다.

1. 15점 2. 15점 3. 10점 4. 15점 5. 15점 6. 15점 7. 15점

자동차가 많아지면서 교통사고는 심각한 사회 문제가 되고 있다. 신문 기사나 방송에서는 자주 교통사고에 대한 소식을 전하고 있다. 그중에서도 어린이 교통사고는 가벼운 사고로도 심각한 결과를 가져올 수 있기 때문에 주의가 필요하다. 어린이가 교통사고로 사망하는 유형을 보면 보행 중에 교통사고로 사망하는 경우의 비율이 매우 높다. 어린이의 생명을 지키려면 보행 중인 어린이의 교통사고를 줄일 수 있는 방법을 찾아야 한다.

유형	보행 중	차량 동승	자전거	이륜차 동승	기타	합계
사망자 수(명)	65	26	4	2	2	99
사망자 비율(%)	65.7	26.3	4.0	2.0	2.0	100

※ 자료: 도로교통공단 교통사고 종합분석시스템(TAAS), 2013

▲14세 이하 어린이 교통사고 유형별 사망자 수

어린이 보행 중 교통사고를 줄이는 방법은 무엇일까? 운전자에게 어린이 보행 안전에 대한 교육을 철저히 해야 한다. 전체 교통사고 가운데에서 보행 중에 발생한 사고의 나이대별 분포를 살펴보면, 초등학생이 다른 나이대에 비하여 상대적으로 높게 나타나는 것을 알 수 있다. 이는 초등학생들이 바깥 활동이 잦은 데다 위험 상황을 판단하고 그에 대처하는 능력이 부족하기 때문이다. 그러므로 운전자에게 어린이 보행자를 보호할 수 있는 안전 교육을 실시하여 어린이 보행 중 교통사고가 일어나지 않도록 해야 한다.

어린이를 위한 보행 안전 시설도 더 필요하다. 학교 앞길에는 과속 차량을 단속하는 장치를 마련해야 한다. 그리고 학교 근처에 어린이 보호 구역을 현재의 반지름 300미터보다 더 넓게 설정하여 어린이들이 안전하게 다닐 수 있게 해야 한다. 그뿐만 아니라 어린이가 많이 다니는 길에는 과속 방지 턱을 만들어 차량의 속도를 낮추도록 해야 한다. 이와 같은 안전 시설은 어린이 교통사고를 줄이는 데 크게 도움이 될 것이다.

어린이 스스로도 보행 중 교통사고를 당하지 않도록 노력해야 한다. 도로에서 발생하는 수많은 비극은 교통 법규를 무시하고 조금 빨리 가려다가 발생한다. 운전자와 보행자 모두 도로에서 시간적 여유를 가지는 마음이 필요하다. 보행 신호가 초록색으로 바꿔지도 않았는데 무리하게 길을 건너면 사고를 당할 수도 있다. 그리고 신호가 바뀌자마자 좌우를 살피지 않고 출발하다가 사고를 당하기도 한다. 또, 신호가 바뀐 뒤에도 신호 위반을 하는 차가 있을 수 있기 때문에 늘 조심해야 한다. 따라서 조급하게 서두르지 말고 교통 법규와 안전 수칙을 지키며 생활해야 한다.

이제부터라도 어린이 보행 중 교통사고를 줄이는 일에 모두 힘써야 한다. 어린이 보행 안전은 남에게 미룰 수도 없고, 남이 대신 하여 줄 수도 없는 일이다. 우리 모두 노력하여 어린이 보행 중 교통사고가 일어나지 않도록 하자. ㉠어린이는 미래의 희망이요, 우리 모두의 꿈이다.

1 주제찾기

글을 쓴 목적에 비추어 볼때, 어떤 내용을 중심으로 다루었나요? ( )

① 의견의 대립과 화해
② 사건의 영향과 대책 마련
③ 이미 있던 생각과 새로운 생각
④ 문제의 확인과 해결 방안 찾기
⑤ 문제의 심각성 깨닫기와 원인 분석하기

2 제목찾기

글에 알맞은 제목을 붙이세요.

□□□ 보행 □□

3 사실이해

보행 중 교통사고를 줄이기 위해 어린이가 스스로 할 수 있는 것은 무엇입니까? ( )

① 어린이가 많이 다니는 길에 과속 방지 턱을 만든다.
② 학교 앞길에 과속 차량을 단속하는 장치를 마련한다.
③ 운전자에게 어린이 보행 안전에 대한 교육을 철저히 한다.
④ 학교 근처의 어린이 보호 구역을 현재보다 더 넓게 설정한다.
⑤ 조급하게 서두르지 말고 교통 법규와 안전 수칙을 지키며 생활한다.

6주 26회
해설편 13쪽

4
미루어알기

㉠의 의미로 바르지 않은 것은 무엇입니까? ( )

① 어린이는 후대의 중심이다.
② 어린이는 미래를 여는 열쇠이다.
③ 어린이는 다음 세상의 주인공이다.
④ 어린이는 희망적인 꿈을 꾸는 존재이다.
⑤ 어린이는 우리의 이상을 실현할 수 있는 존재이다.

5
세부내용

글의 짜임으로 적절한 것은 어느 것입니까? ( )

① 나열하기 ② 사건의 순서 ③ 원인과 결과
④ 문제와 해결 ⑤ 비교와 대조

6
적용하기

이 글에서 다룬 문제를 해결하기 위한 근본적인 방안으로 볼 수 없는 것은 어느 것입니까? ( )

① 초등학생들의 바깥 활동 제한
② 어린이 보호 구역에 속도 제한 표시판 설치
③ 횡단보도 앞 신호 단속 카메라 설치
④ 주기적인 교통 생활 안전 수칙 교육 강화
⑤ 등·하교 시간에 교통안전 지도원 배치

7
요약하기

글의 내용을 아래와 같이 요약했습니다. 빈칸에 알맞은 낱말을 넣으세요.

보행 중에 교통사고로 사망하는 어린이가 많다. 운전자에게 안전 교육을 철저히 하고, 어린이를 위한 보행 ① □□□□을 더 설치하며, 어린이 스스로도 교통 법규와 ② □□ □□을 지켜 보행 중 교통사고가 일어나지 않도록 노력해야 한다.

어휘 넓히기

뜻 낱말의 뜻풀이로 알맞은 것을 보기 에서 골라 괄호 안에 기호를 쓰세요.

(1) 유형 (　　　)
(2) 분포 (　　　)
(3) 잦다 (　　　)

보기
㉠ 잇따라 자주 있다.
㉡ 성질이나 특징 따위가 공통적인 것끼리 묶은 하나의 틀. 또는 그 틀에 속하는 것.
㉢ 일정한 범위에 흩어져 퍼져 있음.

다지기 아래 문장의 빈칸에 알맞은 낱말을 보기 에서 찾아 쓰세요.

보기
유형　분포　잦다

(1) 이 곤충은 아시아는 물론 아프리카와 유럽에 걸치는 광범위한 □□를 보인다.
(2) 생물은 크게 동물과 식물의 두 □□으로 나눌 수 있다.
(3) 그 선수는 요즘 들어 부상이 □□.

넓히기 다음 한자어의 구성과 뜻을 알아보고, 빈칸에 알맞은 낱말을 쓰세요.

- **과속(過** 지날 과. **速** 빠를 속.) 자동차 따위의 주행 속도를 너무 빠르게 함. 또는 그 속도.
- **과거(過** 지날 과. **去** 갈 거.) 이미 지나간 때.
- **사과(謝** 사례할 사. **過** 지날 과.) 자기의 잘못을 인정하고 용서를 빎.

(1) 우리 할아버지는 □□에 경찰이셨다.
(2) 빗길에서 □□ 운전은 매우 위험하다.
(3) 나에게 실수한 일에 대해 그는 한마디 □□도 없다.

시간 공부 날짜 □월 □일
푸는데 걸린 시간 □분

확인 맞은 개수 써보기

독해	개/7개	어휘	개/9개

6주 26회
해설편 13쪽

27

글의 첫머리에 낱말이나 어구의 뜻을 풀어놓으면 글감을 보여준 것이라고 할 수 있어요. 말의 뜻을 풀어 놓는다는 것은 그 말이 중요하기 때문이에요. 풀어 놓은 낱말이나 어구가 무엇인지 찾아내어 글 전체를 이해하는 데 도움을 받도록 하세요. 아랫글에서는 '지속 가능한 발전'에 대한 뜻을 먼저 풀어 놓았어요.

1. 15점 2. 15점 3. 15점 4. 15점 5. 10점 6. 15점 7. 15점

지속 가능한 발전은 환경 친화적인 의미와 경제적인 의미를 모두 지니는 말이라고 할 수 있습니다. 기존의 경제 활동이 주로 자원 소모적이며 자연의 수용 능력을 넘어서는 개발에 중점을 둔 것이었다면, 지속 가능한 발전에서의 경제 활동은 자연 생태계의 범위 내에서 자연의 수용 한계를 넘지 않고 자연과 조화를 이루는 범위에서 이루어지는 것을 의미합니다.

여기에서 더 나아가 2012년 브라질 리우데자네이루에서 열린 '유엔지속가능발전회의(UNCSD)'에서는 2015년 이후 국제사회가 추구해야 할 지속 가능한 발전 목표를 경제, 환경뿐만 아니라 사회가 균형 있게 성장하는 포괄적이고 ㉠총체적인 성장으로 설정하였습니다. 2000년 이전에는 지속 가능한 발전이 환경 보호와 경제 발전에 초점을 두었다면 최근에는 사회 전체의 지속 가능성 유지를 위한 인류의 보편적인 가치인 자유, 정의, 민주주의, 사회적 형평성 등 지구 전체가 궁극적으로 ㉡지향해야 할 이념까지도 지속 가능한 발전의 의미에 포함하게 되었습니다.

지속 가능한 발전에 대한 개념은 언제 등장했을까요? 18세기 영국에서 시작되어 세계적으로 확산된 산업혁명으로 인해 인류는 물질적 풍요를 누리게 되었지만, 무분별한 개발과 선진국들의 자원 대량 소모를 통한 대량 생산 · 대량 소비 과정에서 심각한 환경 문제가 발생하였습니다. 지구 곳곳에서는 각종 질병으로 인해 사람들이 죽어가고, 생태계 파괴로 인해 광범위한 환경 위기가 닥치게 되었지요. 그러던 1972년 로마클럽에서 〈성장의 한계〉라는 보고서를 통해 환경과 개발에 관한 문제를 제기하였는데, 바로 이때 '지속 가능한 발전'에 대한 개념이 등장하게 되었습니다. 이 보고서는 사람들에게 생태학적인 관점에서 환경 의식을 일깨워 주는 매우 중요한 계기가 되었답니다.

〈성장의 한계〉라는 보고서에서는 현재의 인구 증가나 환경 악화 등의 경향이 이대로 계속되면 100년 이내에 지구상의 성장은 한계에 달할 것이라고 경종[1]을 울리고 있습니다. 또한 지구의 ㉢파국을 막기 위해서는 적극적인 성장 억제 정책과 인구 안정화 정책을 취할 필요가 있으며 조기에 이러한 정책을 시행하여 세계를 균형 상태로 유도해야 한다는 내용을 담고 있습니다.

1992년 6월 브라질 리우데자네이루에서 개최된 유엔환경개발회의(UNCED)에서는 지속 가능한 발전의 목표 달성을 위해 기본 원칙을 담은 선언서를 발표하였습니다. 이를 '리우 선언(Rio Declaration)'이라고 합니다. 리우 선언은 법적으로 제재를 가할 수 있는 구속력은 없지만, 지구 환경 보존을 위한 ㉣이념적인 방향을 제시하는 역할을 하고 있습니다. 또한 이 회의에서는 리우 선언의 이행을 위한 실천 계획으로 의제21(Agenda21)도 함께 채택이 되었습니다. ㉤의제21은 '21세기 지구환경보전 종합계획'으로 각국 정부의 행동 지침을 구체적 방안으로 제시하고 있으며 크게 사회경제 부문[2], 자원의 보전 및 관리 부문, 주요 그룹의 역할 강화 부문, 이행 수단 부문 등에 대한 내용을 담고 있습니다.

낱말 풀이

❶ 경종 위급한 일이나 비상사태를 알리는 종, 사이렌 따위의 신호. 잘못된 일이나 위험한 일에 대하여 경계하여 주는 주의나 충고를 비유적으로 이르는 말. ❷ 부문 일정한 기준에 따라 분류하거나 나누어 놓은 낱낱의 범위나 부분.

1 주제찾기

글에서 다룬 주요 내용이 아닌 것을 고르세요. ( )

① 환경 훼손 ② 인구 폭발
③ 자원 고갈 ④ 국가 간의 분쟁
⑤ 사회적인 불평등

2 글감찾기

글감을 글에서 찾아 쓰세요.

□□□□한 □□

3 사실이해

〈성장의 한계〉라는 보고서에 따르면, 지구가 성장의 한계에 이르게 하는 가장 중요한 원인은 무엇입니까? ( )

① 인구 증가와 환경 악화 ② 자원 소모적인 경제 활동
③ 산업혁명에 따른 풍족한 삶 ④ 대량 생산과 대량 소비의 악순환
⑤ 유엔환경개발회의의 이름뿐인 활동

6주 27회

해설편 14쪽

4 미루어알기

지속 가능한 발전을 위한 바람직한 태도는 어느 것입니까? ( )

① 남을 생각하고 배려한다.
② 내 가족의 편한 삶을 우선시한다.
③ 지금의 경제적 이익을 위해 노력한다.
④ 경제 성장의 힘이 되도록 아이를 많이 낳는다.
⑤ 남아 있는 자원을 캐내기 위해 새로운 기술을 개발한다.

5 세부내용

글에 나온 낱말 ㉠~㉤으로 짧은 글을 지었습니다. 낱말의 사용이 잘못된 것을 고르세요. ( )

① 위기 극복을 위해 총체적인 노력이 필요하다.
② 무조건 많이 팔기 위해 만든 허위·과장 광고는 지향해야 한다.
③ 전쟁은 한 나라를 파국으로 치닫게 한다.
④ 우리 사회를 이념적으로 가르는 것은 어리석은 행동이다.
⑤ 이번 정상회담의 주요 의제는 두 나라의 경제 협력 문제가 될 것이다.

6 적용하기

'지속 가능한 발전'을 위해 생활에서 실천할 수 있는 일을 두 가지 쓰세요.

( )

7 요약하기

글의 요지를 간추렸습니다. 빈칸에 알맞은 낱말을 찾아 쓰세요.

지속 가능한 발전은 환경과 경제, 사회적 평등을 모두 고려하여 현재와 미래 세대를 생각하는 발전입니다. 이를 위해서는 ① ☐☐ 억제 정책과 ② ☐☐ 안정화 정책을 펼칠 필요가 있습니다.

어휘 넓히기

뜻 **낱말의 뜻풀이로 알맞은 것을 보기 에서 골라 괄호 안에 기호를 쓰세요.**

(1) 지향하다 (　　　)
(2) 파국 (　　　)
(3) 경종 (　　　)

보기
㉠ 잘못된 일이나 위험한 일에 대하여 경계하여 주는 주의나 충고를 비유적으로 이르는 말.
㉡ 어떤 목표로 뜻이 쏠리어 향하다. 의식이 어떤 대상을 향하다.
㉢ 일의 사태가 잘못되어 결딴이 남. 또는 그 판국.

다지기 **아래 문장의 빈칸에 알맞은 낱말을 보기 에서 찾아 쓰세요.**

보기
파국　　지향하다　　경종

(1) 자유와 평등은 인류가 [　][　]해야 할 보편적인 이념이다.
(2) 이번 대형 사고는 우리 사회의 안전 불감증에 대한 커다란 [　][　]이다.
(3) 욕심이 결국 그들의 우정을 [　][　]으로 치닫게 했다.

넓히기 **다음 한자어의 구성과 뜻을 알아보고, 빈칸에 알맞은 낱말을 쓰세요.**

- **소모(消** 사라질 소. **耗** 소모할 모.) 써서 없앰.
- **취소(取** 가질 취. **消** 사라질 소.) 발표한 의사를 거두어들이거나 예정된 일을 없애 버림.
- **소비(消** 사라질 소. **費** 쓸 비.) 인간이 욕망의 충족을 위하여 재화를 소모하는 일.

(1) 비가 오면 행사를 [　][　]합니다.
(2) 사소한 일에 시간을 [　][　]하다.
(3) 건강에 대한 관심이 높아지면서 채소의 [　][　]가 크게 늘었다.

시간 공부 날짜 [　]월 [　]일
푸는데 걸린 시간 [　]분

확인 맞은 개수 써보기

독해	개/7개	어휘	개/9개

6주 27회

해설편 14쪽

28

여러분은 김치를 좋아하나요? 김치는 우리 고유의 전통 발효식품으로 지방에 따라, 각 가정에 따라 실로 그 재료와 맛이 다양합니다. 그리고 재료와 담그는 방법, 시기에 따라 다양한 이름이 붙여집니다. 다음 글을 읽고 독특한 여러 김치의 이름을 알아봅시다.

1. 15점 2. 10점 3. 15점 4. 15점 5. 15점 6. 15점 7. 15점

김치는 주로 주재료나 추가로 들어가는 재료에 따라 이름이 달라져요. 그런데 재료를 떠올리기는커녕 "정말로 김치 맞아?" 하는 이름들도 있어요. 이번에는 김치 같지 않은 김치의 별난 이름과 김치에 관련된 이야기들에 대해 살펴봐요.

강원도에는 '서거리김치'가 있어요. 김치를 먹으면 눈을 밟을 때처럼 서걱거리는 소리가 나서 붙은 이름일까요? 아니면 설익은 채로 먹는다고 해서 붙은 이름일까요? 땡! 서거리는 '아가미덮개'를 뜻하는 강원도 사투리로, 소금에 절인 명태 아가미를 넣고 담근 깍두기를 말해요.

김치는 담그는 방법에 따라서 달리 부르기도 해요. 배추나 상추, 무를 살짝 절여서 곧바로 무쳐 신선한 양념 맛으로 먹는 김치를 '겉절이', 채 썬 무를 김치 양념으로 버무려 먹는 것은 '생채', 넓적하고 큼직하게 썬 무와 배추를 소금에 절인 후 김치 양념으로 버무려 담근 김치는 '섞박지', 무를 통째로 또는 큼직하게 썰어서 국물을 흥건하게 부어 담근 하얀 물김치를 '성건지', 절인 배추에 온갖 과일과 채소, 해산물을 넣고, 고춧가루로 연분홍빛을 낸 쇠고기 육수를 자박자박하게 부어 담근 김치를 '반지'라고 해요. 그리고 가을에 거둔, 중간쯤 자란 배추로 김치를 담그기도 ㉠하는데, 이 김치를 '중걸이김치'라고 한답니다.

김치는 담그는 시기에 따라붙는 이름이 따로 있어요. 김장 김치가 익기 전에 먹기 위해 담그는 김치를 '지레김치'라고 해요. 김치를 막 담가 선선한 양념 맛이 배어 있다가 이제 막 맛있게 익어 가는 중간 단계로, 김치가 이 맛도 아니고 저 맛도 아닌 상태를 '미친 김치'라고 하지요.

김치가 너무 익어서 마치 식초처럼 신맛이 강해지면 "김치가 촛국이 됐다."라고 하며 이를 '촛국김치'라고 해요. '묵은지'는 해를 넘긴 김장 김치로, 땅속에 묻어둔 김장독에서 자연 발효된 묵은 김치를 말해요, 잘 숙성되어 김치의 깊은 맛이 잘 보존된 상태지요.

수천 년 동안 우리 민족과 함께해 온 김치는 속담에서도 그 쓰임이 잘 나타나고 있어요. 못난 사람은 제때에 익지 않아 멋없는 김치로, 하찮고 못난 사람이나 그 행동거지는 김치를 먹고 남은 김칫국으로 비유하기도 해요.

열무김치 맛도 안 들어서 군내부터 난다.

사람이 어른이 되기도 전에 못된 버릇부터 배우는 경우를 비꼬는 말이에요. 실제로 열무김치는 완전히 익지 않으면 군내가 나서 먹을 수가 없어요. 여기서 덜 익은 열무김치는 어른답지 않게 못된 버릇만 든 사람을 뜻해요.

떡 줄 사람은 꿈도 안 ㉡꾸는데 김칫국부터 마신다.

해 줄 사람은 생각지도 ㉢않는데 미리부터 다 된 일로 알고 행동한다는 말이에요. 우리의 전통적인 먹을거리인 떡은 김치와 함께 먹으면 목이 메지도 않고 쉽게 질리지도 않아요. '떡' 하면 '김치'를 떠올릴 정도로 서로 궁합이 잘 맞지요. 비슷한 말로 "떡방아 소리 듣고 김칫국 찾는다.", "앞집 떡 치는 소리 듣고 김칫국부터 마신다."가 있어요.

양반 김칫국 떠먹듯

아니꼽게 점잔을 빼는 사람을 보고 하는 말이에요.

나그네 먹던 김칫국도 먹자니 더럽고 남 주자니 아깝다.

자기에게 소용이 없는 것도 남에게는 주기 싫은 인색한 마음을 비유적으로 ㉣이르는데 쓰는 말이에요.

김칫국 채어 먹은 거지 떨 듯

남들은 그다지 추워하지 ㉤않는데 혼자 추워서 덜덜 떨고 있다는 말이에요.

1 주제찾기

글쓴이가 제시한 글의 중심 내용을 글에서 찾아 쓰세요.

⇨ ☐☐의 ☐☐ ☐☐과 속담에 나타난 ☐☐이야기

2 글감찾기

글의 중심 낱말을 찾아 쓰세요.

(　　　　　　　　)

3 사실이해

김치의 이름과 붙인 까닭의 짝이 잘못된 것은 어느 것입니까? (　　)

① 서거리 김치-먹을 때 나는 소리
② 겉절이-담그는 방법
③ 섞박지-담그는 방법
④ 중걸이 김치-재료
⑤ 지레김치-담그는 시기

6주 28회

해설편 14쪽

4
미루어알기

글의 내용으로 볼 때, 김치의 이름은 대체로 무엇을 따라 붙여진 것입니까? ( )

① 먹을 때 나는 소리
② 주재료와 부재료
③ 담그는 방법
④ 담그는 시기
⑤ 먹는 시기

5
세부내용

㉠~㉤ 중 띄어쓰기를 잘못한 것은 무엇입니까? ( )

① ㉠
② ㉡
③ ㉢
④ ㉣
⑤ ㉤

6
적용하기

글의 내용을 참고로 하여 다음 속담의 뜻을 풀이한 빈칸을 채우세요.

속담: **김칫국 먹고 수염 쓴다.**

뜻: 시시한 일을 해 놓고 ① [ ][ ]을 한 것처럼 으스대거나 하잘것 없는 사람이 ② [ ][ ] 체하는 것을 비유적으로 이르는 말. 비슷한 뜻의 속담으로 '냉수 먹고 갈비 트림한다.'가 있다.

7
요약하기

글의 주요 내용을 두 항목으로 나누어 간추렸습니다. 빈칸을 채워 완성하세요.

	구체적인 예	특징
김치의 별난 이름	서거리 김치, 섞박지, 성건지, 반지, 중걸이 김치, 미친 김치 등	① [ ][ ]를 떠올리기 어려움
김치에 관련된 이야기	나그네 먹던 김칫국도 먹자니 더럽고 남 주자니 아깝다.	대개 ② [ ][ ]한 사람을 빗대어 표현할 때 사용

어휘 넓히기

뜻

낱말의 뜻풀이로 알맞은 것을 보기 에서 골라 괄호 안에 기호를 쓰세요.

(1) 서걱거리다 (　　)
(2) 묵다 (　　)
(3) 하잘것없다 (　　)

보기
㉠ 시시하여 해 볼 만한 것이 없다. 또는 대수롭지 아니하다.
㉡ 눈이 내리거나 눈 따위를 밟는 소리가 잇따라 나다.
㉢ 일정한 때를 지나서 오래된 상태가 되다.

다지기

아래 문장의 빈칸에 알맞은 낱말을 보기 에서 찾아 쓰세요.

보기
서걱거리는　　묵은　　하잘것없는

(1) 맨발로 눈을 밟자 □□□□□ 소리가 났다.
(2) □□□□□ 일로 형제끼리 다투어서 부모님께 혼이 났다.
(3) 이 건물은 몇 백 년 □□ 것이라 손이 많이 간다.

넓히기

다음 한자어의 구성과 뜻을 알아보고, 빈칸에 알맞은 낱말을 쓰세요.

- **재료(材** 재목 재. **料** 헤아릴 료.) 물건을 만들 때 바탕으로 사용하는 것.
- **요금(料** 헤아릴 요. **金** 쇠 금.) 남의 힘을 빌리거나 사물을 사용 · 소비 · 관람한 대가로 치르는 돈.
- **요리(料** 헤아릴 요. **理** 다스릴 리.) 여러 조리 과정을 거쳐 음식을 만듦. 또는 그 음식. 주로 가열한 것을 이른다.

(1) 이 시설은 □□이 너무 비싸서 이용하는 사람이 많지 않다.
(2) 장을 담글 때 필요한 □□에는 메주, 소금, 고추 등이 있다.
(3) 감자를 으깨어 □□를 하다.

시간
공부 날짜 □ 월 □ 일
푸는데 걸린 시간 □ 분

확인
맞은 개수 써보기

독해	개/7개	어휘	개/9개

6주 28회
해설편 14쪽

29

100년쯤 전, 활동했던 인물 중에 한글 사랑과 한글 연구로 가장 이름난 인물이 주시경이에요. '한글'이라는 이름도 그가 처음으로 의견을 내어놓아 널리 사용할 수 있도록 한 거예요. 글을 읽고, 평생 한글을 사랑하고 아껴온 인물의 삶에 대해 살펴봅시다.

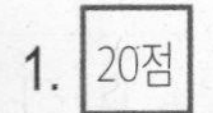

1. 20점 2. 15점 3. 15점 4. 15점 5. 15점 6. 15점 7. 20점

[앞의 줄거리] 배재학당 선생님의 수업을 듣고 우리나라가 처한 어려움을 알게 된 주시경은 한문 대신 훈민정음을 공부해 우리말을 바로잡기로 마음먹고 일을 하면서도 밤늦도록 우리말 문법책 만들기에 몰두했고, 서재필과 최초의 우리글 신문인 「독립신문」을 만들었습니다.

날이 갈수록 「독립신문」은 사람들에게 중요한 신문이 되었어요. 「독립신문」을 읽은 사람들은 잘못된 나라를 바로잡자며 여기저기에서 목소리를 높였어요. 주시경은 새삼 우리글의 힘을 느꼈어요. 「독립신문」이 한문으로 쓰였다면, 한문을 모르는 많은 사람은 무슨 내용인지도 모르고 지나쳤을 테니까요.

정부의 대신들은 서재필을 다시 미국으로 보내려고 했어요. 「독립신문」을 통해 자신들의 잘못이 그대로 드러나는 것이 못마땅했기 때문이에요. (생략)

하지만 서재필은 결국 미국으로 떠나야 했어요. 주시경은 서재필의 빈자리를 채우기 위해 더욱 열심히 「독립신문」을 만들었어요. 1896년에 주시경은 결혼을 하고 자그마한 초가집에 가정을 꾸렸어요. 그리고 「독립신문」을 만들며 받는 얼마 안 되는 돈으로 ㉠<u>넉넉지</u> 않은 살림을 꾸렸지요.

1898년 12월 31일, 주시경은 드디어 그토록 바라던 우리말 문법책 『대한국어문법』의 첫 번째 원고를 완성했어요. 이 책에서 주시경은 우리말 자음과 모음의 특징을 밝히고 어떻게 발음해야 하는지를 정리했어요. 또, 훈민정음이 만들어진 과정을 실어 우리글에 얼마나 큰 뜻이 있는지도 알렸어요.

서울에만도 열 곳이 넘는 신식 학교가 문을 열었어요. 하지만 신식 학교들은 영어, 산술, 만국지지, 역사는 가르치면서도 우리말과 우리글은 가르치지 않았어요. 배재학당을 졸업한 뒤 주시경은 『대한국어문법』을 교과서 삼아 학교에서 국어를 가르치기 시작했어요. (생략)

그즈음 아주 반가운 소식이 들려왔어요. 정부에서 우리글 정리의 필요성을 깨닫고 국문연구소를 만든 거예요. 주시경은 국문연구소의 연구원이 되어 우리글의 맞춤법을 연구했어요.

그러는 동안에도 우리나라의 앞날은 점점 어두워지고 있었어요. 청나라, 러시아와의 전쟁에서 이긴 일본이 욕심을 드러내며 우리나라 일에 끼어든 거예요. 1905년 11월에는 우리나라를 일본이 보호해야 한다며 을사늑약을 강제로 맺었어요. 이듬해에는 통감부를 세워 일본인 관리의 허락 없이는 중요한 나랏일을 결정하지 못하게 했지요. 전국 곳곳에서 일본에 맞서 나라를 지키려는 움직임이 일어났어요. 하지만 결국 우리나라는 1910년 8월, 일본의 식민지가 되고 말았어요. 나라를 다스리는 권리인 주권을 일본에 빼앗긴 것이지요. 강제로 우리나라를 빼앗은 일본은 학교에서 우리말과 우리 역사를 가르치지 못하게 했어요. 우리말과 우리글을 '국어'라고 부를 수도 없게 했지요. 주시경이 세운 '국어 강습소'를 '조선어 강습원'으로, 제자들과 뜻을 모아 세운 국어 연구 모임인 '국어연구학회'는 '조선언문회'로 이름을 바꾸어야 했어요.

"이런 때일수록 우리는 우리말과 우리글을 잘 지켜야 한다. 나라 사랑은 나라말을 아끼는 데서 비롯된다. 우리가 우리말과 우리글을 잘 지키면 언젠가는 꼭 나라를 되찾을 수 있을 것이다!"

ⓛ(   )

주시경은 다른 나라로 떠나기로 마음먹었어요. 일본의 간섭이 덜한 외국에서 『말모이』를 쓰며 우리말 연구를 계속할 생각이었지요. 주시경은 고향으로 내려가 가족에게 작별 인사를 하고 서울로 돌아왔어요. 준비를 서둘렀지만 주시경은 국경을 넘지 못했어요. 떠날 날을 코앞에 두고 갑작스럽게 병으로 쓰러지고 말았거든요. 1914년 7월 27일, 주시경은 영영 눈을 감았어요. 서른 아홉의 나이로 아쉽게 삶을 마치고 말았지요.

주시경은 평생을 오로지 우리말과 우리글을 사랑하는 데 바쳤어요. 한글의 큰 뜻이 바로 설 수 있도록 든든한 주춧돌이 되어 주었지요. 주시경의 국어 문법 연구는 우리말과 한글이 더 나아갈 수 있는 길을 열어주었어요. 주시경이 세상을 떠난 지 이십여 년이 지난 1933년, 「한글 맞춤법 통일안」이 발표됐어요. 한글에도 처음으로 공공질서가 생긴 거예요.

1
주제찾기

주시경에 대한 글의 주요 내용으로 가장 적절한 것은 어느 것입니까? .... (   )

① 어린시절부터 한글을 공부함
② 훈민정음을 창제함
③ 정부 대신을 비판함
④ 일본의 침략에 저항함
⑤ 우리말과 우리글을 연구하고 가르침

6주 29회 해설편 15쪽

2
글감찾기

인물의 어떤 행적에 초점을 맞춘 글입니까? 글자 수를 맞추어 답하세요.

⇨ 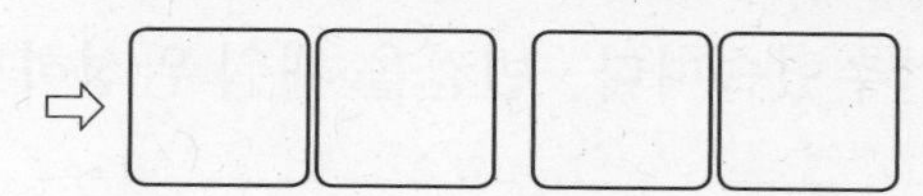

3
사실이해

주시경의 행적과 관련된 사실만 모아 놓은 것을 고르세요. .... (   )

① 독립신문 발간에 참여, 『대한국어문법』 집필
② 한문을 한글로 표기하는 방법 계몽, 한자 폐기 운동
③ 훈민정음 창제 취지 연구, 훈민정음의 글자꼴 전파
④ 외국에서 국어를 가르침, 한글로 독립운동에 대해 광고
⑤ 자음과 모음의 발음 정리, 한글 맞춤법 통일안 제정

4
미루어알기

ⓛ에 들어갈 주요 내용으로 떠올릴 수 있는 것은 무엇입니까? ( )

① 민족의 독립　② 가족과의 갈등　③ 해외에서 신문을 발간함
④ 우리말 사전 연구　⑤ 큰 병을 얻음

5
세부내용

'넉넉하지'의 준말은 '넉넉지'입니다. '-하지'에서 '-지'로 줄어드는 방식이 ㉠과 같은 것들만 모아 놓은 것을 고르세요. ( )

① 섭섭지, 가난치　② 생각지, 섭섭지　③ 깨끗지, 서슴지
④ 서슴지, 생각지　⑤ 삼가지, 생각지

6
적용하기

다음 글을 읽고 본문을 참고하여 주시경이 훈민정음을 연구하고 가르치기로 결심한 이유 두 가지를 고르세요. ( )

> 나무 찍는 소리 '쩡쩡'은 '쩡'이라는 소리를 가진 한자가 없어 '정'을 쓰고, 새 울음소리 '짹짹'도 '짹'이라는 소리를 가진 한자가 없어 '새가 운다.'는 뜻의 한자 '앵'을 쓴 거야. 훈민정음은 '쩡쩡'이라 쓰고, 읽을 때도 '쩡쩡'이라 읽어. '짹짹'도 마찬가지야.

① 소리글자이다.　② 뜻글자이다.　③ 세종대왕이 만들었다.
④ 배우고 쓰기 쉽다.　⑤ 우리 역사를 알아야 했다.

7
요약하기

주시경의 업적을 생애의 순서에 따라 간추렸습니다. 빈칸을 채워 완성하세요.

> 배재학당에서 공부하면서 ① ☐☐☐ ☐☐☐ 만들기에 몰두 → 서재필과 더불어 ② ☐☐☐☐ 발간 → 여러 신식 학교에서 ③ ☐☐☐과 ④ ☐☐☐을 가르침 → 국문연구소의 연구원이 되어 우리글의 ⑤ ☐☐☐을 연구

어휘 넓히기

뜻

낱말의 뜻풀이로 알맞은 것을 보기 에서 골라 괄호 안에 기호를 쓰세요.

(1) 새삼 (　　)
(2) 못마땅하다 (　　)
(3) 영영 (　　)

보기
㉠ 이전의 느낌이나 감정이 다시금 새롭게.
㉡ 마음에 들지 않아 좋지 않다.
㉢ 영원히 언제까지나.

다지기

아래 문장의 빈칸에 알맞은 낱말을 보기 에서 찾아 쓰세요.

보기
못마땅한　　새삼　　영영

(1) 나는 그의 말솜씨에 [　][　] 놀랐다.

(2) 그는 [　][　] 돌아오지 않았다.

(3) 그는 내 말이 [　][　][　][　] 듯이 얼굴을 찌푸렸다.

넓히기

다음 한자어의 구성과 뜻을 알아보고, 빈칸에 알맞은 낱말을 쓰세요.

- **문법(文** 글월 문. **法** 법 법.**)** 말의 구성 및 운용상의 규칙. 또는 그것을 연구하는 학문.
- **주문(注** 부을 주. **文** 글월 문.**)** 어떤 상품을 만들거나 파는 사람에게 그 상품의 생산이나 수송, 또는 서비스의 제공을 요구하거나 청구함. 또는 그 요구나 청구.
- **문명(文** 글월 문. **明** 밝을 명.**)** 사회의 여러 가지 기술적, 물질적인 측면의 발전에 의해 이루어진 결과물. 또는 그렇게 하여 인간 생활이 발전된 상태.

(1) 밑줄 그은 문장들은 모두 [　][　]에 맞지 않는다.

(2) 이곳은 찬란한 고대 [　][　]을 꽃피운 중심지였다.

(3) 우리 공장은 소비자들로부터 먼저 [　][　]을 받고 제품을 생산하고 있습니다.

시간
공부 날짜 [　]월 [　]일
푸는데 걸린 시간 [　]분

확인
맞은 개수 써보기

독해	[　]개/7개	어휘	[　]개/9개

6주 29회

해설편 15쪽

30

반복이 있는 시가 있어요. 반복이란 모양이 같거나 비슷한 구절이 거듭해서 나타나는 것을 말해요. 이렇게 표현하여 운율을 이루거나 내용을 강조하죠. 만약 반복이 없다면 연의 순서대로 내용을 간추리면 돼요.

1. 15점 2. 15점 3. 15점 4. 10점 5. 15점 6. 15점 7. 15점

(가) 언젠가는 나도
늠름한 줄무늬 개구리가 되겠지.
지금은 볼품없는 꽁지로
숨죽여 사는 올챙이지만
언젠가는 나도 굵고 큼직한 목소리로
노래 부를 수 있겠지.
㉠개굴개굴개굴개굴

지금은 좁은 물웅덩이에 갇혀 사는
어린 올챙이지만
언젠가는 나도
더 큰 세상으로 껑충! 뛰어오르는
늠름한 줄무늬 개구리가 되겠지.

(나) 들깨를 턴다
마당에 비닐을 넓게 깔고
들깨 단을 작대기로 살살 두드린다

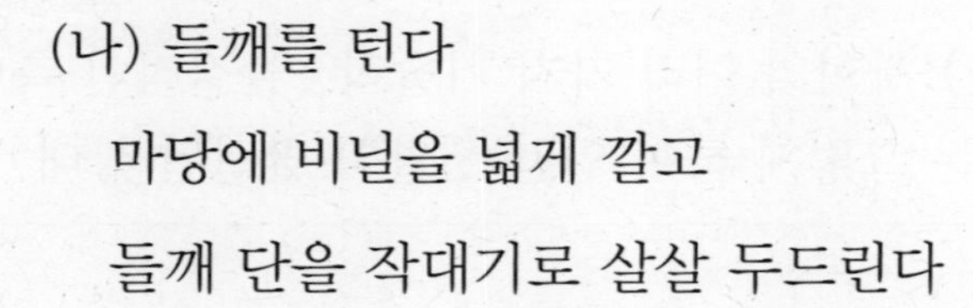

두드릴 때마다 하얀 들깨가
㉡토-옥 톡 튀어 올라 빛난다
내가 한눈판 사이
들깨 몇 알이
비닐 밖으로 튀어 나간다

'요놈 어디로 가'

내가 주우려 하자
할머니가 말했다

'그만둬라
배고픈 새들이 와서 먹게'

1 주제찾기

(가)와 (나)에서 공통으로 떠올릴 수 있는 내용은 무엇입니까? ( )

① 갇혀 사는 사람의 갑갑한 심경을 떠올린다.
② 시골에서 농사짓는 아이의 부지런함을 떠올린다.
③ 세상을 긍정적으로 살아가는 건강한 모습을 떠올린다.
④ 어려운 처지를 극복하고 성공의 길로 들어선 사람을 떠올린다.
⑤ 할머니에게 효도를 아끼지 않는 아이의 다정한 모습을 떠올린다.

2 글감찾기

(가), (나)의 작품 속에서 말하는 사람을 각각 구체적으로 쓰세요.

((가) , (나))

3 사실이해

㉠과 ㉡에서 주로 사용한 감각은 무엇입니까? ( )

① 시각 ② 청각 ③ 후각
④ 미각 ⑤ 촉각

4 미루어알기

(가)의 말하는 이는 미래에 무엇이 되기를 바라고 있습니까? ( )

① 훌륭하게 성장한 사람 ② 도시로 나간 젊은이
③ 큰소리치는 사람 ④ 큰 웅덩이에 사는 개구리
⑤ 화려하고 잘생긴 사람

6주 30회
해설편 15쪽

5 세부내용

(나)의 말하기에 나타난 특징은 무엇입니까? ( )

① 고백하는 말이다.
② 반성하는 말투가 있다.
③ 두 사람이 말을 주고받는다.
④ 한 말을 인용하는 형식이 있다.
⑤ 등장인물이 이야기를 엮어가고 있다.

6 적용하기

(가)와 (나)의 지금 상황을 그림으로 그린다면 무엇을 그린 그림이 될지 쓰세요.

(가) □□□에 숨죽여 사는 □□□

(나) □□ □□ 아이

7 요약하기

(가) 시의 핵심 내용을 아래와 같이 간추렸습니다. 빈칸에 알맞은 낱말을 시에서 찾아 쓰세요.

> 언젠가는 나도
> 굵고 큼직한 목소리로 ① □□ □□는,
> 더 큰 세상으로 껑충 ② □□□□는
> 늠름한 줄무늬 ③ □□□가 되겠지.

어휘 넓히기

뜻

낱말의 뜻풀이로 알맞은 것을 보기 에서 골라 괄호 안에 기호를 쓰세요.

(1) 볼품없다 (　　)
(2) 꽁지 (　　)
(3) 단 (　　)

보기
㉠ 짚, 땔나무, 채소 따위의 묶음.
㉡ 주로 기다란 물체나 몸통의 맨 끝부분.
㉢ 겉으로 드러나 보이는 모습이 초라하다.

다지기

아래 문장의 빈칸에 알맞은 낱말을 보기 에서 찾아 쓰세요.

보기
단　꽁지　볼품없다

(1) 할머니가 부추 두 ☐을 사오라고 하셨다.

(2) 아무리 멋진 넥타이도 구깃구깃하면 ☐☐없다.

(3) 아기 강아지가 어미 강아지 ☐☐에만 붙어 다닌다.

넓히기

다음 한자어의 구성과 뜻을 알아보고, 빈칸에 알맞은 낱말을 쓰세요.

- **늠름(凜 찰 늠(름).)하다**: 생김새나 태도가 의젓하고 당당하다.
- **늠연(凜 찰 늠(름). 然 그러할 연.)하다**: 위엄이 있고 당당하다.

참고 순우리말처럼 보이지만 '늠름하다'의 늠름은 한자어입니다.

(1) 위풍당당하게 성장한 막내 왕자의 ☐☐해진 모습을 보고 사람들은 모두 놀랐습니다.

(2) 그 당시 나의 모습은 언제나 ☐☐하고 자신만만해 보였다고 한다.

시간 공부 날짜 ☐월 ☐일
푸는데 걸린 시간 ☐분

확인 맞은 개수 써보기

독해	개/7개	어휘	개/8개

6주 30회

해설편 15쪽

어휘·어법 총정리 6주차

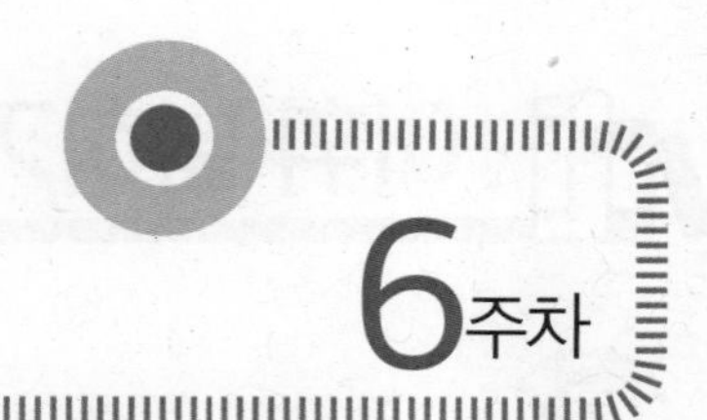

어휘 보기 의 낱말을 보고, 뜻과 어울리는 것을 골라 아래의 빈칸에 써보세요.

보기	경종	분포	파국	계기	지향하다	소모	수염 쓴다	새삼

1. 어떤 목표로 뜻이 쏠리어 향하다. 의식이 어떤 대상을 향하다.
2. 어떤 일이 일어나거나 변화하도록 만드는 결정적인 원인이나 기회.
3. 써서 없앰.
4. 잘못된 일이나 위험한 일에 대해 경계하여 주는 주의나 충고를 비유적으로 이르는 말.
5. 이전의 느낌이나 감정이 다시금 새롭게.
6. 일정한 범위에 흩어져 퍼져 있음.
7. 보잘것없는 일을 하고 무슨 큰일을 한 것처럼 뽐냄을 비유적으로 이르는 말.
8. 일의 사태가 잘못되어 결딴이 남.

어법 **다음 중 맞춤법에 맞는 것을 골라 동그라미 하세요.**

1. 바깥 활동이 [잦다 / 잤다].
2. [하잘것없다 / 하잘건없다]
3. [넉넉치 / 넉넉지] 않은 살림
4. 필요성을 [깨달고 / 깨닫고]
5. [서슴지 / 서슴치] 않고
6. [꼼꼼이 / 꼼꼼히] 보다
7. [늠늠한 / 늠름한] 왕자님
8. [헝겊 / 헌겁] 인형

나의 점수 확인하기

어휘	개 / 8개	어법	개 / 8개

7주차

회차 / 영역	제목	계획 및 점검
31 인문|설명문	한지돌이 • 나는 [ ]월 [ ]일 [ ]시에 공부할 것입니다.	• 독해력에서 나의 점수는 [ ]점입니다. • 어휘력에서 맞은 문제수는 [ ]개/9개 입니다. • 어려웠던 문제는 ______ 번입니다.
32 사회|설명문	고조선 사회의 이해 • 나는 [ ]월 [ ]일 [ ]시에 공부할 것입니다.	• 독해력에서 나의 점수는 [ ]점입니다. • 어휘력에서 맞은 문제수는 [ ]개/9개 입니다. • 어려웠던 문제는 ______ 번입니다.
33 과학|설명문	인공 강우 • 나는 [ ]월 [ ]일 [ ]시에 공부할 것입니다.	• 독해력에서 나의 점수는 [ ]점입니다. • 어휘력에서 맞은 문제수는 [ ]개/9개 입니다. • 어려웠던 문제는 ______ 번입니다.
34 산문문학|이야기	온계리의 어진 아이 • 나는 [ ]월 [ ]일 [ ]시에 공부할 것입니다.	• 독해력에서 나의 점수는 [ ]점입니다. • 어휘력에서 맞은 문제수는 [ ]개/9개 입니다. • 어려웠던 문제는 ______ 번입니다.
35 운문문학|시	딱정벌레, 버려진 개들 • 나는 [ ]월 [ ]일 [ ]시에 공부할 것입니다.	• 독해력에서 나의 점수는 [ ]점입니다. • 어휘력에서 맞은 문제수는 [ ]개/9개 입니다. • 어려웠던 문제는 ______ 번입니다.

• 이번 주 독해력 문제에서 나의 점수는 평균 [ ]점입니다.

• 이번 주 어휘력에서 맞은 문제수는 모두 [ ]개입니다.

31

우리나라 전통 한지의 우수성은 세계에서 가장 오래된 목판 인쇄본인 『무구정광대다라니경』을 통해 분명하게 알 수 있어요. 이렇게 한지는 1200년도 견딜 수 있답니다. 어떻게 그것이 가능한지, 또 어디에 쓰이는지 글을 통해 알아봅시다.

1. 15점 2. 15점 3. 10점 4. 15점 5. 15점 6. 15점 7. 15점

옛날 아주 먼 옛날에 사람들은 오래 기억하고 싶은 일이나 함께 나누고 싶은 생각을 바위와 동굴 벽에 새기고 그렸대. 하지만 그렇게 새기고 그리는 건 쉽지 않았어. 게다가 바위나 동굴은 다른 곳으로 옮길 수도 없잖아. 땅바닥이나 나무토막에 그리기도 했지만 땅바닥에 그린 것은 금방 지워져 버렸고, 나무토막은 잃어버리기 일쑤였지.

그래서 사람들은 좀 더 쓰기 쉽고 그리기 편한 것, 옮기기 쉽고 간직하기 좋은 것을 찾았어. 흙을 빚어 점토판을 만들기도 하고, 나무를 쪼개 엮거나 풀줄기 안쪽을 얇게 벗겨 겹쳐서 쓰기도 했어. 옷감이나 얇게 편 가죽을 사용하기도 했지. 그러다가 종이를 발명한 거야. 쓰고 그리기 쉽고, 가볍고 간직하기 좋은 종이를 말이야.

나는 종이 가운데 으뜸인 한국 종이, 한지야! 옛날 중국에서 최고로 친 고려지도, 일본에서 최고로 친 조선종이도 모두 나야. 그런데 내가 어떻게 만들어지는지 아니?

제일 먼저 닥나무를 베어다 푹푹 찐 뒤, 나무껍질을 훌러덩훌러덩 벗겨서 물에 불려. 그러고는 다시 거칠거칠한 겉껍질을 닥칼로 긁어내고 보들보들 하얀 속껍질만 모아. 이렇게 모은 속껍질은 삶아서 더 보드랍게, 더 하얗게 만들어야 해. 먼저 닥솥에 물을 붓고 속껍질을 담가. 그리고 콩대를 태워 만든 잿물을 붓고 보글보글 부글부글 삶아. 푹 삶은 다음에는 건져 내서 찰찰찰 흐르는 맑은 물에 깨끗이 씻어.

이제 보드랍고 하얗게 바랜 속껍질을 나무판 위에 올려놓고 닥방망이로 찧어 가닥가닥 곱게 풀어야 해. 쿵쿵 쾅쾅! 솜처럼 풀어진 속껍질은 다시 물에 넣고 잘 풀어지라고 휘휘 저어. 그런 다음 닥풀을 넣고 다시 잘 엉겨 붙으라고 휘휘 저어주지. 아, 한지를 물들이려면 지금 준비해야 해, 잇꽃[1]으로 물들이면 붉은 한지가 되고 치자로 물들이면, 노랑, 쪽물은 파랑, 먹으로 물들이면 검은 한지가 되지.

이번에는 엉겨 붙은 속껍질을 물에서 떠내야 해. 촘촘한 대나무 발을 외줄에 걸어서 앞뒤로 찰바당, 좌우로 찰방찰방 건져 올리면 물은 주룩주룩 빠지고 발 위에는 하얀 막만 남아. 젖은 종이처럼 말이야. 이렇게 한 장 한 장 떠서 차곡차곡 쌓은 다음 무거운 돌로 하루 정도 눌러서 남은 물기를 빼. 마지막으로 차곡차곡 눌러 둔 걸 한 장 한 장 떼어서 판판하게 말려야 해. 따뜻한 온돌 방바닥이나 판판한 벽에 쫙쫙 펴서 말리면 드디어 숨 쉬는 종이, 한지 완성!

보기 좋게 글씨를 쓰고, 아름다운 그림을 그리는 데는 내가 제일이야! 가볍고 부드러우면서도 질겨서 천 년이 가도 변하지 않거든. 나는 숨을 쉬니까 집 단장에도 좋아. 더운 날에는 찬 공기 들여 시원하게 하고, 추운 날에는 더운 공기 잡아 따뜻하게 하지. 또, 습한 날은 젖은 공기 머금어 방 안을 보송보송하게 하고, 건조한 날은 젖은 공기 내놓아 방 안을 상쾌하게 하지. 따가운 햇볕을 은은하게 걸러 주는 건 기본이고말고. 낡은 옷장에 나를 겹겹이 붙이면 새 옷장이 되고, 요리조리 모양 잡으면 안경집, 벼룻집, 갓집이 되지. 바늘, 실, 골무 같은 바느질 도구 넣는 반짇고리도 될 수 있어. 옷 만들 때는 옷본, 버선 말들 때는 버선본이 되고말고. 한겨울 옷 속에 나를 넣어 꿰매면 얼마나 따뜻하다고.

그뿐인가, 여기 보이는 게 전부 나로 만든 물건이야. 나를 새끼줄처럼 배배 꼬아 종이 노끈으로 만들어 엮으면 신발부터 붓통, 베개, 방석, 망태기가 되지. 옻칠하고 기름 먹이면 물 안 새는 표주박, 항아리, 요강도 되고말고. 저기 보이는 찻상, 구절판, 그릇은 물론이고 팔랑팔랑 시원한 부채도 돼. 저 위에 걸려 있는 탈도 모두 나로 만든 거라고. 나는 흥겨운 놀이에도 빠지지 않아. 방패연, 가오리연이 되어 하늘을 훨훨 날 수도 있고, 제기가 되어 이리 펄쩍 저리 펄쩍 뛰기도 해. 풍물패 고깔 위에 알록달록 핀 예쁜 꽃도 바로 나야. 나는야 못 하는 게 없는 재주꾼. 한지돌이! 나는 지금도 너희 곁에 있어. 내가 어디 있는지 알아맞혀 볼래?

❶ 잇꽃 국화과의 두해살이풀. 7~9월에 붉은빛을 띤 누런색의 꽃이 줄기 끝과 가지 끝에 핀다. 씨로는 기름을 짜고 꽃은 약용으로 쓰고, 꽃물로 붉은빛 물감을 만든다.

1 주제찾기

글의 중심 내용을 가장 잘 표현한 것을 고르세요. ( )

① 한지가 처음 만들어진 때
② 한지 생산으로 유명한 곳
③ 한지에서 볼 수 있는 종이의 특성
④ 한지를 만드는 과정과 한지의 쓰임새
⑤ 한지 만들 때 들어가는 재료와 만드는 방법

2 제목찾기

글에 알맞은 제목을 찾아서 쓰세요.

□□돌이

3 사실이해

다른 넷과 뜻이 구별되는 하나를 고르세요. ( )

① 한지
② 점토판
③ 고려지
④ 조선종이
⑤ 한국 종이

7주 31회

해설편 16쪽

4
미루어알기

한겨울 옷 속에 한지를 넣는 까닭은 무엇일까요? ( )

① 한지가 차가운 기운을 막아주기 때문이다.
② 한지가 찬 공기를 들여 시원하게 하기 때문이다.
③ 한지가 더운 공기를 잡아 따뜻하게 해 주기 때문이다.
④ 한지가 찬 공기와 더운 공기를 번갈아가며 들이기 때문이다.
⑤ 한지가 젖은 공기를 머금거나 내놓아 습도를 조절하기 때문이다.

5
세부내용

'한지'를 대신할 수 있는 말은 무엇입니까? ( )

① 닥칼
② 닥풀
③ 닥나무
④ 닥종이
⑤ 닥방망이

6
적용하기

한지를 만드는 순서에서 둘째와 셋째 단계를 기호로 쓰세요.

㉠ 물들이기
㉡ 종이뜨기
㉢ 물기 빼고 말리기
㉣ 속껍질 삶아 씻기
㉤ 속껍질 찧어서 닥풀과 섞기
㉥ 닥나무 쪄서 속껍질 모으기

( )

7
요약하기

한지의 쓰임새를 표로 간추렸습니다. 빈칸에 알맞은 낱말을 쓰세요.

쓰임새	활용한 특성
글씨, 그림의 바탕	① □□□, ② □□□□, 질기다.
집 단장	③ □□ 조절, ④ □□ 조절
각종 생활 도구	가공성, 장식성, 실용성

어휘 넓히기

뜻

날말의 뜻풀이로 알맞은 것을 보기 에서 골라 괄호 안에 기호를 쓰세요.

(1) 일쑤 (　　)
(2) 바래다 (　　)
(3) 엉기다 (　　)

보기
㉠ 볕이나 습기를 받아 색이 변하다.
㉡ 무리를 이루거나 떼 지어 달라붙다.
㉢ 흔히 또는 으레 그러는 일.

다지기

아래 문장의 빈칸에 알맞은 낱말을 보기 에서 찾아 활용해 써보세요.

보기
엉기다　　바래다　　일쑤

(1) 누렇게 □□ 벽지를 뜯어내고 새로 도배를 했다.

(2) 나는 책 읽기를 몹시 좋아해서 한번 책을 잡았다 하면 밤을 새우기 □□였다.

(3) 배춧잎에 진딧물이 □□□ 있었다.

넓히기

다음 한자어의 구성과 뜻을 알아보고, 빈칸에 알맞은 낱말을 쓰세요.

- **한지(韓** 한국 한. **紙** 종이 지.) 우리나라 고유의 제조법으로 만든 종이.
- **편지(便** 편할 편. **紙** 종이 지.) 안부, 소식, 용무 따위를 적어 보내는 글.
- **휴지(休** 쉴 휴. **紙** 종이 지.) 허드레로 쓰는 얇은 종이.

(1) 나는 어버이날이면 꼭 부모님께 □□를 쓴다.

(2) 연의 몸에 붙일 종이는 우리 전통 □□가 가장 좋다.

(3) 손자국이 난 거울을 □□로 문질러 닦았다.

공부 날짜 □ 월 □ 일
푸는데 걸린 시간 □ 분

맞은 개수 써보기

독해	개/7개	어휘	개/9개

7주 31회

해설편 16쪽

32

청동기 시대는 청동이라는 금속재료를 사용한 도구로 문명을 꽃피운 시대예요. 장신구나 제사용품, 무기 등은 청동기로 만들었지만, 농기구는 여전히 석기로 만들었답니다. 이 시기에는 농업 생산량이 늘어나면서 경제적 차이가 생겨났고, 사회가 커지면서 여러 가지 제도와 국가가 생겨났어요. 청동기 시대에 나타난 우리나라 최초의 국가 고조선이 어떠한 모습일지 생각해봐요.

점수 계산 1. 15점 2. 15점 3. 10점 4. 15점 5. 15점 6. 15점 7. 15점

청동기 시대에는 지배자와 지배를 받는 사람들이 생겨났고, 다른 마을 사람들과 싸우는 일도 잦아졌습니다. 사람들은 다른 마을 사람들이 침입하지 못하도록 마을 둘레에 도랑을 파고, 나무로 성벽을 세워 방어하였습니다. 지배자의 세력이 점점 커지면서 마침내 국가가 세워졌고, 이렇게 해서 우리나라에 세워진 최초의 국가가 고조선입니다. 고조선의 건국 과정에 대해서는, 고려 시대에 승려 일연이 쓴 「삼국유사」에 실린 단군왕검 이야기를 통해 전해오고 있습니다. 건국 이야기에는 그것을 만들고 간직해 온 사람들의 생각과 생활 모습이 담겨 있으므로 비현실적인 요소가 포함되어 있더라도 역사를 연구하는 데 중요한 자료가 될 수 있습니다.

단군왕검이 주인공인 고조선의 건국 이야기는 환웅이 하늘에서 내려왔다는 내용으로 시작합니다. 이는 새로운 지배자가 다른 곳에서 왔다는 의미이며, 지배자의 신성함을 강조하기 위하여 하늘의 자손임을 내세운 것이라고 볼 수 있습니다. 환웅이 바람, 비, 구름을 다스리는 신하를 거느리고 왔다는 내용으로 이어지는데, 이는 고조선 사회가 농경 사회였다는 것을 보여 주면서 지배자가 농사를 잘되게 하는 능력을 갖추고 있다는 사실을 사람들에게 보여 주려고 한 것으로 보입니다. 환웅이 웅녀와 결혼했다는 내용도 있는데, 이는 곰을 숭배하는 무리가 환웅이 거느리고 온 무리와 결합했다는 것을 의미합니다.

고조선 사회의 특징과 사람들의 생활 모습은 남아 전하는 당시의 법을 통해서 짐작해 볼 수도 있습니다. 중국의 역사서에 따르면 고조선에 8개 조항의 법이 있었다고 하지만 전하는 것은 3개 조항뿐입니다. 여기에는 첫째, 사람을 죽인 자는 사형에 처한다고 되어 있습니다. 사람의 목숨을 중요하게 여겼음을 알 수 있죠. 또 고조선의 지배자가 사형을 집행할 수 있을 정도로 강한 권력을 행사하였음을 알려주기도 합니다. 둘째, 남에게 상처를 입힌 자는 곡식으로 갚는다고 했습니다. 곡식으로 갚는 것은 벌금을 뜻하며, 벌금을 낼 수 있다는 것은 개인이 재산을 소유했음을 나타냅니다. 동시에 고조선이 농

경사회라는 것도 보여 주고요. 셋째, 도둑질한 자는 도둑맞은 집의 노비로 삼는데, 죄를 면하려면 50만 전의 돈을 내야 한다고 했습니다. 이는 고조선이 노비 제도가 있는 신분 사회였음을 알려줍니다.

㉠고조선 시대에 들어서면 이전 시대와 생활의 모습도 많이 달라집니다. 평안북도 의주군 미송리 동굴에서는 민무늬 토기가 많이 발견되었는데, 이런 종류의 도구가 생활에 사용되었음을 알게 합니다. 뼈로 만든 칼과 숟가락도 발견되었는데, 재료를 자르고 음식을 떠서 먹었을 것으로 짐작하게 합니다. 흙으로 만든 국자, 시루 등도 발견되었는데 이들도 중요한 식생활의 도구였을 것입니다. 의생활을 보면, 옷은 삼베, 동물 털, 비단 등으로 만들고, 대부분의 사람은 짚신을 신었지만, 신분이 높은 사람은 가죽신도 신었을 것입니다. 사는 집을 보면, 집 짓는 기술이 발달하여 신석기 시대의 움집보다 땅 위로 올려 지은 움집에서 살았을 것으로 보고 있습니다.

1
주제찾기

글 전체의 내용은 어떤 물음에 대해 답한 것이라고 할 수 있습니까? ( )

① 고조선 사회에서는 어떠한 도구를 사용하였습니까?
② 우리나라에 세워졌던 최초의 국가는 어떤 모습이었습니까?
③ 고조선의 건국 이야기에서 비현실적 요소는 왜 끼어들었습니까?
④ 고조선 사회에서 사람들의 의식주 욕구는 누가 채워주었습니까?
⑤ 고대 국가가 세워지는 과정에서 공통으로 발견되는 특징은 무엇입니까?

2
제목찾기

고조선 사회를 이해하기 위해 글에서 사용한 자료를 세 종류로 정리할 수 있습니다. 글에 나온 낱말로 빈칸을 채우세요.

건국 □□□, 남아 있는 □, 발견된 □□

3
사실이해

고조선 건국 이야기의 첫머리에서 가장 강조한 내용은 무엇입니까? ( )

① 건국 시조의 신성함
② 농경 사회의 특수성
③ 천문 지리를 맡은 관리
④ 신격화한 동물에 대한 숭배
⑤ 엄격한 법률에 따른 국가 통치

7주 32회

해설편 16쪽

4 미루어알기

남아 있는 고조선 사회의 법으로부터 새롭게 떠올린 내용은 어느 것입니까? (   )

① 사람의 목숨을 소중하게 생각했다.
② 법을 집행하는 사람의 권력이 강했다.
③ 개인이 사사로이 재산을 소유할 수 있었다.
④ 노비가 있었다는 것으로 볼 때 신분 사회였다.
⑤ 도둑질한 사람은 죄를 면하기가 대단히 어려웠다.

5 세부내용

㉠은 문단에서 어떤 구실을 하는 문장입니까? .... (   )

① 앞과 뒤의 내용을 이어준다.
② 앞의 내용을 요약해 준다.
③ 이어질 내용을 미리 소개한다.
④ 어려운 것을 쉽게 풀어준다.
⑤ 이어질 내용이 앞의 내용과 다름을 알려준다.

6 적용하기

다음은 신라의 건국 이야기입니다. 빈칸에 알맞은 말을 쓰세요.

여섯 마을로 이루어진 작은 나라가 있었습니다. 어느 날, 이 나라의 한 촌장이 우물가에서 흰말과 커다란 알을 발견하였습니다. 말은 곧 하늘로 날아갔고, 얼마 후 알에서 튼튼하고 잘생긴 남자 아이가 나왔습니다. 촌장들은 세상을 밝게 한다는 뜻에서 이 아이에게 혁거세라는 이름을 지어 주었습니다. 사람들은 그를 [ ][ ]에서 내려온 특별한 아이라고 생각하여 첫 번째 왕으로 삼았습니다.

7 요약하기

고조선의 건국 이야기를 다음과 같이 정리했습니다. 빈칸을 채워 완성하세요.

고조선의 건국 이야기	• ① [ ][ ]에서 내려옴 ― 지배자의 신성함 • 바람, 비, 구름을 다스리는 신하 ― ② [ ][ ] 사회 • ③ [ ]을 숭배하는 원주민

어휘 넓히기

뜻 낱말의 뜻풀이로 알맞은 것을 보기 에서 골라 괄호 안에 기호를 쓰세요.

(1) 비현실적 (　　　)
(2) 숭배하다 (　　　)
(3) 소유하다 (　　　)

보기
㉠ 현실과는 동떨어진. 또는 그런 것.
㉡ 가지고 있다.
㉢ 우러러 공경하다.

다지기 아래 문장의 빈칸에 알맞은 낱말을 보기 에서 찾아 쓰세요.

보기
비현실적　　숭배　　소유

(1) 이집트인들은 태양신을 □□했다.
(2) 영화에서 □□□□인 장면들은 세트를 활용하여 찍는 경우가 많다.
(3) 자연은 어느 특정한 사람이 □□할 수 있는 것이 아니다.

넓히기 다음 한자어의 구성과 뜻을 알아보고, 빈칸에 알맞은 낱말을 쓰세요.

- **집행(執** 잡을 집. **行** 다닐 행.) 법률, 명령, 재판, 처분 따위의 내용을 실행하는 일.
- **선행(善** 착할 선. **行** 다닐 행.) 착하고 어진 행실.
- **비행(飛** 날 비. **行** 다닐 행.) 공중으로 날아가거나 날아다님.

(1) 그 새는 공중을 향해 수직 □□으로 날아오르기 시작하였다.
(2) 정부는 연말마다 그해 예산을 □□한 결과를 발표한다.
(3) 그의 □□은 사람들의 마음에 감동을 불러일으켰다.

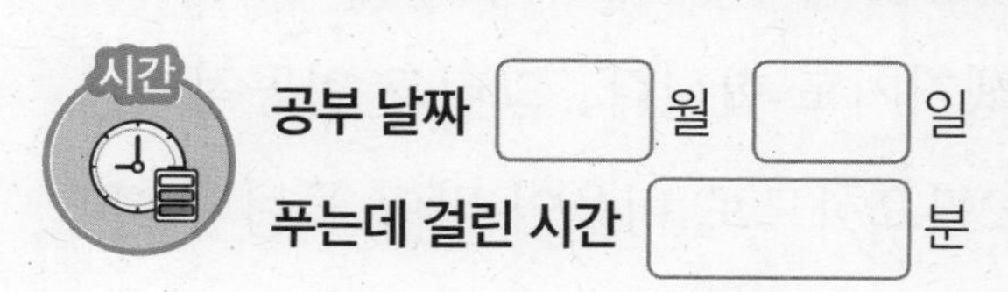
시간 공부 날짜 　월 　일
푸는데 걸린 시간 　분

확인 맞은 개수 써보기

독해	개/7개	어휘	개/9개

7주 32회

해설편 16쪽

33

영어에서 '레인메이커(rainmaker)'란 행운과 영향력의 상징입니다. 원래 레인메이커는 가뭄이 들었을 때 기우제를 드리는 아메리카 인디언 주술사를 부르는 말이었습니다. 이들은 한번 기우제를 시작하면 '비가 올 때까지' 계속 빌어서 100%의 확률로 비를 불렀다고 해요. 현대에 와서는 비가 없는 하늘에 인공적으로 비를 만들어 내는 인공 강우 전문가를 레인메이커라고 부른답니다.

1. 15점 2. 10점 3. 15점 4. 15점 5. 15점 6. 15점 7. 15점

비는 우리 생활과 밀접한 관련이 있습니다. 사람들은 빗물을 이용하여 농사를 짓거나 생활을 합니다. 하지만 가뭄으로 농사지을 물과 생활에 필요한 물이 부족한 어려움을 극복하기 위하여 인공적으로 비를 내리게 하는 방법을 연구하게 되었습니다. 인공 강우는 구름 속의 작은 물방울이 빗방울로 성장하지 못할 때에 하늘에 구름 씨를 뿌려 강수(비, 눈, 우박 등)를 만들어 내는 것입니다. 우리나라에서도 가뭄에 대비하여 인공 강우 실험을 하고 있으며, 일부 지역에서는 인공 강우의 가능성을 확인하였습니다.

동계 올림픽이 열리는 지역에서도 눈이 부족할 경우에 인공으로 눈을 많이 내리게 하는 방법을 연구하고 있습니다. 또 물 부족으로 생기는 어려움과 안개나 우박, 태풍으로 인한 피해를 줄이기 위하여 인공 강우에 관하여 연구하고 있습니다.

〈인공 강우를 실제로 활용한 예〉

미국, 오스트레일리아	중국	우리나라
• 여름철에 농작물 재배를 위한 수자원을 확보하고, 뇌우[1]가 발달하기 전에 세력을 약화하기 위하여 인공 강우를 함. • 겨울철 산악 지역이나 가뭄이 심한 일부 지역의 식수 확보나 수력 발전에도 활용.	• 미세 먼지나 황사를 제거하여 맑은 날씨를 유도하거나, 산불이 발생한 지역에서 화재를 진압하기 위하여 인공 강우를 함. • 올림픽과 같은 스포츠 행사가 맑은 날씨에 열릴 수 있도록 인공강우 시도.	겨울철 동계스포츠 경기에 필요한 눈을 확보하기 위하여 인공 강설을 연구하고 있음.

(㉠) 인공 강우는 비용이 많이 들고, 인공 강우로 인하여 주변 지역에 가뭄이 들 수 있으므로 국가 및 지역 간에 갈등이 생기기도 합니다. 그리고 인공적으로 비를 내리게 하기 위해서는 많은 양의 구름 씨가 필요하므로 비용이 많이 듭니다. 또

수분의 양이 맞지 않거나 조절에 실패하면 폭우가 쏟아져 물난리가 나거나 우박이 떨어질 수도 있고, 번개가 그치지 않아 항공기 운항에 지장을 줄 수 있습니다. 그럼에도 불구하고 세계의 여러 나라에서는 폭염과 가뭄이 점점 심해지며 물 부족이 심해지고 있어서 미래를 위해서는 인공 강우에 관한 연구와 개발이 필요합니다.

낱말풀이

❶ 뇌우 천둥소리와 함께 내리는 비.

1 주제찾기

글에서 전개한 내용은 글감의 두 가지 측면에 초점을 맞추었습니다. 무엇과 무엇입니까? ( )

① 현상과 원인의 분석
② 실행의 방법과 문제점
③ 미칠 영향의 대응 방법
④ 문제 상황의 확인과 해결책
⑤ 대립한 의견의 소개와 선택

2 제목찾기

글의 내용에 어울리는 제목을 붙이세요.

3 사실이해

글에서 두드러지게 강조한 현실은 무엇입니까? ( )

① 지구 기온이 올라가고 있다.
② 산불이 자주 발생하고 있다.
③ 물 부족이 점점 심해지고 있다.
④ 태풍이 그 규모를 키워가고 있다.
⑤ 가을과 봄의 구별이 없어지고 있다.

7주 33회

해설편 17쪽

4 미루어알기

사막의 상공에 구름 씨를 뿌렸는데 비가 오지 않았다면, 원인이 무엇일까요? ( )

① 구름 씨가 무거웠기 때문에
② 상공에 물방울이 부족했기 때문에
③ 구름 씨를 지나치게 많이 뿌렸기 때문에
④ 주변 지역에 비가 오고 있었기 때문에
⑤ 아주 높은 공중에는 물방울이 거의 없기 때문에

5 세부내용

㉠에 들어갈 이어 주는 말은 무엇입니까? ( )

① 그리고
② 그러나
③ 그러면
④ 그래서
⑤ 그런데

6 적용하기

글의 내용을 바탕으로, 인공 강우가 해결해 줄 수 있는 문제를 하나만 쓰세요.

( )

7 요약하기

문단의 중심 내용을 아래와 같이 간추렸습니다. 빈칸에 알맞은 말을 쓰세요.

문단	중심 내용
1문단	인공 강우의 ① □ 과 만드는 ② □□
2문단	인공 강우 ③ □□ 가 필요한 경우
3문단	인공 강우가 일으킬 수 있는 ④ □□ 인공 강우 연구와 개발의 ⑤ □□□

어휘 넓히기

뜻

낱말의 뜻풀이로 알맞은 것을 보기에서 골라 괄호 안에 기호를 쓰세요.

(1) 확보하다 (　　)
(2) 유도하다 (　　)
(3) 지장 (　　)

보기
㉠ 사람이나 물건을 목적한 장소나 방향으로 이끌다.
㉡ 확실히 보증하거나 가지고 있다.
㉢ 일하는 데 거치적거리거나 방해가 되는 장애.

다지기

아래 문장의 빈칸에 알맞은 낱말을 보기에서 찾아 쓰세요.

보기
유도　　확보　　지장

(1) 학교 근처 공사장 소음 때문에 수업에 ☐☐을 받고 있다.

(2) 우리 기업이 경쟁력을 ☐☐하기 위해서는 무엇보다 기술 개발이 시급하다.

(3) 그는 상대편 수비의 자책골을 ☐☐해서 팀을 승리로 이끌었다.

넓히기

다음 한자어의 구성과 뜻을 알아보고, 빈칸에 알맞은 낱말을 쓰세요.

- **인공(人** 사람 인. **工** 장인 공.**)** 사람의 힘으로 자연에 대하여 가공하거나 작용을 하는 일.
- **인권(人** 사람 인. **權** 권세 권.**)** 인간으로서 당연히 가지는 기본적 권리.
- **무인(無** 없을 무. **人** 사람 인.**)** 사람이 없음.

(1) 요즘 학생들은 ☐☐ 판매점에서 물건을 사는 데에 익숙하다.

(2) 아무리 좋은 법도 ☐☐에 우선할 수는 없다.

(3) 우리 마을 근처에는 ☐☐ 호수가 있어서 저녁 무렵이면 산책 나온 사람들로 붐볐다.

시간

공부 날짜 ☐ 월 ☐ 일

푸는데 걸린 시간 ☐ 분

확인

맞은 개수 써보기

독해	☐ 개/7개	어휘	☐ 개/9개

7주 33회

해설편 17쪽

34

생각 열기

천 원권 지폐에 있는 인물이 누구인지 아나요? 바로 이황입니다. 이황은 경상북도 안동에서 태어났고, 조선 시대의 대표적인 유학자입니다. 관직에서 물러난 후에는 도산 서원에서 제자들을 가르치며 성리학에 관한 책을 썼어요. 다음 글에서는 호인 '퇴계'로 지칭하고 있습니다. 책읽기에 진심을 담았던 그의 학문하는 방법과 태도에 대해 살펴봅시다.

점수 계산 1. 15점 2. 15점 3. 10점 4. 15점 5. 15점 6. 15점 7. 15점

[앞의 줄거리] 1501년 11월 25일에 경상도 예안현 온계리에서 태어난 퇴계 이황은 홀어머니의 가르침에 따라 항상 예의 바르게 행동하려고 노력하였다. 어린 나이에도 스스로 탐구하여 공부를 했고, 숙부는 이런 조카를 알뜰히 보살피고 가르쳤다. 밤낮을 가리지 않고 책만 들여다보는 퇴계를 빈정거렸던 아이들도 나중에는 퇴계를 스승처럼 따르게 되었다.

글을 깨친 퇴계는 중국 시인 도연명의 조용하고도 깨끗한 전원시[1]를 매우 좋아하였다. 그래서인지 그를 무척 존경하였다.

퇴계가 15세 때 지은 '가재'라는 시는 제목부터 어린이처럼 순수한 세계를 나타내고 있는데, 그 시에 나타난 거짓 없는 말들은 그의 맑은 마음을 보여 주고도 남음이 있다. 이 시는, 헛된 욕심이 사람이 지켜야 할 본분을 깨뜨리는 것임을 넌지시 나타내면서도, 어린이 같은 순진한 표현이 잘 어울리는 아름다운 시이다.

돌을 지고 모래를 파니 저절로 집이 있더라.
앞으로 가다가 돌을 차고 달아나니 발도 많네.
한 움큼의 산 샘물로서도 사는 데 충분하구나.
강과 호수에 물 많음을 물어선 무엇 하리.

퇴계의 집에는 본래부터 책이 많았다. 퇴계의 아버지는 책을 즐겨 읽으며 밤낮을 가리지 않고 공부에 열중하였다. 그래서 그는 늘 자식들에게 책읽기를 강조하였다.

"나는 식사를 할 때에도 책이요, 잘 때 꿈속에서도 책이요, 앉아서도 언제나 책과 같이 있고, 어딜 가도 책과 같이 가서, 어느 때나 책을 품에서 뗀 일이 없다. 너희도 마땅히 이와 같이 해야 하느니라! 그러지 않고 부질없이 세월을 보내서야 어찌 앞으로 큰 사람이 되겠느냐?"

아버지를 일찍 여읜 퇴계는 아버지의 이와 같은 가르침을 직접 들을 수는 없었다. 하지만 집 안 가득한 책과 아버지의 가르침에 따라 독서를 중요하게 생각하던 형제들 사이에서 자라면서 절로 학문적 분위기에 젖어 들게 되었다.

퇴계의 본격적인 학문 수업은 19세 때부터 시작되었다. 그리하여 20세 때는 『주역』을 읽게 되었다. 이 책은 동양 철학의 가장 깊은 이치가 담겨 있어서 어떤 책보다도 어려웠다. 퇴계는 그 뜻을 알아내려고 너무 공부에만 힘쓴 나머지 건강을 해치고 말았다. 퇴계가 평생 고생하였던 소화 불량증은 『주역』을 공부하여 생긴 것이었다. 퇴계는 이후로 고기를 먹지 못하고 언제나 채소만을 반찬으로 먹었다. 이렇게 열심히 공부한 보람으로 퇴계는 차차 학문에 대한 참뜻을 깨달을 수 있게 되었던 것이다.

퇴계는 23세 때 서울에 올라와 성균관에서 공부를 하였다. 그때는 기묘사화라는 변이 일어나 많은 선비가 죽은 지 얼마 안 되는 때였다. 그래서 유학을 공부하려는 선비들이 기가 매우 꺾여 있어서 학문에 힘쓴다기보다 거의 좋지 못한 버릇에 젖어 있었다. 이러한 때였으므로 퇴계의 옳고 예의 바른 행동을 세상 사람들은 도리어 비웃는 형편이었다.

퇴계는 이때 『심경부주』라는 책 한 권을 처음으로 얻어 읽게 되었다. 이 책은 특히 마음의 수양을 위해 유명한 옛날 학자들의 깊은 생각을 기록한 것으로, 모두가 정자와 주자 같은 중국 송나라 학자들의 말을 따온 것이었다.

그런데 이것을 토를 어떻게 달아서 읽어야 할지 분간하기가 어려워서 사람들은 그 책을 도무지 읽지 못하였다. 퇴계는 방에 들어앉아서 그 책의 뜻을 캐고 생각하기에 여념이 없었다. 그 책에 적혀 있는 대로 몸소 해보기도 하고, 글 뜻을 미루어 생각하거나 다른 책을 참고하여 두고두고 연구한 끝에, 마침내 그 책의 뜻을 깨닫게 되었다.

퇴계는 아무리 이해하려고 애를 써도 알 수 없을 때에는 그대로 내버려 두었다가 기회 있을 때마다 다시 끄집어내어 깨끗한 마음으로 그 뜻을 헤아리려고 하였기 때문에 환히 통하지 않는 것이 없게 되었다.

❶ 전원시 전원의 생활이나 정경을 읊은 시

7주
34회

해설편 17쪽

1 주제찾기

글에서 초점을 맞춘 내용은 무엇입니까? ··········· (　　)

① 어린 시절의 어려웠던 삶
② 성품과 학문을 연구하는 태도
③ 성장하면서 발휘하게 되는 재능
④ 아버지의 가르침을 이어받는 노력
⑤ 어려운 현실을 꿋꿋이 헤쳐 가는 정신

2 글감찾기

글감을 아래와 같이 정리하여 빈칸을 채우세요.

⇨ 퇴계 이황이 [　][　]에 들어선 [　][　]

3
사실이해

퇴계가 참다운 학문의 연구 방향과 태도를 결정한 것은 언제입니까? ( )

① '가재'라는 시를 지은 때
② 도연명을 존경했던 때
③ 아버지를 여의던 때
④ 『심경부주』를 공부하기 시작한 때
⑤ 벼슬을 하면서 세상의 풍파를 겪고 난 뒤

4
미루어알기

퇴계의 시 '가재'에서, 말하는 사람이 바라는 세계와 관련된 말을 고르세요. ( )

① 모래를 ② 저절로 ③ 앞으로 ④ 한 움큼 ⑤ 물 많음

5
세부내용

퇴계의 아버지가 자녀에게 가르친 습관을 한자성어로 표현하면 무엇입니까? ( )

① 개과천선(改過遷善): 지나간 허물을 고치고 옳은 길로 든다.
② 대기만성(大器晩成): 크게 될 사람은 갑작스럽게 이루어지지 않는다.
③ 명철보신(明哲保身): 이치에 좇아 일을 처리하여 자신의 몸을 온전하게 보전한다.
④ 백년하청(百年河淸): 오랜 세월이 흘러도 일이 좋은 방향으로 변화할 가망이 없다.
⑤ 수불석권(手不釋卷): 손에서 책을 놓지 않는다. 곧 늘 책 읽는 습관을 가리킨다.

6
적용하기

퇴계가 학문하는 방법과 태도에서 떠올릴 수 있는 오늘날의 학습 방법 이름을 쓰세요.

⇨ □□ □□ 학습

7
요약하기

글의 주요 내용을 아래의 표로 간추렸습니다. 빈칸을 채워 완성하세요.

퇴계의 학문하는 방법과 태도

- 책에 적혀 있는 대로 ① □□ 해 보았다.
- 글 뜻을 ② □□□ 생각하거나 다른 책을 참고하였다.
- 애를 써도 알 수 없을 때는 내버려 두었다가 이따금 ③ □□□ 마음으로 뜻을 헤아리려고 노력했다.

어휘 넓히기

뜻

낱말의 뜻풀이로 알맞은 것을 보기 에서 골라 괄호 안에 기호를 쓰세요.

(1) 본분 ( )
(2) 부질없다 ( )
(3) 여의다 ( )

보기
㉠ 대수롭지 아니하거나 쓸모가 없다.
㉡ 부모나 사랑하는 사람이 죽어서 이별하다.
㉢ 본래의 직분에 따른 책임이나 의무.

다지기

아래 문장의 빈칸에 알맞은 낱말을 보기 에서 알맞게 고쳐 쓰세요.

보기
부질없다　　본분　　여의다

(1) 부모로서의 ☐☐은 자식을 훌륭하게 키워 내는 일일 것이다.
(2) 신데렐라는 어려서 부모님을 ☐☐어서 고생이 많았다.
(3) 이제 와서 이야기해 보았자 ☐☐☐☐ 일이다.

넓히기

다음 한자어의 구성과 뜻을 알아보고, 빈칸에 알맞은 낱말을 쓰세요.

- **수양(修** 닦을 수. **養** 기를 양.) 몸과 마음을 갈고닦아 품성이나 지식, 도덕 따위를 높은 경지로 끌어올림.
- **교양(敎** 가르칠 교. **養** 기를 양.) 학문, 지식, 사회생활을 바탕으로 이루어지는 품위. 또는 문화에 대한 폭넓은 지식.
- **영양(營** 경영할 영. **養** 기를 양.) 생물이 살아가는 데 필요한 에너지와 몸을 구성하는 성분을 외부에서 섭취하여 소화, 흡수, 순환, 호흡, 배설을 하는 과정. 또는 그것을 위하여 필요한 성분.

(1) 매일 일기를 쓰는 것은 개인의 마음 ☐☐에 큰 도움이 된다.
(2) 건강을 위해서는 ☐☐을 골고루 갖춘 식단이 필요하다.
(3) 말은 곧 그 사람의 됨됨이와 ☐☐ 수준을 가늠하게 해 준다.

7주 34회

해설편 17쪽

시간
공부 날짜 ☐ 월 ☐ 일
푸는데 걸린 시간 ☐ 분

확인
맞은 개수 써보기

독해	☐ 개/7개	어휘	☐ 개/9개

35

움직임이나 모양을 말했는데, 누가 그러했는지, 무엇을 그렇게 했는지 쉽게 알아차릴 수 없는 것이 시예요. 말을 생략하고 진짜 모습을 자꾸만 숨기기 때문이에요. 생략한 말을 알아내야 하고, 시를 끝까지 읽고 나서 '누가'와 '무엇'을 스스로 알아낼 수 있어야 해요.

1.	2.	3.	4.	5.	6.	7.
15점	15점	10점	15점	15점	15점	15점

(가) 나도 밥 먹을 줄 압니다.
나도 잘 줄 압니다.
나는 똥도 쌀 줄 알아요.
나도 식구가 있습니다.
나도 집이 있습니다.
나도 숨을 쉽니다.
나는 눈물도 흘려요.

나는,
딱정벌레예요.

(나) 플라스틱 자동차처럼
헝겊 인형처럼
가지고 놀다 싫증 난 듯
휙 버리고 간다.

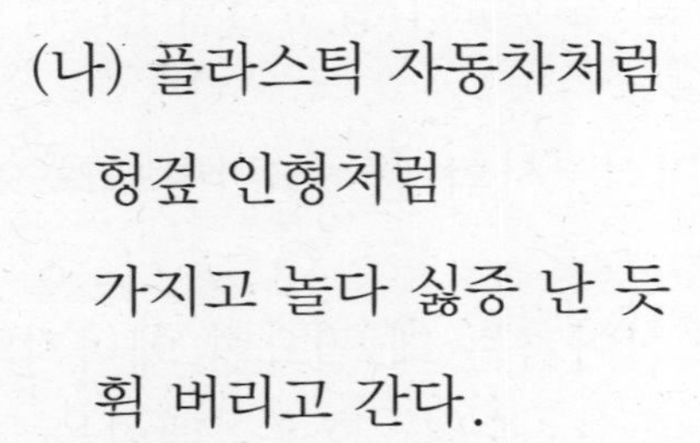

차 쌩쌩 달리는 길가에도
아무도 살지 않는 외딴섬에도

개들은 횡단보도, 신호등도 모르는데
넓은 바다 건널 줄도 모르는데…… .

한 번 싫증 난 장난감처럼
다시 주인이 찾는 일도 없다.

이리와, 이리 와
손 내밀어 불러도
뒷걸음치며 슬슬 피하는 개들

말은 안 해도
버려진 개들은
눈빛만 보면 다 안다.

1 주제찾기

(가), (나)의 공통적인 중심 생각은 무엇입니까? ( )

① 곤충은 재미있는 관찰 대상이다.
② 생명의 먹이사슬을 보호해야 한다.
③ 버려진 짐승은 버린 주인을 원망한다.
④ 동물도 인간처럼 여러 감정을 표현한다.
⑤ 모든 생명을 소중히 여길 줄 알아야 한다.

2 글감찾기

(가)와 (나)의 글감을 각각 시에서 찾아 쓰세요.

((가) , (나))

3 사실이해

(가)에서 말하는 이가 할 수 없는 것은 무엇입니까? ( )

① 밥 먹을 줄 압니다.
② 잘 줄 압니다.
③ 똥도 쌀 줄 알아요.
④ 숨을 쉽니다.
⑤ 웃을 줄도 압니다.

7주 35회

해설편 18쪽

4

미루어알기

(나)에서 떠올린 생각으로 알맞지 않은 것은 어느 것입니까? ( )

① 사람들은 함부로 개를 버린다.
② 가지고 놀다 싫증이 나서 개를 버린다.
③ 버려진 개들은 아무도 살지 않는 외딴섬으로 간다.
④ 개들은 버려져서 횡단보도와 같은 낯선 환경에 놓이게 된다.
⑤ 한번 버려진 개들은 손을 내밀어 불러도 사람들을 피하며 뒷걸음친다.

5

세부내용

(가)에서 말하는 이가 할 줄 안다고 내세운 것에 찬성하여 답하는 말을 (나)에서 찾으면 무엇입니까? ( )

① 플라스틱 자동차처럼
② 가지고 놀다 싫증 난 듯
③ 아무도 살지 않는 외딴섬에도
④ 다시 주인이 찾는 일도 없다.
⑤ 눈빛만 보면 다 안다.

6

적용하기

두 편의 시를 읽고 토론을 위한 주제문을 써 보았습니다. 빈칸을 채워 완성하세요.

모든 ① □□은 ② □□□ 가치를 가지며 생존의 욕구를 지니고 있으므로 생명의 존엄성을 다시 깨달아야 합니다.

7

요약하기

(나) 시의 중심 내용을 아래와 같이 정리해 보았습니다. 빈칸에 알맞은 말을 쓰세요.

1연	① □□ 난 장난감처럼 버림
2~3연	개들이 ② □□□ 곳
4연	찾지 않는 ③ □□
5연	사람을 ④ □□□ 개들
6연	개들의 본능

어휘 넓히기

뜻

낱말의 뜻풀이로 알맞은 것을 보기 에서 골라 괄호 안에 기호를 쓰세요.

(1) 휙 (   )
(2) 쌩쌩 (   )
(3) 슬슬 (   )

보기
㉠ 남이 모르게 슬그머니 행동하는 모양.
㉡ 갑자기 아주 세게 던지거나 뿌리치는 모양.
㉢ 사람이나 물체가 바람을 일으킬 만큼 잇따라 빠르게 움직일 때 나는 소리. 또는 그 모양.

다지기

아래 문장의 빈칸에 알맞은 낱말을 보기 에서 찾아 쓰세요.

보기
슬슬 휙 쌩쌩

(1) 쓰레기를 바닥에 ☐ 던지는 동생을 나무랐다.
(2) 차들이 너무 ☐☐ 달리고 있어서 교통경찰들이 과속 차량을 단속하고 있었다.
(3) 동생이 내 눈치를 ☐☐ 보았다.

넓히기

다음 한자어의 구성과 뜻을 알아보고, 빈칸에 알맞은 낱말을 쓰세요.

- **싫증**(싫- **症** 증세 증.) 싫은 생각이나 느낌. 또는 그런 반응.
- **갈증**(**渴** 목마를 갈. **症** 증세 증.) 목이 말라 물을 마시고 싶은 느낌. 목이 마른 듯이 무언가를 몹시 조급하게 바라는 마음을 비유적으로 이르는 말.
- **증상**(**症** 증세 증. **狀** 형상 상.) 병을 앓을 때 나타나는 여러 가지 상태나 모양.

참고 싫증은 형용사 '싫다'의 '싫-'과 한자어 '증(症)'이 결합한 낱말입니다. 어지럼증, 울렁증도 같은 원리로 결합한 낱말입니다.

(1) 이 약을 먹고 구토, 오심, 어지럼증과 같은 ☐☐을 보이면 병원에 가야 한다.
(2) 운동장을 뛰고 ☐☐이 나서 물을 한 병 다 마셔버렸다.
(3) 삼일째 김치찌개를 먹어도 ☐☐이 안 나는지 밥을 잘 먹는다.

시간 공부 날짜 ☐ 월 ☐ 일
푸는데 걸린 시간 ☐ 분

확인 맞은 개수 써보기

독해	☐ 개/7개	어휘	☐ 개/9개

7주 35회

해설편 18쪽

어휘·어법 총정리 7주차

어휘 **보기의 낱말을 보고, 뜻과 어울리는 것을 골라 아래의 빈칸에 써보세요.**

보기: 유도하다 인공 반짇고리 엉기다 뇌우 지장 부질없다 수불석권

1. 대수롭지 않거나 쓸모가 없다.
2. 일하는 데 거치적거리거나 방해가 되는 장애.
3. 손에서 책을 놓지 않는다. 늘 책을 읽는 사람을 가리킴.
4. 무리를 이루거나 떼지어 달라붙다.
5. 천둥소리와 함께 내리는 비.
6. 바늘, 실, 골무, 헝겊 따위의 바느질 도구를 담는 그릇.
7. 사람이나 물건을 목적한 장소나 방향으로 이끌다.
8. 사람의 힘으로 자연에 대해 가공하거나 작용을 하는 일.

어법 **다음 중 맞춤법에 맞는 것을 골라 동그라미 하세요.**

1. 잃어버리기 [일수였다 / 일쑤였다].
2. [얇게 / 얄게] 벗겨
3. 흙으로 [빋어 / 빚어]
4. 방망이로 [찧여 / 찧어]
5. [삐친 / 삐진] 표정
6. 한 [음쿰 / 움큼]의 모래
7. 일찍 아버지를 [여인 / 여윈]
8. 장난감에 [싫증 / 실증]을 느꼈다.

나의 점수 확인하기

어휘	개 / 8개	어법	개 / 8개

8주차

회차 / 영역	제목	계획 및 점검
36 인문 | 설명문	남극을 향하여 • 나는 ☐ 월 ☐ 일 ☐ 시에 공부할 것입니다.	• 독해력에서 나의 점수는 ☐ 점입니다. • 어휘력에서 맞은 문제수는 ☐ 개 / 9개 입니다. • 어려웠던 문제는 ______ 번입니다.
37 사회 | 설명문	지구가 둥근 증거 • 나는 ☐ 월 ☐ 일 ☐ 시에 공부할 것입니다.	• 독해력에서 나의 점수는 ☐ 점입니다. • 어휘력에서 맞은 문제수는 ☐ 개 / 9개 입니다. • 어려웠던 문제는 ______ 번입니다.
38 과학 | 설명문	우리가 보는 빛, 동물이 보는 빛 • 나는 ☐ 월 ☐ 일 ☐ 시에 공부할 것입니다.	• 독해력에서 나의 점수는 ☐ 점입니다. • 어휘력에서 맞은 문제수는 ☐ 개 / 9개 입니다. • 어려웠던 문제는 ______ 번입니다.
39 산문문학 | 이야기	꽃들에게 희망을 • 나는 ☐ 월 ☐ 일 ☐ 시에 공부할 것입니다.	• 독해력에서 나의 점수는 ☐ 점입니다. • 어휘력에서 맞은 문제수는 ☐ 개 / 9개 입니다. • 어려웠던 문제는 ______ 번입니다.
40 운문문학 | 시	염소 탓, 연과 바람 • 나는 ☐ 월 ☐ 일 ☐ 시에 공부할 것입니다.	• 독해력에서 나의 점수는 ☐ 점입니다. • 어휘력에서 맞은 문제수는 ☐ 개 / 9개 입니다. • 어려웠던 문제는 ______ 번입니다.

• 이번 주 독해력 문제에서 나의 점수는 평균 ☐ 점입니다.

• 이번 주 어휘력에서 맞은 문제수는 모두 ☐ 개입니다.

36

남극은 인류 공동의 유산으로 특정 국가의 영유권이 적용되지 않고 있어요. 이 때문에 순수한 과학 조사를 위해 어느 나라든 갈 수 있는 곳이지요. 하지만 남극에 대해 이런 인식을 갖게 되기까지 많은 일들이 있었어요. 그 결과 1959년에 '남극 조약'이 채택되었고, 우리나라는 1986년에 33번째로 가입했답니다. 우리나라의 남극 기지 건설과 본격적인 연구 과정에 대해 자세히 알아봅시다.

1. 15점 2. 15점 3. 15점 4. 15점 5. 10점 6. 15점 7. 15점

지구에서 가장 늦게 발견된 땅인 남극은 수천 미터 두께의 얼음으로 덮여 있는 미지의 대륙으로, 아직도 사람의 접근을 쉽게 허락하지 않는 신비의 땅이다. 시간이 정지한 듯 얼어붙은 땅, 높게 덮인 눈과 혹독한 추위, 얼음 바다 속에 살고 있는 생물……. 이러한 어려움이 예상되는 속에서도 우리나라는 수만 년 동안 침묵하여 온 남극 대륙에 일찍부터 관심을 가졌다. 남극 대륙은 풍부한 지하자원이 매장되어 있고, 지구 기후 변화를 연구하는 데 꼭 필요한 곳이기 때문이다.

우리나라의 남극 탐험은 1978년에 크릴을 시험 삼아 잡으면서 시작되었지만, 본격적인 탐험은 1985년에 시작되었다. 남극 탐험은 전문 등산인으로 구성된 남극 최고봉 등정대와 연구원, 방송사 기자로 구성된 킹조지 섬 탐험대 두 팀으로 나뉘어 진행되었다. 남극 최고봉 등정대는 1985년 11월 29일에 남극에서 가장 높은 빈슨 산괴[1]에 오르는 데 성공하였다. 남극 최고봉 등정대가 세계에서 여섯 번째로 빈슨 산괴를 정복함으로써 우리나라가 남극 탐험의 대열에 합류하였음을 전 세계에 알렸다. 그리고 킹조지 섬 탐험대는 킹조지 섬 해안에 캠프를 설치한 뒤에 기지 건설을 위하여 다른 나라 기지들의 건물과 시설물에 대한 자료를 모았다.

그 이듬해[2]인 1986년에 우리나라는 세계에서 서른세 번째로 남극 조약에 가입하였다. 남극 조약은 남극에서 군사 시설이나 무기 실험, 폐기물 처리 등을 금지하고 자유롭게 과학 연구만을 할 수 있도록 규정한 나라와 나라 사이의 약속이다. 우리나라는 남극 조약에 가입함으로써 정식으로 남극 연구에 참여하게 되었다.

남극에서 기지를 세울 수 있는 시간은 여름뿐이었다. 연구자들은 짧은 시간에 기지를 세우기 위하여 우리나라에서 재료를 모두 준비하여 남극에서는 조립만 할 수 있도록 하였다. 콘크리트로 기둥을 만들어 두고 벽과 지붕도 설계한 크기로 잘라 놓았다. 그리고 그것들이 잘 맞는지 확인하기 위하여 우리나라에서 건물을 미리 지어보기도 하였다. 그런 다음에 기지를 세우는 데 필요한 모든 건설 자재와 장비를 커다란 배에 차곡차곡 실었다.

1988년 2월 17일, 드디어 남극에서 세종 과학 기지 준공식[3]이 열렸다. 킹조지 섬 남서쪽에 있는 바턴 반도의 바닷가에 우리나라의 남극 진출을 위한 발판이 마련된 것이다. 세종 과학 기지가 세워진 뒤에 우리나라는 남극을 새로운 눈으로 연구하기 시작하였다. 남극 지역의 온도 변화를 측정하여 지구 온난화로 인한 영향과 미래의 온도 변화를 예측할 수 있게 되었다. 그리고 남극에 살고 있는 다양한 생물의 유전자를 조사하여 새로운 물질을 개발할 수 있는 아이디어를 얻고 있다.

하지만 세종 과학 기지 하나만으로 남극의 자연을 연구하는 데는 부족한 점이 많았다. 세종 과학 기지가 있는 킹조지 섬은 남극 대륙과 떨어져 있어 남극 대륙에서 이루어지는 여러 가지 자연 현상을 연구하기가 어려웠기 때문이다. 그래서 우리나라는 남극 대륙에 다른 기지를 세우기로 결정하였고, 2014년 2월 12일에 장보고 과학 기지가 완공되었다. 두 개의 과학 기지를 통하여 우리는 기후 변화, 빙하의 움직임, ㉠지각[4] 운동, 생태계 등에 대하여 본격적인 연구를 할 수 있게 되었다.

낱말풀이

❶ 산괴 산줄기에서 따로 떨어져 있는 산의 덩어리. ❷ 이듬해 바로 다음의 해. ❸ 준공식 공사를 마친 것을 축하하는 의식. ❹ 지각 지구의 바깥쪽을 차지하는 부분. 대륙 지역에서는 평균 35km, 대양 지역에서는 5~10km의 두께이다.

1 주제찾기

빈칸을 채워 주제를 완성하세요.

⇨ 우리나라의 □□ □□ 과정

2 글감찾기

글감을 글에서 찾아 쓰세요.

(　　　　　　　　)

3 사실이해

'남극 조약'과 거리가 먼 설명은 어느 것입니까? (　　)

① 우리나라는 세계에서 서른세 번째로 가입했다.
② 남극을 평화적으로만 이용하도록 규정하고 있다.
③ 남극에서 과학적 조사의 자유가 보장되도록 하였다.
④ 우리나라가 정식으로 남극 연구에 참여하는 계기가 되었다.
⑤ 남극에서 주변국과 더불어 영토권 주장을 할 수 있도록 하였다.

4 미루어알기

우리나라에서 남극 연구를 위해 가장 먼저 한 일은 무엇입니까? (　　)

① 전문가들이 남극을 탐험하였다.
② 필요한 건설 자재를 배에 실었다.
③ 도로를 만들고 숙소와 사무실을 지었다.
④ 각종 시설을 설계하고 건물을 배치하였다.
⑤ 조립할 재료를 준비하여 건물을 미리 지어보았다.

8주 36회

해설편 18쪽

5
세부내용

㉠의 뜻으로 알맞은 것은 무엇입니까? ( )

① 지각(遲刻): 정해진 시각보다 늦게 출근하거나 등교함.
② 지각(知覺): 사물의 이치나 도리를 분별하는 능력.
③ 지각(地殼): 지구의 바깥쪽이 되는 땅의 껍질.
④ 지각(地角): 어느 귀퉁이에 있는 땅 한 조각.
⑤ 지각(池閣): 연못 가까이에 있는 누각.

6
적용하기

세종 과학 기지를 지을 때 매서운 추위에 대응하기 위해 어떤 조치를 취했는지 빈칸을 채우면서 정리하세요.

남극에서는 12월이 한여름이기 때문에 이때를 최대한 이용하여 건물을 지었다. 그리고 건물을 땅에서 위로 1.5m 정도 떨어지게 지어서, ① ☐이 그 아래로 날아가고 ② ☐의 찬 기운을 직접 받지 않을 수 있도록 했다.

7
요약하기

글의 주요 내용을 전개한 순서에 따라 아래와 같이 정리했습니다. 빈칸에 알맞은 낱말을 써 넣으세요.

〈세종 과학 기지를 지은 과정〉

1986년, 남극 조약에 가입.

↓

각종 시설을 ① ☐☐하고 재료를 준비하여
② ☐☐☐☐에서 미리 지어 봄

↓

1988년 2월, 세종 과학 기지 ③ ☐☐☐이 열림

어휘 넓히기

뜻

낱말의 뜻풀이로 알맞은 것을 보기 에서 골라 괄호 안에 기호를 쓰세요.

(1) 매장 (　　　)
(2) 준공 (　　　)
(3) 상주 (　　　)

보기
㉠ 지하자원 따위가 땅속에 묻히어 있음.
㉡ 공사를 다 마침.
㉢ 늘 일정하게 살고 있음.

다지기

아래 문장의 빈칸에 알맞은 낱말을 보기 에서 찾아 쓰세요.

보기
매장　준공　상주

(1) 그 섬에 ☐☐하는 사람은 100명 정도밖에 안 된다.
(2) 석유 ☐☐ 여부를 조사하기 위해서 조사팀이 꾸려졌다.
(3) 졸업생과 재학생들이 모여서 도서관 ☐☐식을 가졌다.

넓히기

다음 한자어의 구성과 뜻을 알아보고, 빈칸에 알맞은 낱말을 쓰세요.

- **남극(南** 남녘 남. **極** 극진할 극.) 남극점을 중심으로 하는 넓은 대륙.
- **극단(極** 극진할 극. **端** 끝 단.) 어떤 일이나 현상이 끝까지 진행되어 더 이상 나아갈 데가 없는 상태.
- **적극(積** 쌓을 적. **極** 극진할 극.) 대상에 대하여 긍정적이고 능동적임.

(1) 인간이 ☐☐을 탐험한 것은 그리 오래된 일이 아니다.
(2) 우리 팀은 경기 초반부터 ☐☐ 공격을 펼쳤다.
(3) 절망의 ☐☐에서 오히려 삶의 희망을 찾았다.

8주 36회

해설편 18쪽

시간

공부 날짜 ☐ 월 ☐ 일
푸는데 걸린 시간 ☐ 분

확인

맞은 개수 써보기

독해	개/7개	어휘	개/9개

37

지금은 낭떠러지로 떨어질 것을 염려하여 먼 곳으로 여행하는 것을 두려워하는 사람은 없습니다. 우리는 이미 지구가 둥글다는 것을 잘 알고 있기 때문입니다. 만약에 우리가 타임머신을 타고 먼 과거로 돌아가 사람들에게 지구가 둥글다는 사실을 알려주어야 하는 임무를 띠었다고 하면 어떻게 말할 수 있을까요?

1. 15점 2. 10점 3. 15점 4. 15점 5. 15점 6. 15점 7. 15점

요즘은 인공위성으로 찍은 둥근 지구 모양의 사진이 많아서 지구가 둥글다는 것은 누구나 알고 있는 상식이 되었다. 하지만 옛날 사람들은 지구에 대한 생각이 달랐다. 고대 그리스 사람들은 지구가 물 위에 떠 있는 편평한 원반 같을 것으로 생각했고, 하늘은 아틀라스라는 신이 떠받치고 있는 둥근 천장이라고 여겼다. 또 고대 이집트 사람들은 땅은 신이 누워 있는 것이고, 하늘은 몸에 별을 단 거대한 여신이 몸을 구부려 땅을 에워싸고 있는 것으로 생각했다. 이 여신이 밤에 태양을 삼키고 아침에 태양을 내보내어, 밤과 낮이 생긴다고 생각했다. 그리고 고대 인도인들은 거대한 뱀 위에 거북이 올라앉아 있고, 이 거북 위에 네 마리의 코끼리가 지구의 땅을 떠받들고 있다고 생각했다.

사람들은 오랫동안 지구가 이렇게 편평하다고 생각했는데, 뱃사람들은 멀리 수평선 너머로 항해하면 괴물의 입속으로 떨어진다고도 믿었다. 하지만 지금은 지구가 둥글다는 것과 지구의 중력 때문에 반대편에 있는 사람도 아래로 떨어지지 않는다는 걸 알게 되었다.

옛날부터 지구의 모양에 관심을 가진 사람이 많았다. 약 2500년 전, 그리스의 철학자이자 수학자였던 피타고라스가 지구의 모양에 관심을 두고 처음으로 지구가 둥글다고 주장했다. ㉠<u>그 당시 사람들은 하늘에 보이는 태양이나 달의 모습이 둥글고, 풀잎에 맺힌 이슬방울도 둥글기 때문에 지구도 둥글다고 생각하였다.</u> 그러나 이것은 과학적인 설명이 아니었다. 그러다가 고대 그리스의 철학자인 아리스토텔레스가 지구가 둥글다는 과학적인 증거를 내놓았다.

과학 기술과 장비가 부족했던 그 시대에 어떻게 지구가 둥글다는 것을 밝혔을까? 그 첫 번째 증거는 월식이다. 월식은 태양이 지구를 비추어 만들어진 그림자에 달이 가려지게 되는 것이다. 그림자의 모양은 실제 물체의 모양과 똑같다. 낮에 사람의 그림자를 살펴보면 태양의 위치에 따라 그림자의 길이는 변하지만, 모양은 사람 형태를 똑같이 닮아 있는 것과 같은 원리이다. 만약 지구의 모양이 직사각형이라면 월식 때 태양이 비추는 각도에 따라서 사각형의 모습이 나타나야 하지만, 실제로 월식 때 나타난 지구의 그림자는 곡선 모양으로만 나타난다. 이것으로 지구가 편평하지 않고 둥글다는 것을 확인할 수 있다.

두 번째 증거는 먼 바다에서 항구로 들어오는 배가 돛대 끝부터 보인다는 점이다. 만약 지구가 편평하다면 멀리서 항구로 들어오는 배의 전체 모습이 처음부터 보일 것이다. 그러나 실제로 배가 항구로 들어오는 모습을 살펴보면 처음에는 돛의 꼭대기 부분만 보이다가 점점 배의 전체 모습이 보이게 된다.

세 번째 증거는 북쪽 지방으로 갈수록 북극성이 떠 있는 높이가 높아진다는 점이다. 북극성은 사계절 내내 북쪽 하늘에서 반짝이고 있다. 만약 지구가 편평하다면 세계 어느 지역에서나 북극성을 머리 위쪽에서 볼 수 있어야 한다. 그러나 실제로 북극에서는 북극성이 머리 위에서 보이지만 적도 지방으로 갈수록 북극성이 떠 있는 높이가 낮아진다. 이렇게 지역에 따라 북극성이 떠 있는 높이가 달라지는 것은 지구가 둥글기 때문이다.

이렇게 여러 가지 증거가 있음에도 불구하고 옛날 사람들은 지구가 둥글다는 것을 믿지 못하였다. 훗날, ㉡지구가 둥글다는 여러 가지 근거가 추가로 밝혀지면서 사람들은 점차 지구가 둥글다고 생각하게 되었다. 과학 기술이 발달하기 전에 지구의 둥근 모습을 알 수 있었다는 점은 놀라운 일이다.

1 주제찾기

글의 주요 내용을 가장 잘 표현한 문장을 고르세요. ( )

① 고대인은 비교를 통해 물건을 특징을 알아냈다.
② 신화에서는 지구, 달, 태양이 모두 같은 모양이었다.
③ 지구가 둥글다는 사실은 여러 가지 증거를 통해 밝혀졌다.
④ 지구가 둥글다는 주장은 그리스 과학의 전통을 이어받은 것이다.
⑤ 과학 기술이 발달하기 전이라 사람들은 오랫동안 지구가 편평하다고 생각했다.

2 글감찾기

글감이 무엇인지 빈칸을 채워 답하세요.

☐☐의 ☐☐

3 사실이해

글의 내용을 잘못 파악한 것은 어느 것입니까? ( )

① 인공위성이 찍은 사진으로 지구의 모양을 알 수 있다.
② 고대 이집트 사람들은 여신이 낮과 밤을 만들어낸다고 보았다.
③ 인도인들은 여러 층의 짐승들이 지구를 떠받치고 있다고 믿었다.
④ 피타고라스는 과학적인 근거를 가지고 지구가 둥글다고 주장하였다.
⑤ 사람들은 지구가 편평하다고 생각하여 수평선 너머로 항해하기를 꺼렸다.

8주 37회 해설편 19쪽

4

미루어알기

지구가 둥글다는 사실에 대한 과학적인 증거는 어느 것입니까? ( )

① 풀잎에 맺힌 이슬방울
② 하늘에 보이는 달의 모습
③ 낮에 하늘에 보이는 태양의 모습
④ 지구 모양에 대한 많은 사람의 관심
⑤ 높이 올라갈수록 멀리 있는 사물을 볼 수 있음

5

세부내용

㉠과 같이 생각하는 방식을 무엇이라고 합니까? ( )

① 비유 ② 유추
③ 예시 ④ 묘사
⑤ 인용

6

적용하기

㉡의 사례를 아래에 제시했습니다. 빈칸을 채우면서 확인하세요.

> 1519년 포르투갈 출신의 탐험가 마젤란이 세계일주 길에 올라, 배를 타고 ☐☐☐으로만 계속 가서 지구를 한 바퀴 돌아 제자리로 돌아올 수 있었어요.

7

요약하기

글의 짜임에 따라 주요 내용을 표로 정리했습니다. 빈칸에 알맞은 낱말을 넣으세요.

지구가 둥근 증거	
	월식 때 지구의 그림자가 ① ☐☐☐.
	먼바다에서 항구로 들어오는 배가 ② ☐☐부터 보인다.
	북쪽으로 갈수록 북극성이 떠 있는 높이가 ③ ☐☐☐☐.

어휘 넓히기

뜻

낱말의 뜻풀이로 알맞은 것을 보기 에서 골라 괄호 안에 기호를 쓰세요.

(1) 편평하다 (   )
(2) 훗날 (   )
(3) 점차 (   )

보기
㉠ 차례를 따라 조금씩.
㉡ 앞으로 다가올 날.
㉢ 넓고 평평하다.

다지기

아래 문장의 빈칸에 알맞은 낱말을 보기 에서 찾아 쓰세요.

보기

편평한 점차 훗날

(1) 어느 쪽이 과연 옳고 그른가는 ☐☐ 역사가 명확하게 말해 줄 것이다.
(2) 산 정상에 올라 보니 ☐☐☐ 들판이 나왔다.
(3) 열심히 공부한 덕에 성적이 ☐☐ 나아지고 있다.

넓히기

다음 한자어의 구성과 뜻을 알아보고, 빈칸에 알맞은 낱말을 쓰세요.

- **지구(地** 땅 지. **球** 공 구.**)** 사람이 살고 있는 땅 덩어리.
- **피구(避** 피할 피. **球** 공 구.**)** 일정한 구역 안에서 두 편으로 갈라서 한 개의 공으로 상대편을 맞히는 공놀이.
- **전구(電** 번개 전. **球** 공 구.**)** 전류를 통하여 빛을 내는 기구.

(1) 나는 ☐☐하는 시간을 정말 좋아한다.
(2) ☐☐가 다 됐는지 불이 들어왔다 나갔다 한다.
(3) 우리는 하나밖에 없는 ☐☐를 아끼고 보존해야 한다.

시간
공부 날짜 ☐ 월 ☐ 일
푸는데 걸린 시간 ☐ 분

확인
맞은 개수 써보기

독해	☐ 개/7개	어휘	☐ 개/9개

8주 37회

해설편 19쪽

38

사람이 얻는 정보 중에 눈을 통한 것이 80%라고 하니 사람의 감각기관 중 눈만큼 중요한 것은 없겠지요. 이런 사람의 눈도 알고 보면 아주 미세한 크기의 파장으로 만들어지는 빛이 망막에 맺힌 상을 보는 것뿐이라고 해요. 즉 보이는 것은 세상의 극히 일부라는 것이지요. 동물의 눈은 사람과 달라, 보는 것이 다르니 느끼는 세상도 다르겠죠? 과연 동물은 어떤 세상을 보며 살고 있을까요?

1. 15점 2. 10점 3. 15점 4. 15점 5. 15점 6. 15점 7. 15점

집에서 강아지를 길러 본 경험이 있나요? 외출했다가 집에 돌아오면 주인이 왔다고 반가워하지요. 낯선 손님이라도 오면 도망가거나 경계를 하고요. 그렇다면 동물들도 사람처럼 모든 사물을 다 알아보는 걸까요? 색깔도 다 구별하고요? 그건 아닙니다. 동물들의 눈에는 모두 다른 색깔, 다른 모양으로 보입니다. 이것은 동물들이 자연에서 살아남기 위하여 눈을 다양한 방법으로 적응시켜 온 결과예요.

눈이 내리면 강아지들은 팔짝팔짝 뛰면서 좋아합니다. 투우 소들은 투우사가 휘두르는 붉은 깃발을 보면 사납게 날뛰지요. 그렇다면 강아지는 하얀 눈을 좋아하고, 소는 붉은색을 보면 흥분하는 것일까요? 초롱초롱 빛나는 개의 눈망울을 보면 시력이 정말 좋을 것 같아요. 하지만 개는 바로 앞에 있는 주인도 알아보지 못할 정도로 시력이 매우 나쁘답니다. 그리고 심한 색맹[1]이라 색깔을 구별하지 못해요. 개의 눈에는 어둡고 밝은 것을 구분하는 간상세포는 많지만, 색깔을 구별하는 원추세포는 매우 적게 들어 있어요. 그래서 개는 알록알록한 색깔이라고는 거의 없는, 흑백텔레비전 화면 같은 세상을 본답니다.

그럼 눈 오는 걸 보면서 강아지가 좋아하는 까닭은 무엇일까요? 해가 보이지 않는 우중충한 날씨에 눈이 내리면, 강아지에게는 하얀 눈송이가 마치 컴컴한 배경 속에 흩날리는 불똥처럼 느껴진답니다. 강아지는 이 광경을 보고 짖으며 뛰노는 것이지요. 개뿐만 아니라 소도 색을 거의 구별하지 못합니다. 투우사가 사용하는 깃발이 붉은색이든 푸른색이든 소에게는 전혀 상관이 없어요. 소는 단지 투우사가 흔드는 깃발의 움직임을 보고 달려들 뿐이니까요.

특이하게 세상을 보는 동물로 개구리를 빼놓을 수는 없습니다. 물가에 가면 가만히 앉아 있는 개구리가 가끔씩 눈에 띌 거예요. 개구리가 물가의 풍경을 감상하고 있는 것일까요? 안타깝게 들릴지도 모르지만, 개구리는 풍경을 감상할 수 없답니다. 개구리는 움직이는 물체만 볼 수 있거든요. 물가의 풍경이 아무리 아름답다고 해도 움직이지 않는 이상 개구리의 눈에는 보이지 않아요. 단지 눈앞에 온통 회색 안개로 뒤덮인 것처럼 보일 뿐이지요.

개와 소, 개구리의 이야기를 듣다 보면 사람이 세상을 가장 다채롭게 보는 것 같지만, 사실은 그렇지 않아요. 태양에서 나오는 빛에는 적외선, 가시광선, 자외선, 엑스선, 감마선 등 여러 가지가 있는데, 사람은 이 중에서 가시광선밖에 보지 못합니다. 그럼 가시광선 말고 다른 빛을 더 볼 수 있는 동물도 있느냐고요? 물론이에요. 뱀은 사람이 보지 못하는 적외선을 봅니다. 사람의 피부에서는 적외선이 나옵니다. 따라서 뱀은 옷을 뚫고서 사람의 피부를 곧장 볼 수가 있지요. 뱀 앞에서는 옷을 입으나 마나 알몸이 드러난답니다.

곤충의 눈을 자세히 들여다보면, 수백, 수천 개의 눈이 모여 있는 것을 발견할 수 있어요. 이렇게 수많은 눈으로 이루어진 눈을 겹눈이라고 합니다. 눈이 많으니까 곤충이 바라보는 세상은 정말 멋질 것 같다고요? 하지만 아니랍니다. 눈 하나하나가 마치 렌즈와 같은 역할을 하므로 사물이 무척 크고 가깝게 보여요. 마치 눈에 비치는 각각의 모습을 조각조각 늘어놓은 것처럼요. 그래서 곤충들은 사물을 정확히 볼 수 없습니다. 텔레비전 뉴스에서 범죄자의 얼굴이 모자이크 처리되어 나오는 장면을 본 적이 있나요? 모자이크 화면에서는 사람의 얼굴은 알아볼 수 없지만 움직이는 모양은 어느 정도 알아볼 수 있습니다. 곤충이 보는 세계는 모자이크 처리된 화면과 비슷할 거예요.

❶ 색맹 색채를 식별하는 감각이 불완전하여 빛깔을 가리지 못하거나 다른 빛깔로 잘못 보는 상태.

1 주제찾기

글의 주제문으로 알맞은 것을 고르세요. ( )

① 사람과 동물이 세상을 보는 눈 세포는 서로 다르다.
② 동물에 따라 눈에 비치는 대상의 모습이 제각기 다르다.
③ 길짐승은 먹이를 사냥하기에 적합하게 눈이 진화해 왔다.
④ 밝기에 따라 대상이 지니는 색깔이 달리 보이게 된다.
⑤ 모양은 광선의 종류에 따라 다르게 보이게 된다.

2 글감찾기

사람과 동물들의 무엇을 글감으로 삼았는지 한 낱말로 쓰세요.

( )

3 사실이해

글의 내용과 어긋나는 것은 어느 것인가요? ( )

① 개는 주인과 낯선 사람을 구별한다.
② 동물들은 생존을 위해 눈을 적응시켰다.
③ 소는 색깔은 못 보고 움직임을 볼 수 있다.
④ 개구리는 움직임이 없는 사물에는 반응하지 않는다.
⑤ 뱀은 화려한 옷을 입은 사람을 구태여 공격하지 않는다.

4
미루어알기

글의 내용에서 미루어 알 수 있는 것은 무엇입니까? ( )

① 개는 회색 곰을 유난히 겁낸다.
② 소는 투우사가 달아나도 공격한다.
③ 개구리는 회색 안개를 좋아한다.
④ 뱀의 활동은 밤에 더 활발해진다.
⑤ 천천히 다가서면 잠자리가 달아나지 않는다.

5
세부내용

읽는 사람들이 흥미를 느끼도록 글쓴이가 어떤 방법을 사용했습니까? ( )

① 수수께끼 하듯이 물음을 던졌다.
② 경험을 끌어와 예로 들었다.
③ 관심이 많은 소재를 골랐다.
④ 사물에 자신의 감정을 집어넣었다.
⑤ 교훈이 있는 이야기를 펼쳐놓았다.

6
적용하기

글에 나온 말로 아랫글의 빈칸을 채우세요.

매는 밝은 곳에서 색깔을 구별하는 ① □□□□를 많이 가지고 있기 때문에 낮에는 멀리 있는 물체도 정확하게 알아볼 수 있습니다. 하지만 매는 어두운 곳에서 물체의 모습과 움직임을 알게 해 주는 ② □□□□를 거의 가지고 있지 않기 때문에, 밤에는 물체를 볼 수가 없답니다.

7
요약하기

동물들이 대상을 보는 방법에 따라 글의 내용을 표로 정리했습니다. 빈칸을 채워 완성하세요.

개, 소	사물의 ① □□, 움직임을 본다.
개구리	② □□□□ 사물만 본다.
뱀	사람은 못 보는 ③ □□□을 본다.
곤충	④ □□□□ 늘어놓은 모습으로 사물을 본다.

어휘 넓히기

뜻

낱말의 뜻풀이로 알맞은 것을 보기 에서 골라 괄호 안에 기호를 쓰세요.

(1) 우중충하다 (　　)
(2) 흩날리다 (　　)
(3) 다채롭다 (　　)

보기
㉠ 날씨나 분위기 따위가 어둡고 침침하다.
㉡ (일이나 물건이) 온갖 빛깔이나 모양, 종류 따위가 서로 어울려 다양하고 화려하다.
㉢ 흩어져 날리다. 또는 그렇게 하다.

다지기

보기 의 낱말을 활용해 빈칸에 알맞게 고쳐 쓰세요.

보기

흩날리다　　다채롭다　　우중충하다

(1) 이번 축제는 가족 단위 행사가 매우 □□□□ 펼쳐졌다.

(2) 벚꽃이 바람에 □□□□ 있다.

(3) □□□□ 하늘이 꼭 내 마음처럼 어둡다.

넓히기

다음 한자어의 구성과 뜻을 알아보고, 빈칸에 알맞은 낱말을 쓰세요.

- **시력(視** 볼 시. **力** 힘 력.) 물체의 존재나 상태를 인식하는 눈의 능력.
- **무시(無** 없을 무. **視** 볼 시.) 사물의 존재 의의나 가치를 알아주지 아니함.
- **감시(監** 볼 감. **視** 볼 시.) 단속하기 위하여 주의 깊게 살핌.

(1) 어두운 곳에서 책을 자주 읽었더니 □□이 나빠진 것 같다.

(2) 며칠 전부터 골목 입구에서 수상한 사람이 우리를 □□하고 있다.

(3) 교통 신호를 □□하고 달리던 차가 사고를 냈다.

시간

공부 날짜 　　월 　　일

푸는데 걸린 시간 　　분

확인

맞은 개수 써보기

독해	개/7개	어휘	개/9개

8주 38회

해설편 19쪽

39

식물이나 동물이 사람처럼 말하고 행동하는 이야기를 '우화'라고 해요. 우화는 대개 가르침이나 깨달음을 중심 내용으로 전하려고 해요. 우화를 읽을 때는 구체적으로 어떤 가르침이나 깨달음을 전하려 했는지 알아낼 수 있어야 해요.

1. 15점 2. 15점 3. 15점 4. 15점 5. 10점 6. 15점 7. 15점

[앞의 줄거리] 알에서 깨어난 호랑 애벌레는 더 나은 삶을 찾아 나선다.

하지만 어떤 날은 제자리를 지키는 것만도 힘겨웠습니다. 그럴 때면 특히 불안의 어두운 그림자가 호랑 애벌레의 마음을 괴롭혔습니다. 그림자는 이렇게 속삭이곤 했습니다.

"꼭대기에는 뭐가 있지? 우리는 어디로 가고 있는 거지?"

하루는 하도 화가 나서, 그림자의 속삭임을 더 이상 참지 못하고 버럭 고함을 질렀습니다.

"나도 몰라. 그런 건 생각할 시간도 없단 말이야."

그때 호랑 애벌레 밑에 눌려 있던 노랑 애벌레가 숨을 헐떡이며 물었습니다.

"너 방금 뭐라고 했니?" / 호랑 애벌레는 얼버무렸습니다.

"혼잣말을 한 것뿐이야. 별로 중요한 건 아니야. 우리가 어디로 가고 있는지 궁금했을 뿐이야." / 노랑 애벌레가 말했습니다.

"실은 나도 그게 궁금했어. 하지만 알아낼 방법이 없어서 그건 별로 중요하지 않다고 생각하기로 했어."

스스로 생각해도 이 말이 어리석게 느껴졌는지, 노랑 애벌레는 얼굴을 붉히며 재빨리 덧붙였습니다. / "우리가 어디로 가고 있는지, 다른 애들은 아무도 걱정하지 않는 것 같아. 그러니까 우리가 가는 곳은 틀림없이 멋진 곳일 거야."

하지만 노랑 애벌레는 또다시 얼굴을 붉히며 물었습니다.

"꼭대기까지는 얼마나 남았을까?" / 호랑 애벌레는 근엄하게 대답했습니다.

"우리가 있는 곳은 밑바닥도 아니고 꼭대기도 아니니까, 중간쯤에 있는 게 분명해."

노랑 애벌레가 말했습니다. / "그렇구나."

그들은 다시 기어오르기 시작했습니다.

그러나 호랑 애벌레는 지금까지와는 다른, 왠지 불쾌한 느낌이 들었습니다.

호랑 애벌레는 무슨 수를 써서라도 위로 올라가야 한다는 집념을 잃었습니다.

"방금 이야기를 나눈 그 애벌레를 짓밟고 올라갈 수 있을까?"

호랑 애벌레는 노랑 애벌레를 피하려고 애를 썼지만, 어느 날 다시 마주치고 말았습니다. 노랑 애벌레는 위로 올라갈 수 있는 유일한 길목을 가로막고 있었습니다.

"그래, 네가 올라가느냐, 아니면 내가 올라가느냐, 둘 중 하나야."

호랑 애벌레는 이렇게 말하고는, 노랑 애벌레의 머리를 밟고 올라섰습니다. 노랑 애벌레가 슬프게 바라보는 눈빛에 호랑 애벌레는 그만 자신이 미워졌습니다. 그리고 문득 이런 생각이 들었습니다. / "저 위에 무엇이 있는지는 모르지만, 이런 ㉠짓을 하면서까지 올라갈 가치는 없어."

호랑 애벌레는 노랑 애벌레의 머리에서 내려와 속삭였습니다. / "미안해."

그러자 노랑 애벌레가 울면서 말했습니다.

"그날 혼잣말을 하는 너를 만나기 전에는 그래도 미래의 희망을 품고 이 삶을 견딜 수 있었어. 그런데 그날 이후로 이런 생활을 계속할 마음이 사라졌어. 하지만 이제 어떡하면 좋을지 모르겠어. 그때까지만 해도 내가 이런 생활을 얼마나 싫어하는지 몰랐어. 하지만 지금 나를 바라보는 너의 다정한 눈길을 보고, 내가 이 생활을 좋아하지 않는다는 걸 확실히 깨닫게 됐어. 나는 너와 함께 기어 다니며 풀이나 뜯어 먹는 생활을 하고 싶어."

호랑 애벌레는 가슴이 두근거렸습니다. 모든 것이 달라 보였습니다. 기둥은 이제 아무런 의미도 없었습니다. 호랑 애벌레가 속삭였습니다. / "나도 그러고 싶어."

그것은 위로 올라가는 일을 포기한다는 의미였습니다. 매우 어려운 결단이었습니다.

"노랑 애벌레야, 우리는 어쩌면 꼭대기에 거의 다 왔는지도 몰라. 우리가 서로 도우면 금방 꼭대기에 도착할 수 있을 거야." / 노랑 애벌레가 말했습니다. / "그럴지도 모르지."

그러자 그들은 깨달았습니다. 꼭대기에 오르는 것이 그들의 가장 간절한 소망이 아니라는 것을. 노랑 애벌레가 말했습니다. / "내려가자." / "그래, 좋아." / 그래서 그들은 올라가는 것을 포기했습니다. 수많은 애벌레가 그들을 밟고 올라갔기 때문에 그들은 서로를 꼭 끌어안았습니다. 숨이 막혀서 답답했지만, 그들은 함께 있어서 행복했고, 눈과 배가 밟히지 않도록 서로 끌어안고 커다란 공처럼 몸을 둥글게 말았습니다. 그들은 꽤 오랫동안 꼼짝도 하지 않고 그렇게 끌어안고 있었습니다. 이윽고 그들은 자신들을 밟고 가는 것이 아무것도 없다는 사실을 깨달았습니다. 그들은 둥글게 말았던 몸을 펴고 눈을 떴습니다. 어느덧 그들은 애벌레 기둥 옆으로 빠져나와 있었습니다.

8주 39회

해설편 20쪽

1 주제찾기

이 이야기는 어떤 물음에 답한 글로 볼 수 있습니까? ( )

① 생명의 시작은 무엇일까?
② 남을 짓밟는 일은 왜 일어날까?
③ 어떻게 사는 것이 행복할까?
④ 애벌레도 사회 조직이 있을까?
⑤ 살아 있는 것들은 모두 고귀한 뜻을 지닐까?

2 제목찾기

애벌레들이 애벌레 기둥 꼭대기로 올라가려는 모습에서 떠올린 삶의 문제를 한 낱말로 쓰세요. ( )

3
사실이해

호랑 애벌레와 노랑 애벌레가 내린 '매우 어려운 결단'은 무엇입니까? ( )

① 애벌레 기둥 위로 올라가기
② 다른 애벌레를 피하려고 애쓰기
③ 기둥의 유일한 길목을 가로막기
④ 다른 애벌레의 머리를 밟고 올라서기
⑤ 애벌레 기둥 위로 올라가는 일을 포기하기

4
미루어알기

다음 중 이웃을 사랑하고 배려하는 마음을 담은 행동을 고르세요. ( )

① 울면서 말했습니다.
② 다시 마주치고 말았습니다.
③ 서로를 꼭 끌어안았습니다.
④ 얼굴을 붉히며 재빨리 덧붙였습니다.
⑤ 더 이상 참지 못하고 버럭 고함을 질렀습니다.

5
세부내용

㉠과 같은 뜻으로 쓰인 문장은 무엇입니까? ( )

① 내가 한 짓이 부끄럽다.
② 인권을 짓밟으면 안 된다.
③ 걱정이 내 가슴을 짓눌렀다.
④ 칡뿌리를 짓이겨 즙을 내다.
⑤ 내 짝은 짓궂은 장난을 너무 많이 한다.

6
적용하기

호랑 애벌레가 다시 욕심을 부리게 되었다면, 이 이야기의 뒤에 이어질 줄거리로 가장 알맞은 것은 어느 것입니까? ( )

① 다른 삶을 찾아 풀밭을 떠났다.
② 다른 애벌레들과 행복하게 살았다.
③ 호랑 애벌레는 병들었다.
④ 애벌레 기둥을 잊어버렸다.
⑤ 기둥의 꼭대기가 궁금해서 올라갔다.

7
요약하기

줄거리를 다음과 같이 간추렸습니다. 빈칸을 채우세요.

호랑 애벌레가 ① □ □□ □을 찾아 나섬 → 애벌레 기둥의 ② □□□에 올라가려고 다툼 → ③ □□ □□□를 만나 다툼이 의미 없음을 깨달음 → 노랑 애벌레를 안고 ④ □□□ □□ 옆으로 빠져나옴

어휘 넓히기

뜻 낱말의 뜻풀이로 알맞은 것을 보기 에서 골라 괄호 안에 기호를 쓰세요.

(1) 얼버무리다 (　　　)
(2) 근엄하다 (　　　)
(3) 집념 (　　　)

보기
㉠ 점잖고 엄숙하다.
㉡ 한 가지 일이나 사물에만 끈질기게 매달려 마음을 쏟음.
㉢ 말이나 행동을 불분명하게 대충 하다.

다지기 아래 문장의 빈칸에 보기 의 말을 활용하여 알맞게 고쳐 쓰세요.

보기
얼버무리다　　집념　　근엄하다

(1) 그 팀은 우승하고야 말겠다는 강한 □□을 보였다.
(2) 굵고 검은 안경테 너머로 선생님의 □□한 시선이 담겨 있었다.
(3) 그들은 사과도 없이 잘못을 □□□□ 넘기려 하였다.

넓히기 다음 한자어의 구성과 뜻을 알아보고, 빈칸에 알맞은 낱말을 쓰세요.

- **결단(決** 결단할 결. **斷** 끊을 단.) 결정적인 판단을 하거나 단정을 내림. 또는 그런 판단이나 단정.
- **차단(遮** 가릴 차. **斷** 끊을 단.) 다른 것과 통하지 못하게 접촉을 막거나 끊음.
- **진단(診** 진찰할 진. **斷** 끊을 단.) 의사가 환자의 병 상태를 판단하는 일.

(1) 사방이 □□된 방은 몹시 더웠다.
(2) 당장 입원하라는 □□이 내려졌다.
(3) 그는 한번 □□을 내린 일은 절대로 바꾸지 않는다.

8주 39회

해설편 20쪽

시간 공부 날짜 　월 　일
푸는데 걸린 시간 　분

확인 맞은 개수 써보기

독해	개/7개	어휘	개/9개

40

말하는 사람이 시에 나타나지 않기도 해요. 이런 시는 다시, 다른 사람이나 생명, 물건을 내세워 말하는 사람을 대신하도록 하기도 하고, 아예 관찰만 하기도 해요. 우리가 감상할 다음의 두 편에서는 말하는 사람이 관찰만 해요.

1. 15점 2. 15점 3. 10점 4. 15점 5. 15점 6. 15점 7. 15점

(가) 할아버지가 염소에 이끌려 갑니다.

할머니와 다투고 나온 터라
집에 그냥 들어가기 멋쩍은
할아버지입니다.

염소 목에 매인 줄을 당겨
염소를 말려 보기도 하지만
할아버지는 못 이긴 척 이끌려 갑니다.

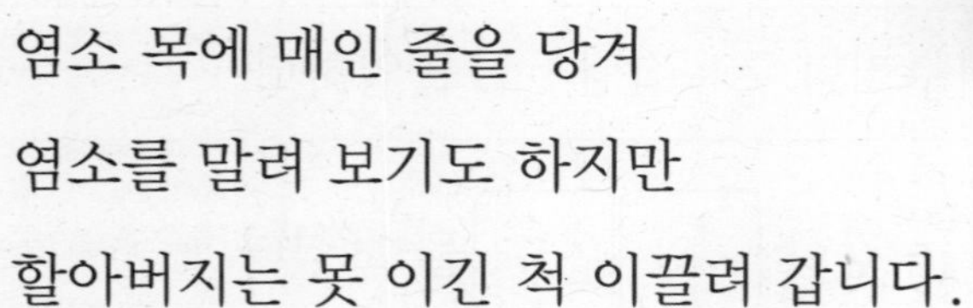

"그만 끌어, 이것아."
할머니가 듣게 큰 소리로
염소를 탓하면서
집 안으로 들어갑니다.

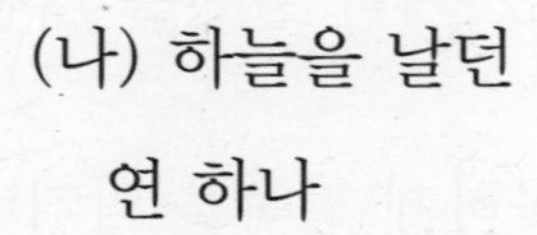

(나) 하늘을 날던
연 하나

나뭇가지가
꼬옥 붙잡고
놓아주질 않습니다.

멀리멀리
보내주고 싶은
바람만
애가 타는지

쇄아

쇄아

쉬지 않고

나뭇가지를

흔들어 댑니다.

1
주제찾기

(가)의 할아버지, (나)의 연이 처한 공통된 상황으로 알맞은 것은 어느 것입니까? ( )

① 힘을 주어 이끌고 있다.
② 바람 부는 대로 흔들린다.
③ 붙잡혀 움직임이 자유롭지 않다.
④ 사람과 자연이 잘 어울려 살아간다.
⑤ 보이지 않는 강한 힘이 물건에 작용한다.

2
글감찾기

시에 나오는 낱말을 활용하여 (가), (나)의 제목을 완성하세요.

(가): ☐☐ 탓, (나): ☐과 ☐☐

3
사실이해

(가) 시의 말하는 이에 대한 설명으로 적절한 것은 어느 것입니까? ( )

① 자기 생각을 드러내지 않는다.
② 동물의 마음에 대해서 잘 알고 있다.
③ 사람에 대한 평가를 뚜렷이 말하고 있다.
④ 관찰하고 있지만 대상의 마음을 알고 있다.
⑤ 스스로 느끼고 생각한 바를 솔직히 보고하고 있다.

8주 40회

해설편 20쪽

4
미루어알기

(나)에서 '붙잡음–놓아주고자 함'의 관계를 이루는 것을 고르세요. .... (   )

① 하늘–연
② 연–나뭇가지
③ 하늘–나뭇가지
④ 나뭇가지–바람
⑤ 하늘–바람

5
세부내용

(나) 시가 보여주는 특징을 알맞게 설명한 것은 어느 것입니까? .... (   )

① 대화로 이루어져 있다.
② 뜻을 여러 가지 품은 낱말을 사용하고 있다.
③ 사람이 아닌 것을 사람처럼 표현하고 있다.
④ 이야기를 전하는 글처럼 길게 이어지고 있다.
⑤ 같거나 비슷한 소리를 반복하여 운율을 이루고 있다.

6
적용하기

시 (가)의 1연을 동생과 다툰 후 강아지를 데리고 집을 나온 '나'로 바꾸어 써 봅시다.

________ 가(이) ________ 에 이끌려 갑니다. ________ 와(과) 다투고 나온 터라 집에 그냥 들어가기 멋쩍은 ________ 입니다.

7
요약하기

시의 내용을 아래와 같이 간추렸습니다. 빈칸을 채우세요.

(가)	(나)
할아버지가 할머니와 다투고 나와 집에 그냥 들어가기 멋쩍어, ① [ ][ ] 탓을 하며 집에 들어갑니다.	② [ ] 이 나뭇가지에 걸렸습니다. ③ [ ][ ] 만 애가 타는지 쉬지 않고 나뭇가지를 흔들어 댑니다.

어휘 넓히기

뜻

낱말의 뜻풀이로 알맞은 것을 보기 에서 골라 괄호 안에 기호를 쓰세요.

(1) 터 (　　)
(2) 멋쩍다 (　　)
(3) 척 (　　)

보기
㉠ 어색하고 쑥스럽다.
㉡ 그럴듯하게 꾸미는 거짓 태도나 모양.
㉢ '처지'나 '형편'의 뜻을 나타내는 말.

다지기

아래 문장의 빈칸에 알맞은 낱말을 보기 에서 찾아 쓰세요.

보기
터　　척　　멋쩍은

(1) 나를 보고서도 그는 못 본 [　] 딴전만 피웠다.
(2) 그는 자기 앞가림도 못하는 [　]에 남 걱정을 한다.
(3) 그는 자신의 행동이 [　][　][　]지 뒷머리를 긁적이며 웃어 보였다.

넓히기

의미는 다르지만 형태나 표기가 같은 말을 동형어라고 합니다. 보기 의 '말리다'를 보고 (1)~(3)은 어떤 뜻으로 쓰였는지 ㉠~㉢ 중에서 기호를 쓰세요.

보기

말리다	㉠ 물기를 다 날려서 없애다. ㉡ 다른 사람이 하고자 하는 어떤 행동을 못하게 방해하다. ㉢ (종이 따위의 얇은 물건이) 둥글게 접히다.

(1) 친구에게 그런 말은 하지 말라고 말렸다. (　　)
(2) 동생은 선풍기 바람에 머리를 말렸다. (　　)
(3) 나도 모르는 새에 신발 속으로 양말이 말렸다. (　　)

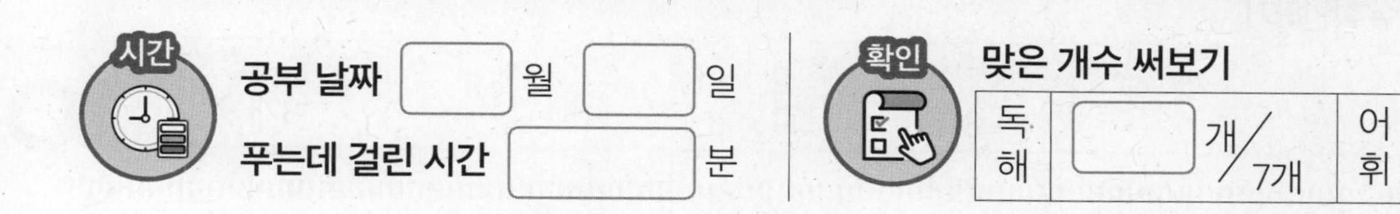

8주 40회

해설편 20쪽

어휘·어법 총정리

8주차

어휘 **보기** 의 낱말을 보고, 뜻과 어울리는 것을 골라 아래의 빈칸에 써보세요.

보기	흩날리다	이듬해	터	준공	편평하다	감시	집념	말리다

1. 단속하기 위해 주의 깊게 살핌.
2. 넓고 평평하다.
3. 바로 다음의 해.
4. 한 가지 일이나 사물에만 끈질기게 매달려 마음을 쏟음.
5. 흩어져 날리다.
6. 공사를 다 마침.
7. 다른 사람이 하고자 하는 어떤 행동을 못하게 방해하다.
8. '처지'나 '형편'을 나타내는 말.

어법 **다음 중 맞춤법에 맞는 것을 골라 동그라미 하세요.**

1. [돗대 / 돛대]에 깃발이 펄럭인다.
2. [낟선 / 낯선] 사람을 경계
3. 프로그램이 [다채롭다 / 다체롭다].
4. 이 [애벌레 / 애벌래]는 무엇이 될까.
5. [불캐한 / 불쾌한] 마음
6. [짓밟고 / 짖밟고] 지나갔다.
7. [어느덛 / 어느덧] 밤이 되었다.
8. 그렇게 바라보니 [멋적다 / 멋쩍다].

확인 **나의 점수 확인하기**

어휘	개 / 8개	어법	개 / 8개

평가와 진단하기

1. 각 회차의 유형에 정답을 맞혔으면 'ㅇ'표를 틀렸으면 '×'를 하세요.
2. 제재별 '소계'에 유형별로 맞은('ㅇ'표) 개수를 쓰세요.
3. 영역별로 맞힌 개수를 적고, 부족한 부분을 파악해 보세요.
4. 많이 틀리는 유형이 한눈에 보이므로 자신의 부족한 부분을 진단하고 보완하세요.

영역	회/주차	1번 (주제찾기)	2번 (제목(글감)찾기)	3번 (사실이해)	4번 (미루어알기)	5번 (세부내용)	6번 (적용하기)	7번 (요약하기)
인문 ( ) /56개	1/01							
	2/06							
	3/11							
	4/16							
	5/21							
	6/26							
	7/31							
	8/36							
	소계	( )/8개	( )/8개	( )/8개	( )/8개	( )/8개	( )/8개	( )/8개
사회 ( ) /56개	1/02							
	2/07							
	3/12							
	4/17							
	5/22							
	6/27							
	7/32							
	8/37							
	소계	( )/8개	( )/8개	( )/8개	( )/8개	( )/8개	( )/8개	( )/8개
과학 ( ) /56개	1/03							
	2/08							
	3/13							
	4/18							
	5/23							
	6/28							
	7/33							
	8/38							
	소계	( )/8개	( )/8개	( )/8개	( )/8개	( )/8개	( )/8개	( )/8개

5단계
5, 6학년 대상

독해력 키움

초등국어

7가지 비법으로 체계적인 독해력 향상

7유형 독해법

정답 및 해설

1주차

01 찍찍이의 만화 영화 만들기

본문 10쪽

1 ⑤ 2 만화 영화 3 ③ 4 ④
5 ③ 6 ① 7 ① 시나리오, ② 주인공, ③ 배경, ④ 이야기 계획표, ⑤ 원화, ⑥ 동화

어휘력 키우기

뜻 (1) ⓒ (2) ⓛ (3) ㉠
다지기 (1) 꼼꼼히 (2) 삐쳐서 (3) 본격적
넓히기 (1) 시작 (2) 동작 (3) 작품

1. 쥐들을 등장인물 삼아서 만화 영화를 만들어야 하는 상황을 설정해 놓고 이를 실현해 가는 과정을 보여 주어요.
2. 이야기 형식을 빌렸지만 글감은 만화 영화예요.
3. 만화 영화의 그림은 한 사람이 아니라 여러 사람이 나누어 그린다고 했죠.
   ① 만화 영화를 만드는 데는 먼저 이야기가 필요하다고 했는데, '이야기'가 시나리오입니다.
   ② 어떤 행동을 하고, 사건을 벌이는지 그립니다.
   ④ 움직임에 따라 배경이 달라지기 때문입니다.
   ⑤ 여러 장을 따로 그려서 연결하여 보여주면 움직이는 동작이 됩니다.
4. 글의 내용에 따르면, 원화로는 중간 동작 그림이 없어 움직임을 제대로 보여주지 못해요.
5. 앞 문장의 일이 일어나고 나서 생길 수 있는 일이므로 '그러자'가 들어와야 해요.
6. 문제 상황을 해결하기 위해 방안을 늘어놓는 말하기는 토의예요.
7. 내용 변화를 기준으로 하여 문단을 나누어 놓고 각 문단에 나타난 과정이 무엇인지 정리하세요.

어휘력 키우기

다지기 (1) 책을 차분히 제대로 읽어야 독후감을 잘 쓸 수 있겠지요.
(2) 성나서 마음이 토라졌다는 뜻이므로 '삐쳐서'와 바꾸어 쓸 수 있습니다.
(3) 제 궤도에서 적극적으로 활동을 하였다는 의미이므로 '본격적으로'가 빈칸에 적절합니다.

넓히기 (1) 오늘 숙제를 처음으로 한 시간이 숙제를 '시작'한 시각이지요.
(2) 문장에서 곤충의 움직임과 바꾸어 쓸 수 있는 말은 곤충의 동작입니다.
(3) 부채가 그 자체가 예술 작품이 될 수도 있지요.

02 우리나라 지형과 기후의 특징

본문 14쪽

1 지형, 특징, 기후 2 지형, 기후 3 ③
4 ④ 5 ② 6 따뜻하다. 7 ① 동해안, ② 남해안, ③ 갯벌, ④ 태백산맥, ⑤ 동해, ⑥ 강수량

어휘력 키우기

뜻 (1) ⓒ (2) ㉠ (3) ⓛ
다지기 (1) 백두대간 (2) 수심 (3) 밀접
넓히기 (1) 온도 (2) 명도 (3) 위도

1. '지형'과 '기후'라는 두 가지 글감으로 내용을 이루었는데, 이들은 서로 밀접한 관계가 있다는 것을 알아야 핵심 내용을 잘 이해할 수 있어요.

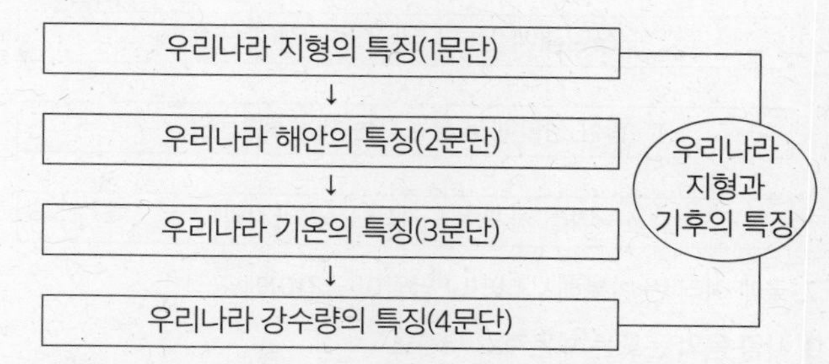

2. 우리나라의 지형 특징과 그 영향을 받는 기후의 특징을 설명한 글이에요.
3. '평야'는 지형의 한 구성 요소로 나열은 했지만 자세히 설명하지는 않았어요.
4. 둘째 문단에, '남해안은 해안선이 복잡하며, 크고 작은 섬이 많아 다도해라고 부릅니다. 서해안은 해안선이 역시 복잡하고 섬과 만, 반도가 많습니다.'라고 한 데서 미루어 알 수 있어요.
   ① 동해안은 해안선이 단조로워 '만'이 발달하기 어려워요.
   ② 서해안에 '반도' 지명이 붙은 곳을 찾기는 어려워요.
   ③ 동해안에 '반도' 지명이 붙은 곳이 없어요.
   ⑤ 남해안의 '고흥 반도', 서해안의 '변산반도' 등을 떠올려봅시다.
5. 문장 부호, 쉼표에 의해 문장의 끝에 놓이는 서술어를 반복하지 않고 생략할 수 있어요.
6. 셋째 문단의 끝에 나온 내용을 응용하여 풀 수 있도록 한 문제입니다.
7. 역시 첫째, 둘째, 셋째, 넷째 문단에서 구체적으로 설명한 내용을 순서에 따라 간추릴 수 있어요.

어휘력 키우기

다지기 (1) 어떠한 풍경이 펼쳐졌다면 보기 중 '백두대간'이 적절합니다.
(2) '얕다'라는 말과 어울려야 합니다.
(3) '가깝게 닿아 있다'라는 내용이 들어가야 해요.

넓히기 (1) 더워졌다는 건 '온도'가 올라갔다는 말이에요.
(2) 색의 속성 중 하나가 '명도'예요.
(3) 일본, 중국, 파키스탄을 지구에서 찾아보면 우리나라와 같은 '위도'에 있어요.

03 생활 속의 온도계

본문 18쪽

1 ② 2 온도계 3 ④ 4 ⑤
5 ④ 6 부피 7 ① 발명, ② 체온계

어휘력 키우기

뜻 (1) ㉡ (2) ㉠ (3) ㉢
다지기 (1) 성질 (2) 개량 (3) 측정
넓히기 (1) 체면 (2) 체온 (3) 체중

1. 온도계의 다양한 종류를 소개하고, 그 종류에 따른 활용 방법을 설명하고 있어요.

다양한 온도계의 발명(1문단)
↓
쓰임새에 따른 다양한 온도계(2문단)
↓
일상 생활에서 사용하는 체온계(4문단)
↓
여러 가지 온도계의 쓰임(마지막)

2. 글에 여러 번 반복해서 나타난 낱말이 글감이에요.
3. 사람 몸의 온도는 체온계로 재지요.
4. 액체 샘에 온도에 따라 일정하게 늘어나는 액체를 담아야 눈금 표시를 정확히 할 수 있어요.
   ① 팽창의 속도가 느리다고만 했어요.
   ② 알코올은 온도가 낮을 때 반응을 잘해요.
   ③, ④는 글에서 사실로서 자세히 언급되고 있어서 새로운 지식으로 볼 수 없어요.
5. 온도가 그대로 숫자로 나타나는 온도계는 디지털 온도계라고 합니다.
6. 셋째 문단의 수은 온도계에 대한 설명을 보면, 온도에 일정하게 변화하는 매개물이 온도계에는 필요해요.
7. 1문단 중심 내용은 본문에는 없지만 '새로 만들어내다'라는 표현을 통해 '발명'을 떠올릴 수 있어요. 3문단 중심 내용의 경우, '체온계'가 반복해서 등장하고 있어요.

어휘력 키우기

다지기 (1) 빛이 직진하는 '성질'을 설명한 것입니다.
(2) 좋게 고쳤다는 말이 들어가야 합니다.
(3) 시력과 어울리는 말은 보기 중 '측정'입니다.

넓히기 (1) 중요한 자리에선 '체면'을 차려야 하지요.
(2) 37도와 관련된 낱말은 '체온'입니다.
(3) 100kg과 관련된 낱말은 '체중'입니다.

04 천년의 역사가 살아 숨 쉬는 ~

본문 22쪽

1 ① 2 국립경주박물관 3 ⑤
4 ② 5 ④ 6 ④
7 ① 섬세, ② 미소, ③ 장인 정신, ④ 경건

어휘력 키우기

뜻 (1) ㉡ (2) ㉢ (3) ㉠
다지기 (1) 온화 (2) 출토 (3) 경건
넓히기 (1) 운동 (2) 율동 (3) 감동

1. 여행의 목적은 기행문의 첫머리에 실려 있어요.

국립경주박물관 소개(1문단)
↓
신라역사관 유물을 보고 느끼고 생각한 점(2, 3문단)
↓
신라미술관의 유물을 보고 느낀점(4문단)
↓
월지관 유물을 보고 느낀점(5문단)
↓
성덕 대왕 신종을 본 느낌(6문단)
↓
국립경주박물관에 대한 전체적인 느낌과 생각(마지막)

2. 글의 갈래가 기행문이니, 기행문의 특징이 떠오르도록 제목을 붙여야 해요. 여행지, 감상의 요지 등이 드러나면 됩니다.
3. 기행문은 '여행한 곳과 여행의 목적, 견문과 감상, 전체적인 감상, 더 알고 싶거나 보고 싶은 것'의 순서로 전개됩니다. 이런 순서가 형식으로 정해진 글이에요. 더 알고 싶어 했던 것은 마지막 문단에 나와 있습니다.
4. 기행문은 여행지에서의 경험과 감상을 오래 간직하고, 그것을 다른 사람들과 나누기 위해 쓰는 글입니다.
5. 앞서 안내했듯 기행문의 첫머리엔 여행한 곳과 여행의 목적이 옵니다.
6. 안내문은 사실을 읽는이가 이해하기 쉽게 설명하는 글이고, 기행문은 여행한 곳에 대한 느낌과 감상이 들어갑니다.
7. 관람한 곳에서 느낀 감상을 본문에 실려 있는 낱말 그대로 답하면 됩니다.

어휘력 키우기

다지기 (1) 보기 중 할머니의 얼굴과 어울리는 낱말은 '온화'이지요.
(2) 유적지에서 유물이 '출토'되는 것입니다.
(3) 순국선열에 대한 묵념을 올릴 땐 '경건'한 자세가 필요합니다.

넓히기 (1) 야구는 '운동' 종목 중 하나이지요.
(2) 노래를 흥얼거리며 따라 하는 것은 '율동'입니다.
(3) 책과 관련된 낱말은 '감동'일 것입니다.

05 몽돌

본문 26쪽

1 ② 2 돌멩이 3 ① 4 ③
5 ④ 6 ② 7 ① 돌멩이, ② 파도

어휘력 키우기

뜻 (1) ㉡ (2) ㉢ (3) ㉠
다지기 (1) 빚다 (2) 외딴 (3) 핥다
넓히기 (1) 일파만파 (2) 파도 (3) 한파

1. 강아지로 비유한 파도가 즐길 만큼 예쁘다고 했어요.
2. 2연과 3연에서 글감을 떠올릴 수 있어요.
3. 작고 동글동글하다는 닮은 점 때문에 몽돌을 새알 옹심이로 비유
4. 무생물인 파도를 생물인 강아지로 비유하여, 실감 나게 표현했어요.
5. 모든 연이 2행으로 되어 있어요.
6. 어떤 사물이나 일을 그와 비슷한 다른 사물이나 일로 표현할 때는 두 대상 사이에 닮은 점이 있어야 해요. '몽돌'도 작고 동그랗고, '새알'도 작고 동그랗지요.
7. 시에 나온 낱말을 그대로 찾아서 쓰면 됩니다.

어휘력 키우기

다지기 (1) 보기 중 만두와 어울리는 낱말은 '빚다'입니다.
(2) 산속 한가운데 혼자 떨어져 있는 오두막은 '외딴'이라는 낱말로 꾸며줄 수 있습니다.
(3) 보기 중 '혀', '아이스크림'과 어울리는 낱말은 '핥다'입니다.

넓히기 (1) 사건이 연쇄적으로 번져 퍼져나감을 뜻해요.
(2) 해변으로 밀려오는 것이 무엇일까요.
(3) 겨울철에 기온이 많이 내려가는 현상

어휘·어법 총정리 1주차

본문 30쪽

어휘 1 개량하다 2 흡착
3 외딴 4 출토되다
5 백두대간 6 몽돌
7 수심 8 숭배하다

어법 1 빚었다 2 핥아
3 돌멩이 4 경건한
5 온화한 6 설렘
7 까마득한 8 체면

2주차

06 우리말 다듬기

본문 32쪽

1 ① 2 우리말 다듬기 3 ③
4 ② 5 ④ 6 댓글(답글), 안전문, 실내화
7 순수 우리말 쓰기, 쉬운 우리말 쓰기, 우리의 의식 바꾸기

어휘력 키우기

뜻 (1) ㉢ (2) ㉡ (3) ㉠
다지기 (1) 검토 (2) 본래 (3) 선정
넓히기 (1) 친환경 가방 (2) 통컵

1. 첫 문단에 주제로 삼을 내용을 명확하게 제시하였어요.

우리말의 바르고 품위있는 사용(1문단)
↓
우리말이 겪고 있는 큰 어려움(2문단)
↓
우리말 다듬기의 필요성(3문단), 다듬기의 방법(4문단), 국립국어원의 우리말 다듬기(5문단)
↓
우리말 다듬기에 참여하고 의식 바꾸기(마지막)

2. 셋째 문단과 끝 문단의 첫머리에 반복해서 나타나면서 제목으로 삼을 구절이 있어요.
3. 둘째 문장 첫머리에 '그런 까닭에'를 붙일 수 있어요. ① '단정'은 딱 잘라서 판단하고 결정하는 것, ② '부연'은 이해하기 쉽도록 설명을 덧붙여 자세히 말하는 것입니다.
4. 둘째 문단과 셋째 문단에 글을 쓴 동기가 잘 드러나 있어요.
5. '글자만 남게 된다.'라는 것은 정신과 문화를 표현하는 기능을 잃고 발음기호 구실만 하게 된다는 뜻이에요.
6. 말이 지니는 뜻을 보면 다듬은 말을 떠올려 볼 수 있어요.
7. 셋째의 '의식 바꾸기' 이외에는 글에 나온 대로 옮겨 적으면 됩니다.

어휘력 키우기

다지기 (1) 시험 답안지와 관련된 낱말은 보기 중 '검토'입니다.
(2) 이 문장은 원래부터 성격이 말이 없고 점잖았다는 의미인데 '원래'와 바꿔 쓸 수 있는 낱말은 보기 중 '본래'입니다.
(3) 기자단이 이달의 선수로 뽑아 정하였다는 의미이므로 '선정'이 맞습니다.

넓히기 (1) 에코 백은 '에코'가 '친환경'의 의미이고, '백'은 '가방'이므로 '친환경 가방'으로 바꿀 수 있습니다.
(2) 텀블러는 보통 손잡이 없이 통째로 들고 마시는 컵이므로 '통컵'으로 바꿀 수 있습니다.

07 국토의 의미

본문 36쪽

1 ② 2 우리나라, 국토 3 ④
4 ① 5 ③ 6 평화, 생태계
7 ① 생존, ② 생활, ③ 터전, ④ 영토, ⑤ 영해, ⑥ 영공

어휘력 키우기

뜻 (1) ㉡ (2) ㉢ (3) ㉠
다지기 (1) 복원 (2) 생존 (3) 미쳤다
넓히기 (1) 기준 (2) 기초 (3) 기지

1. 독도와 비무장지대에 관한 내용이 실려 있는 3, 4문단까지 다 읽어 보면 글을 쓰게 된 목적이 국토의 가치를 깨닫도록 하기 위한 것임을 알 수 있어요.

국토의 의미(1문단) → 국토를 이루는 것들(2문단) → 독도의 가치(3문단) → 비무장 지대의 가치(4문단)

2. 우리나라의 국토가 갖는 의미와 가치를 설명한 글이에요.
3. 영토와 영해, 영공의 넓이를 비교한 내용은 보이지 않아요.
4. '동해안은 섬이 적어서 썰물일 때의 해안선을 기선으로 하여 영해를 정하였고'라는 구절에 의해 동해안은 통상 기선으로 영해를 정했음을 알 수 있어요.
   ② 남해안은 직선 기선을 사용하였어요.
   ③ 서해안 역시 섬이 많아 직선 기선으로 영해를 정했어요.
   ④ 동해안이 더 쉽습니다.
   ⑤ 어느 쪽이 어려운지 글의 내용으로 미루어 알기 어렵습니다.
5. '배타적 권리'란 남의 간섭이나 지배를 받지 않고 행사할 수 있는 권리를 뜻합니다. 이런 비슷한 내용도 독도와 관련해서 언급한 내용은 없습니다.
6. 끝 문단에서 '평화'와 '생태계'라는 낱말을 생각해 낼 수 있습니다.
7. 첫째 문단과 둘째 문단에서 낱말을 찾아 쓸 수 있습니다.

어휘력 키우기

(1) 불타 없어진 것이 다시 회복되었다는 의미로 '복원'이 빈칸에 맞습니다.
(2) 환경오염은 인류가 미래에 살아남을 수 있는지와 관련이 되지요. 그러므로 보기 중 '생존'이 들어가야 합니다.
(3) 영향을 주었다는 뜻으로 쓰이는 낱말을 찾으면 됩니다.

넓히기
(1) 초과는 일정한 수나 한도를 넘는 것으로 '기준 초과' 등으로 자주 쓰입니다.
(2) 기본부터 탄탄히 쌓아 나간다는 의미로 '기초를 다진다'라고 합니다.
(3) 군대와 관련된 낱말은 보기 중 '기지'입니다.

08 첨단 기술로 만든 옷

본문 40쪽

1 ⑤ 2 첨단 기술, 옷 3 ④
4 ③ 5 ① 6 표현(의 기능)
7 ① 특수복, ② 항균, ③ 스마트

어휘력 키우기

뜻 (1) ㉠ (2) ㉢ (3) ㉡
다지기 (1) 혹독 (2) 극한 (3) 부여
넓히기 (1) 특수 (2) 특징 (3) 특기

1. 주제문은 글 전체의 내용을 모두 품을 수 있는 내용의 문장이어야 합니다. ① 인간의 능력에 관한 내용은 특별히 다루지 않았어요. ② 특수복은 주로 혹독한 추위를 이겨내기 위해 만든 옷이에요. ③ 글의 내용이기는 하지만 전체 내용을 품지는 못합니다. ④ 방화복에 관해 한정하여 설명한 내용입니다.

상황과 인간의 활동(1문단) → 극한의 추위를 견딜 수 있는 특수복(2문단) → 불길에서 견딜 수 있는 방화복(3문단) → 기능성 섬유의 개발(4문단) ⇨ 활동에 적합한 옷과 섬유의 개발

2. 첨단 과학 기술을 활용하여 만들어진 새로운 옷을 다루고 있는 글이에요.
3. '옷의 기능성'은 넷째 문단에 상세히 열거되어 있어요. 가상현실에 대한 내용은 글 전체를 보아도 나타나지 않아요.
4. 오스트리아의 모험가 바움가르트너가 37km의 상공에서 뛰어내릴 수 있었던 조건을 설명한 둘째 문단에서 떠올릴 수 있는 생각이에요.
5. 대신 넣어 보아서 가장 자연스럽다고 생각되는 구절을 고르면 됩니다. '진전'은 '일이 진행되어 발전함.'이라는 뜻입니다.
6. ㉡이 추위와 더위, 극한의 상황에서 몸을 보호해 주는 기능은 아니지요.
7. 극한 상황에 대처하는 옷과 기능성 옷에 대한 설명을 본문에서 찾으면 됩니다.

어휘력 키우기

(1) 몹시 심한 시련을 '혹독한 시련'이라고 합니다.
(2) 운동선수는 가장 최후의 단계에 이르는 고통까지 참아내곤 합니다. 보기 중 빈칸에 어울리는 말은 '극한'입니다.
(3) '의미'와 어울리는 낱말은 '부여'입니다. '의미를 부여하다'로 자주 어울려 쓰입니다.

(1) 특수 효과 기술이 요즘 영화에서 자주 등장하지요.
(2) 우리말의 존댓말은 다른 언어에 비해 두드러진 것이므로 '특징'이라고 할 수 있습니다.
(3) 사람을 웃기는 특별한 기술은 '특기'라고 할 수 있습니다.

09 옹고집전

본문 44쪽

1 ① 2 옹고집전 3 ④ 4 ⑤
5 ② 6 ① 말, ② 행동
7 ① 어머니, ② 가짜, ③ 진짜, ④ 가짜, ⑤ 거지

어휘력 키우기

뜻	(1) ㉡	(2) ㉢	(3) ㉠
다지기	(1) 절레절레	(2) 느닷없이	(3) 천만뜻밖
넓히기	(1) 명령	(2) 생명	(3) 운명

1. 어머니도 봉양하지 않고, 스님을 구박하여 내쫓은 악한 인물 옹고집이 죄를 반성하여 착한 사람으로 거듭나는 내용입니다.
2. 주인공이 '옹고집'이니 여기에 '전'을 붙이면 제목이 됩니다.
3. 원님이 집안 사정을 이야기하라고 하자, 진짜 옹고집은 자기가 가짜라고 잘못 판결이 나는 게 두려운 나머지 긴장하여 더듬거리며 말하였어요. 반면, 가짜 옹고집은 집안 사정을 미리 알고 있어서 긴장하지 않고 술술 말하였지요. 그래서 집안 사정을 이야기한 사건이 진짜와 가짜를 바꾸어 놓는 결정적인 사건이 되었어요.
4. 몸살이 난 어머니에게 약을 지어주기는커녕 저절로 나을 병이라면서 발뺌하는 말에서 인색하고 고집스러운 성격을 떠올릴 수 있습니다. ①과 ②는 다정다감하고 마음을 다해 어머니를 섬기는 옹고집 처의 말이에요. ③ 병든 어머니의 말이에요. ④ 악행을 일삼는 옹고집을 벌주고자 하는 스님의 말이에요.
5. 빈 곳의 앞뒤에 나타난 말을 보고 어떤 상황인지 판단해야 들어갈 말을 떠올릴 수 있습니다. ㉠은 가짜 옹고집이 진짜 옹고집인 척하기 위해 시치미를 떼는 장면에 놓여 있어요. ㉡은 원님이 형방에게 명령하여 옹고집을 서릿발 같은 매서운 말로, 매우 치라는 장면에 놓여 있지요.
6. '옹고집'이라는 인물에게 초점을 맞춘 작품이며, 특히 고집스럽고 인색한 성격이 강조되었습니다. 이런 성격은 옹고집의 말과 행동으로 떠올려 볼 수 있도록 하였지요.
7. 이야기 갈래의 글이므로, 인물과 사건을 중심으로 줄거리를 간추려 볼 수 있습니다.

어휘력 키우기

다지기 (1) 머리를 좌우로 흔드는 모양은 '절레절레' 흔드는 것입니다.
(2) '갑자기' 또는 '갑작스럽게'라는 의미는 보기 중 '느닷없이'입니다.
(3) 칭찬 받으리라는 생각과 완전히 다르게 혼이 났으므로 '천만뜻밖'이 알맞습니다.

넓히기 (1) 출동하라는 지시가 온 것이므로 '명령'이 적절합니다.
(2) 생명을 구해준 사람이라는 뜻으로 '생명의 은인'이 자주 쓰입니다.
(3) 사람이 늙어 죽는 것은 피할 수 없으며 이미 정해져 있는 것이므로 '운명'이 빈칸에 들어가야 합니다.

10 모서리

본문 48쪽

1 ④ 2 모서리 3 ② 4 ⑤
5 ③ 6 ④ 7 ① 시치미, ② 마음

어휘력 키우기

뜻	(1) ㉢	(2) ㉠	(3) ㉡
다지기	(1) 모서리	(2) 눈초리	(3) 시치미
넓히기	(1) 실망	(2) 희망	(3) 원망

1. 시의 4연에 잘 드러나 있습니다. '마음 한쪽이 더 아파 온다.'라고 한 것은 '나'도 모서리처럼 남을 아프게 해 놓고 시치미를 뗀 적이 있는 것 같아서죠.
2. 모서리를 사람처럼 비유하여 '나'의 마음을 표현하였다.
3. 화자의 경험은 1연에 뚜렷이 나타납니다.
4. 나 역시 남에게 상처를 주고 저렇게 뻔뻔스럽게 굴 수 있다는 것을 반성하고 있는 것입니다.
5. 부딪힐 마음은 전혀 없었는데 모르는 사이에 나를 부딪히게 하고 그로 인해 아픔을 주는 것입니다.
6. 남에게 상처를 주거나 마음을 아프게 하고도 시치미를 뗀 것에 대해 뉘우치고 있어요.
7. 시에 있는 낱말을 활용하여 채우면 됩니다.

어휘력 키우기

다지기 (1) 달걀을 모가 진 그릇 가장자리에 부딪쳐 깨기도 해요.
(2) '눈초리가 날카롭다'라고 하여 자주 씁니다.
(3) '겉으로 아무렇지도 않은 체한다'라는 의미입니다.

넓히기 (1) 실패했지만 마음마저 몹시 상하진 않았다는 의미
(2) 의견이 선택되길 바라는 마음은 '희망'입니다.
(3) 서럽고 슬픈 마음이 들면 불평하고 미워하게 되죠.

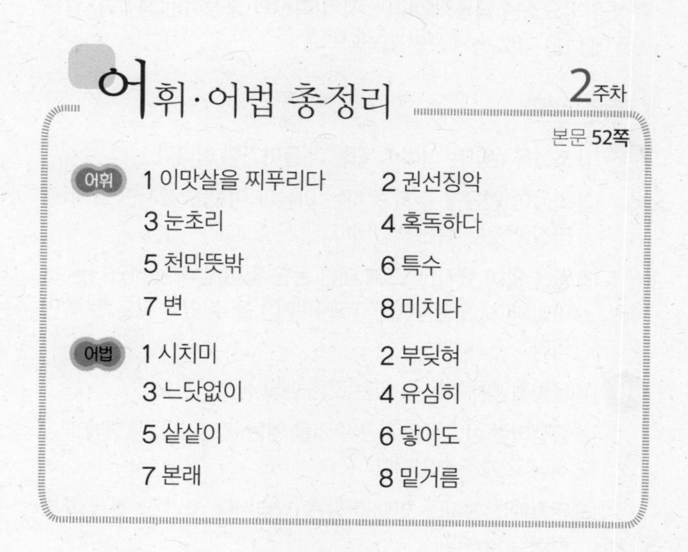

어휘·어법 총정리 2주차

본문 52쪽

어휘
1 이맛살을 찌푸리다 2 권선징악
3 눈초리 4 혹독하다
5 천만뜻밖 6 특수
7 변 8 미치다

어법
1 시치미 2 부딪혀
3 느닷없이 4 유심히
5 샅샅이 6 닳아도
7 본래 8 밑거름

3주차

11 지금 쓰는 말이 미래를 좌우한다

본문 54쪽

1 ①　2 성공　3 ①　4 ③
5 ②　6 할 수 있다.
7 ① 긍정적인(생각과) 말, ② 나는 매일 조금씩 성공하고 있다., ③ 아직도 나는 내 일을 사랑하고 있어.

어휘력 키우기

뜻 (1) ㉢　(2) ㉠　(3) ㉡
다지기 (1) 집필　(2) 독단적　(3) 보수
넓히기 (1) 성적　(2) 성공　(3) 찬성

1. 둘째 문단의 첫머리에 미리 요지를 간추린 문장을 제시해 두었습니다.
2. 글의 첫머리에 어떤 내용을 쓸 것인지 약속한 문장이 있습니다. 여기서 제목으로 쓸 낱말들을 볼 수 있지요.
3. 거의 문단마다 한 번씩 반복하여 나타났습니다.
4. 성공의 확신을 심어주는 긍정적인 말입니다. 사람들이 성공 비결을 물을 때마다 이 문구를 중얼거렸다고 했죠. '자신도 모르게 날마다 성공하고 있다는 확신이 생겼습니다.'라는 문장에서도 떠올릴 수 있습니다.
5. 말한 대로 실현된다는 뜻의 속담이면 글의 내용과 잘 어울립니다. ① 실속 없이 말만 그럴싸하게 잘한다. ③ 말로만 남을 대접하는 척한다. ④ 잔말이 많으면 살림이 잘 안 된다. ⑤ 말만 잘하면 어려운 일이나 불가능한 일도 해낼 수 있다.
6. 이길 수 있다는 자신감을 심어주는 긍정적인 말을 떠올릴 수 있습니다.
7. 성공의 요소는 공통적입니다. 자기 확신의 긍정적인(생각과) 말은 글에 나온 대로 옮겨 쓰면 됩니다.

어휘력 키우기

다지기 (1) 소설을 쓴다는 의미로 '집필'이 들어가야 합니다.
(2) 회장이 믿음을 주지 못하는 이유가 여럿 있겠지만 보기 중 적절한 것은 '독단적'입니다.
(3) 일을 많이 했지만, 그에 대한 돈은 많이 받지 못하였다는 의미입니다. 이 문장에서 돈과 바꾸어 쓸 수 있는 말은 '보수'입니다.

넓히기 (1) 올림픽에서 거둘 수 있는 것은 메달 성적이지요.
(2) 흥행이란 상업적으로 큰 수익을 얻는 것입니다. '흥행에 성공하다'로 자주 쓰입니다.
(3) 안건에 찬성 또는 반대를 할 수 있습니다. 보기 중 '찬성'이 빈칸에 알맞습니다.

12 우리나라 경제의 특징

본문 58쪽

1 ②　2 우리나라 경제　3 ③
4 ④　5 ②　6 경쟁
7 ① 사유 재산, ② 혼합 경제, ③ 자유, ④ 경쟁

어휘력 키우기

뜻 (1) ㉠　(2) ㉢　(3) ㉡
다지기 (1) 정당　(2) 이윤　(3) 능률
넓히기 (1) 경험　(2) 신경　(3) 경제

1. 글의 첫 문단에 경제 제도를 설명했고, 둘째 문단부터는 경제 활동을 설명했습니다. 우리나라 경제의 특징을 두 분야로 나누어 자세히 설명하고 있습니다.
2. 첫 문단의 끝에 제시했고, 둘째 문단부터 자유와 경쟁을 중심으로 내용을 전개했다.
3. 우리나라의 경제 활동의 특징인 '자유와 경쟁'은 첫째 문단의 마지막 부분에 처음 등장하여 끝 문단까지 자세하게 설명하고 있습니다.
4. 셋째 문단의 '기업은 많은 물건을 팔아 더 많은 이윤을 얻기 위하여 여러 가지 방법으로 경쟁합니다.'라는 문장에서 떠올릴 수 있는 생각입니다. ① 혼합 경제로서, 부분적으로 통제합니다. ② 떠올릴 만한 근거가 글에서 보이지 않으며 실제로 투자할 수 있습니다. ③ 글의 내용과 관계없습니다. ⑤ 기업은 그런 환경을 조성한다고 생각할 수 있습니다.
5. 들어갈 문장은, '국가나 다른 사람으로부터 강요나 간섭을 받지 않고 자신의 생각에 따라 자유롭게 경제 활동을 할 수 있습니다.'로 되어 있습니다.
6. 기업은 더 많은 이윤을 얻기 위해 질 좋은 제품을 만들거나 새로운 기술을 개발(품질 및 디자인 경쟁)하고, 가격을 낮추거나(가격 경쟁) 기업에 필요한 인재를 뽑는 등(서비스 경쟁) 다양한 노력을 합니다.
7. 경제 제도와 경제 활동에 대한 본문의 흐름대로 낱말을 선택할 수 있습니다.

어휘력 키우기

다지기 (1) 올바르고 마땅한 이유라는 뜻이 들어가야 하므로 '정당한'이 빈칸에 들어가면 됩니다.
(2) 상업과 관련된 낱말은 보기 중 '이윤'입니다.
(3) 스트레스가 쌓이면 일정한 시간에 할 수 있는 일의 비율인 '능률'이 떨어지지요.

넓히기 (1) 실제로 해 보거나 겪은, 지식이나 기능인 '경험'이 부족하면 일이 서툴 수 있습니다.
(2) '신경이 곤두서다'는 '신경이 날카로워지고 긴장되다.'라는 의미입니다. 큰 시험을 앞두면 으레 겪게 되지요.
(3) 국가와 관련하여 성장하는 것은 '경제'가 어울립니다.

13 우주 탐사선 보이저호

본문 62쪽

1 ⑤ 2 우주, 보이저 3 ⑤
4 ④ 5 ② 6 지구, 목성, 토성, 천왕성, 해왕성 7 ① 목성, ② 생명체

어휘력 키우기

뜻	(1) ㉡	(2) ㉢	(3) ㉠
다지기	(1) 표면	(2) 외곽	(3) 수명
넓히기	(1) 탐정	(2) 탐사	(3) 탐구

1. 글 전체에서 우주 탐사선 보이저호의 성과에 대해 설명하고 있습니다.

우주 탐사선에 의한 행성 탐사(1문단)
↓
보이저호에 의한 목성형 행성 탐사(2문단)
↓
외계 생명체 존재 가능성에 대한 기대(3문단)

⇨ 우주 탐사를 통한 성과와 기대

2. 반복해서 등장하는 낱말을 찾아 쓰면 됩니다.
3. ⑤는 해왕성에 관한 정보입니다.
4. 목성형 행성들의 표면에는 폭풍과 같이 거센 바람이 분다고 했습니다.
   ① 짐작할 수 없는 내용입니다.
   ② 짐작한 생각이 아니라 글에 나타난 사실입니다.
   ③ 보이저 호를 두 대 띄웠다고 해서 태양계의 먼 행성을 탐사하려면 우주선이 두 대 필요하다고 단정하기는 어렵습니다.
   ⑤ 더 많은 별이 있을 것으로 짐작할 수 있습니다.
5. 앞의 내용을 요약하면서 정리하도록 하는 접속어입니다.
6. 지구도 글에 나오는 태양계의 행성에 속한다는 사실을 빠뜨리면 안 되겠죠.
7. 문단의 흐름에서 중심 낱말을 찾아 쓰면 됩니다.

어휘력 키우기

다지기 (1) 매끄럽고 깨끗한 것과 어울리는 낱말은 보기 중 '표면'입니다.
(2) 시내와 반대되는 의미로는 도시 외곽이 어울립니다.
(3) 건전지 사용 기간이 다 되었다는 의미이므로 '수명'이 적절합니다.

넓히기 (1) 셜록 홈스는 유명한 탐정소설의 주인공입니다.
(2) 알려지지 않은 것을 조사한다는 의미의 낱말은 '탐사'입니다.
(3) 학자는 진리를 깊이 파고들어 연구하는 사람이므로 '탐구'가 빈칸에 들어가야 합니다.

14 먹기 싫은 것, ~

본문 66쪽

1 ③ 2 백선행이 한 일(힘쓴 일) 3 ⑤
4 ④ 5 ⑤ 6 ③
7 ① 검소, ② 좋은 일, ③ 도움

어휘력 키우기

뜻	(1) ㉠	(2) ㉢	(3) ㉡
다지기	(1) 단호	(2) 궂은일	(3) 아랑곳
넓히기	(1) 질문	(2) 위문	(3) 문제

1. 칭송을 받을 만큼 착한 성품이어야 본받을 만하지요.

백선행의 좌우명 실천
↓
죽을 때까지 착한 일을 한 백선행

⇨ 온갖 궂은 일을 하여 모은 재산을 사회에 돌린 백선행

2. 백선행이 살면서 어떤 착한 일을 했는지를 글감으로 삼았습니다.
3. 민족의 장래에 관심을 가졌지만 독립을 위해 모금 활동을 한 모습은 보이지 않습니다.
4. 돈을 내놓으라고 위협하는 도둑에게 '돈을 줄 수 없다.'라고 하며 달려들어 부상을 입었던 말과 행동에서, 재물이 좋은 일에 쓰이기를 바랐던 그의 삶을 떠올려 볼 수 있습니다.
5. '불현듯'은 '불을 켜서 불이 일어나는 것과 같다는 뜻으로, 갑자기 어떠한 생각이 걷잡을 수 없이 일어나는 모양'을 뜻합니다. '줄곧'은 '끊임없이 잇따라'라는 뜻이므로 바꿔 쓸 수 없습니다.
6. 토의 주제는 읽은 글의 내용과 관련이 있어야 하고, 최선의 결론에 이르기 위해 여러 가지 의견을 내놓을 수 있는 내용이어야 합니다.
   ① 읽은 글의 내용과 관련이 없습니다.
   ② 백선행은 근검절약에서 나아가 돈을 의미 있게 쓰고 있어요.
   ④, ⑤ 글의 내용과 직접적으로 관련이 없는 내용입니다.
7. 글에 나온 말로 빈칸을 채울 수 있습니다.

어휘력 키우기

다지기 (1) 치시가 거절할 수 없을 정도로 엄격하다는 의미로 빈칸에 어울리는 낱말은 보기 중 '단호'입니다.
(2) 착한 성품으로 남들이 하기 싫어하는 '궂은일'을 마다하지 않았다는 의미입니다.
(3) 신경을 쓰지 않는다는 의미로 '아랑곳 않다'라는 말이 자주 쓰입니다.

넓히기 (1) 궁금한 것을 알아내기 위한 물음이 '질문'입니다.
(2) 위로하기 위하여 전달하는 돈을 '위문금'이라고 합니다.
(3) 해답을 요구하는 물음인 '문제'가 빈칸에 어울립니다.

15 고양이 발자국, 얄미운 고양이

본문 70쪽

1 ⑤ 2 고양이 발자국 3 ⑤
4 ④ 5 ② 6 ① 옆집 고양이, ② 야속하게, ③ 발자국 7 ① 꽃, ② 발자국

어휘력 키우기

뜻 (1) ⓒ (2) ⓛ (3) ㉠
다지기 (1) 모락모락 (2) 야금야금 (3) 당부
넓히기 (1) 야속 (2) 야생 (3) 야구

1. (가)에서는 고양이가 일을 망쳤지만, 말하는 이는 '다섯 송이 꽃'으로 대상을 떠올립니다. 따뜻하게 감싸는 마음씨를 보여주지요.
   (나)에서는 강아지가 자기 밥을 뺏기고, 아주머니께 혼까지 나자 고양이를 원망하고 미워하고 있습니다.
2. 공통된 글감이 (나)에 고스란히 나옵니다.
3. 일을 저지른 고양이의 발자국을 '다섯 송이 꽃'으로 비유하여 곱고, 따뜻한 마음을 보여줍니다.
4. 말하는 이가 겪은 일과 관련하여 원망하는 생각이 담겨야 합니다.
5. 보통 시와 달리 두 편의 작품은 과거 시제로 표현한 서술어가 여러 군데 나타나는데, 이는 사건의 요소를 표현하는 방법입니다.
6. 글의 내용을 '(나) 개'의 입장에서 살펴보세요.
7. 시에 나타난 낱말을 찾아 넣으면 됩니다.

어휘력 키우기

다지기 (1) 아지랑이가 조금씩 피어오르는 모양과 어울리는 낱말.
(2) 붕어빵을 조금씩 먹어 들어가는 모양과 어울리는 낱말.
(3) 비밀을 지켜달라고 단단히 말로 부탁하는 것.
넓히기 (1) 부탁을 거절당할 때 섭섭한 마음이 들기 마련입니다.
(2) 전 세계적으로 멸종 위기에 처한 동물은 '야생' 동물입니다.
(3) 선수, 순발력과 관련된 낱말을 위에서 찾으면 '야구'입니다.

어휘·어법 총정리 3주차

본문 74쪽

어휘 1 탐사 2 당부
3 능률 4 위문
5 불현듯 6 보수
7 문구 8 집필하다

어법 1 옆집 2 궂은일
3 아랑곳 4 구두쇠
5 조용히 6 외곽
7 소용돌이 8 사유재산

4주차

16 용준이네 반의 토론

본문 76쪽

1 ② 2 학습 만화는 유익하다. 3 ①
4 ⑤ 5 찬반 6 ③
7 ① 유익, ② 재미있게, ③ 유익하지, ④ 흥미 위주

어휘력 키우기

뜻 (1) ⓛ (2) ⓒ (3) ㉠
다지기 (1) 유익 (2) 삼가야 (3) 논의
넓히기 (1) 판정 (2) 측정 (3) 안정

1. '공부에 도움이 된다.'가 근거의 핵심 내용입니다.
2. 토론 첫머리에 제시되었습니다.
3. 토론에 질문자가 있는 때도 있지만 대개는 혼란을 피하기 위해 공식적인 참가자로는 넣지 않습니다.
4. 판정단이 찬성편이 승리했다고 판정하는 이유를 보면, 주장은 물론이고 근거의 타당성과 신뢰성이 모두 중요합니다. ① 판정단의 원래 생각에 따른다면 편견에 치우쳐 공정한 판정을 할 수 없는 경우가 생깁니다. ② 청중의 질문이 토론에 꼭 들어가지는 않습니다. ③ 객관적인 기준이 아닙니다. ④ 토론자가 발언하는 자세라는 말의 뜻이 지나치게 애매합니다.
5. 토론은 찬반으로 편이 나누어진다는 점이 토의와 가장 뚜렷하게 차이가 나는 점이지요.
6. 찬성편 토론자는 마지막 발언에서 상대편 토론자를 인신공격했습니다. 사회자는 그 점을 지적해야 합니다.
7. 글에 나온 대로 순서에 따라 정리합니다.

어휘력 키우기

다지기 (1) 도움이 된다는 표현으로 '유익'이 알맞습니다.
(2) 몸가짐이나 말과 행동을 조심한다는 뜻의 낱말 '삼가다'가 자연스러우며 빈칸엔 '삼가야'가 들어가야 합니다.
(3) 어떤 문제를 해결하기 위한 과정이 빈칸에 들어가야 하므로 보기 중 '논의'가 적절합니다.
넓히기 (1) 합격인지 아닌지 판별하여 결정하는 것이므로 '판정'이 적절합니다.
(2) 체온을 재는 것을 체온을 '측정'한다고도 합니다.
(3) 환자는 편안한 상태를 유지해야 합니다. 이를 '안정이 필요하다'라고 표현하기도 합니다.

17 광고의 좋은 점과 나쁜 점

본문 80쪽

1 ⑤　2 광고, 좋은 점, 나쁜 점　3 ⑤
4 ②　5 ④　6 ① 과대(과장), ② 허위
7 ① 이윤, ② 정보, ③ 허위, 과대(과장)

어휘력 키우기

뜻 (1) ㉢　(2) ㉠　(3) ㉡
다지기 (1) 부각　(2) 구매　(3) 허위
넓히기 (1) 광고　(2) 광범위　(3) 광장

1. 현명한 소비, 똑똑한 소비를 하자는 뜻이 글을 쓴 의도로 깔려 있습니다.

주요 내용 소개(1문단)
↓
광고지를 보고 주문하는 사람들(2문단)
↓
효과를 보지 못하거나 속은 광고(3문단)
↓
현명한 소비자가 되기를 당부(마지막)

⇨ 광고가 지닌 좋은 점과 나쁜 점 이해

2. 첫 문단 마지막에서 앞으로 다룰 글감에 대해 말하고 있으므로 이를 제목으로 활용하면 됩니다.
3. 허위·과대가 없다고 해서 해가 없을지는 글의 내용으로 알 수 없습니다. ① 첫 문단, ② 첫 문단, ③ 둘째 문단, ④ 셋째 문단에 나와 있습니다.
4. 첫 문단과 넷째 문단에 반복하여 나타난 내용입니다.
5. 본래 뜻은 '사들인 물건을 사용하고 감상이나 평가를 적은 글'이지만 돈을 받고 쓴 가짜 구매 후기가 문제가 됩니다. 이는 광고를 왜곡하고 삐뚤어진 길로 이끌어가는 주범으로 손꼽히고 있습니다.
6. 과대 광고는 상품이 가지고 있는 기능을 부풀린 광고이고, 허위 광고는 진실이 아닌 자료나 정보를 진실인 것처럼 꾸민 광고입니다.
7. 글에서 주된 내용을 이루는 낱말을 찾으면 됩니다.

어휘력 키우기

 (1) 빛의 효과를 두드러지게 표현한 것이므로 '부각'이 적절합니다.
(2) '샀다'와 바꿔 쓸 수 있는 말로 '구매'가 적절합니다.
(3) 자백이 진실이 아니었음이 밝혀졌다는 의미이므로 빈칸에 '허위'가 적절합니다.

넓히기 (1) 방송에 나가는 것과 관련된 낱말을 찾으면 '광고'가 적절합니다.
(2) 범위가 넓다는 의미의 '광범위'가 빈칸에 들어가야 합니다.
(3) 장소로서 '광장'이 빈칸에 들어가야 합니다.

18 다양한 결정

본문 84쪽

1 ②　2 결정　3 ⑤　4 ⑤
5 ①　6 ① 따뜻한(뜨거운), ② 진한, ③ 천천히(서서히)　7 ① 고체, ② 순수, ③ 구별

어휘력 키우기

뜻 (1) ㉡　(2) ㉠　(3) ㉢
다지기 (1) 천연　(2) 형태　(3) 불순물
넓히기 (1) 결혼　(2) 결정　(3) 결국

1. 물질의 결정이 여러 가지 물리적 화학적 특성을 보이고 있다는 사실을 둘째 문단부터 자세히 설명하고 있습니다.
① 첫 문단에 나온 내용이지만 전체 내용을 감쌀 수는 없습니다.
③ 둘째 문단에서 알 수 있는 내용이지만 전체의 중심 내용으로는 부족합니다.
④ 손난로 속에 원래부터 고체로 된 결정이 들어 있는 것은 아닙니다.
⑤ 글에서 알 수 없는 내용입니다.
2. 하나하나의 작은 입자들이 규칙적으로 고르게 배열되어 있고, 전체적인 겉모양이 울퉁불퉁하지 않고 고른 평면으로 둘러싸인 물질이 '결정'입니다. 이 글은 결정을 설명한 글이지요.
3. 손난로 속에 젤 상태, 곧 액체 상태로 있는 것은 결정이 아닙니다. 결정은 액체가 아니라 고체이지요.
4. '즉'은 '다시 말하여'란 뜻입니다. 앞에 놓인 '이 독특한 모양을 이용하여 여러 물질을 구별할 수 있습니다.'를 다시 풀어 놓은 내용이어야 합니다. 그러므로 각각의 물질을 구별하는 데에 결정이 이용된다는 내용이 나와야 합니다.
5. 소금 결정은 분리되고, 결정이 만들어질 때 불순물은 용액에 그대로 남게 되기 때문입니다.
6. 둘째 문단과 넷째 문단에서 관련 내용을 찾아 씁니다.
7. 첫째 문단과 둘째 문단에서 결정에 대한 설명을 본문에서 찾아 씁니다.

어휘력 키우기

 (1) 천연자원은 천연적으로 존재하여 인간 생활이나 생산 활동에 이용할 수 있는 물자나 에너지를 통틀어 이르는 말입니다.
(2) 이 문장의 빈칸에 모양, 생김새를 넣으면 뜻이 통합니다. 보기에서 모양, 생김새와 바꿔 쓸 수 있는 말은 '형태'입니다.
(3) 수돗물에 섞인 녹물이나 모래는 '불순물'입니다.

넓히기 (1) 한 가정을 이루는 방법의 하나가 '결혼'이지요.
(2) 바닷물에서 물이 증발하면 소금 '결정'이 남지요.
(3) 피로와 몸살 사이를 이어주는 낱말로 적절한 것은 '결국'입니다.

19 늦달이 아저씨

본문 88쪽

1 ① 2 늦달이 아저씨 3 ③
4 ② 5 ⑤ 6 예 늦달이 아저씨, 여유가 있고 주변을 둘러볼 수 있어서/ 번개 아저씨, 삶에 최선을 다하고 주변에 피해를 주지 않기 때문에
7 ① 번개, ② 노래, ③ 속도, ④ 여유

어휘력 키우기

뜻	(1) ㉢	(2) ㉠	(3) ㉡
다지기	(1) 깡마른	(2) 까무잡잡	(3) 굼뜨다
넓히기	(1) 지배	(2) 배려	(3) 배달

1. 탕수육도 마음껏 시키지 못한다고 하면서, 늦달이에게 배달을 시키는 것을 보면 어떤 삶을 추구하는지 짐작할 수 있습니다. 넉넉하지 않지만 인정이 넘치며, 더불어 살고자 하네요.
2. 주인공의 별명은 '늦달이'이지요.
3. 웃는 얼굴을 여러 번 비쳤으며, 동작이 굼떠 배달을 제때 하지 못한다고 하였습니다.
   ① 같은 나라인지는 알 수 없습니다.
   ② '번개'에 관한 설명입니다.
   ④ 우리말은 발음도 문법도 서투릅니다.
   ⑤ 모자를 바꾸어 썼지만 수집하는지는 알 수 없습니다.
4. 실수가 잦았지만, 아버지가 좋아하는 삶의 모습을 보여주었기 때문입니다.
5. 본문에서 '걸작'은 '우스꽝스럽거나 유별나서 남의 주목을 끄는 사물이나 사람'이라는 뜻으로 쓰였습니다. ①~④에서 걸작은 '매우 훌륭한 작품'이라는 뜻으로 쓰였습니다.
6. 두 인물의 삶 중에 어느 삶이 더 바람직하다고 생각하는지 씁니다.
7. 두 인물의 성격 비교가 이야기의 내용 파악에 특히 중요합니다. 글에서 낱말을 찾아 씁니다.

어휘력 키우기

다지기 (1) 보통 '체구나 체격이 깡마르다'라고 많이 씁니다. 체구는 몸의 부피, 체격은 몸의 골격이에요.
(2) 여름휴가 때 야외에 오래 있다 보면 피부가 '까무잡잡'해지지요.
(3) 피곤하면 움직임이 매우 느려져요. 빈칸에 적절한 낱말은 '굼뜨다'입니다.

넓히기 (1) 독립을 쟁취했다는 말과 어울리는 낱말은 식민 '지배'입니다.
(2) 세심하게 도와주고 보살펴 주었다는 의미로 '배려'가 적절합니다.
(3) 집 앞 가게에서 반찬을 집까지 가져다주도록 하였다는 의미로 '배달'이 적절합니다.

20 함께 쓰는 우산

본문 92쪽

1 ④ 2 친구 3 ③ 4 ⑤
5 ② 6 경험
7 ① 친구, ② 우산, ③ 반, ④ 따뜻, ⑤ 훈훈

어휘력 키우기

뜻	(1) ㉡	(2) ㉢	(3) ㉠
다지기	(1) 시렸다	(2) 따스했다	(3) 훈훈하게
넓히기	(1) 폭우	(2) 우산	(3) 우기

1. 친구와 함께 우산을 쓰니까 둘이 모두 몸의 반은 비를 맞지만 마음은 따뜻하고 훈훈하다는 내용이에요.
2. 비 오는 날 우산 쓰고 가는 두 친구의 모습을 떠올릴 수 있어요.
3. 2연과 3연을 보면, 우산 하나를 두 친구가 함께 쓰고 가고 있어요.
4. 우산이 하나이기 때문에 두 사람 모두 몸의 반은 비를 맞고 있어요.
5. '따뜻하다', '시리다'로 표현되고 있는데, 이들은 모두 피부로 느낄 수 있는 감각이지요.
6. 화자의 말과 행동에 공감하게 되는 것은, 화자와 같거나 비슷한 자신의 경험을 떠올리기 때문이에요.
7. 시에서 중요한 낱말들을 찾아서 써 보세요.

어휘력 키우기

다지기 (1) 추운 날씨는 손발을 춥고 얼얼하게 합니다.
(2) 난로는 공기를 따스하게 만들어 주지요.
(3) 친구의 착한 마음씨와 어울리는 말은 '훈훈하게'입니다.

넓히기 (1) 웅덩이가 파일 정도로 갑자기 많이 내리는 비는 '폭우'입니다.
(2) 바람이 많이 불면 우산도 뒤집혀요.
(3) 우기는 비가 1년 중 가장 많이 오는 시기임.

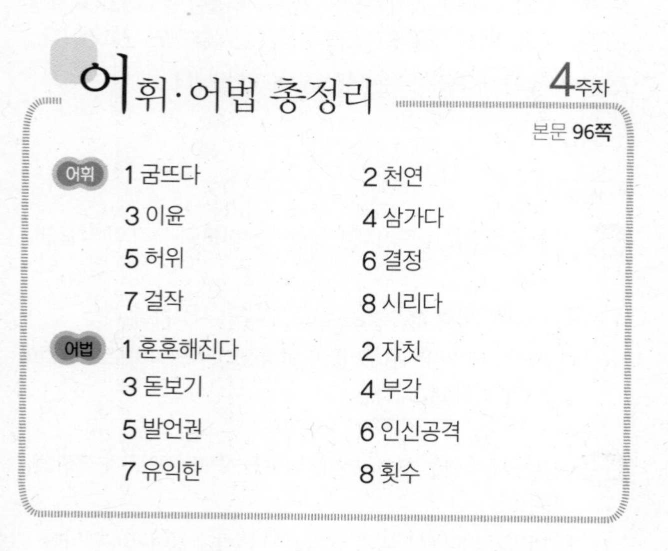

어휘·어법 총정리 4주차

본문 96쪽

어휘
1 굼뜨다 2 천연
3 이윤 4 삼가다
5 허위 6 결정
7 걸작 8 시리다

어법
1 훈훈해진다 2 자칫
3 돋보기 4 부각
5 발언권 6 인신공격
7 유익한 8 횟수

5주차

21 호수를 살리자

본문 98쪽

1 ④ 2 호수, 산성화 3 ②
4 ③ 5 ③ 6 호수, 산성화
7 ① 산성비, ② 토양, ③ 생태계, ④ 산성비, ⑤ 자세

어휘력 키우기

뜻 (1) ㉡ (2) ㉠ (3) ㉢
다지기 (1) 유지 (2) 연소 (3) 원천적
넓히기 (1) 낙엽 (2) 낙서 (3) 낙하

1. 설득하는 글은, 읽는 사람이 생각을 바꾸거나 실천하게 하려고 쓰는 거예요. 생각 바꾸기, 또는 실천을 내용으로 한 것을 찾아보세요.
2. 문단마다 글감으로 삼은 어구가 나와요.
3. 대기 오염의 원인으로 글에 나타난 것은 매연이에요.
4. 첫 문단을 보면, 스웨덴, 캐나다처럼 깨끗한 나라라고 알려진 곳에서도 호수의 산성화가 일어나고 있습니다. 이웃 나라에서 날아온 오염된 대기 때문입니다. ① 글의 1문단에 나왔습니다. ② 글에 나온 사실입니다. ④ 작은 물고기가 먹이사슬에서 어떤 위치에 있는지 알 수 있는 내용은 보이지 않습니다. 그리고 먹이사슬의 가장 아래 단계는 생산자입니다. ⑤ 신재생 에너지는 기존의 화석 연료를 재활용하거나 재생 가능한 에너지를 변환시켜 이용하는 에너지로 태양 에너지, 지열 에너지, 해양 에너지, 바이오 에너지 등이 있습니다.
5. 글의 흐름을 보면, 1~3문단에서 원인 분석을 하며 산성비 및 다른 원인들이 나옵니다, 4문단에서 해결의 필요성, 5~끝 문단에서 해결의 방안이 나옵니다.
6. 그래프에서는 황산화물인 이산화황의 배출이 아시아에서 해가 갈수록 심해진다는 사실을 알려주고 있어요. 본문에서 황산화물이 산성비의 주된 원인이라고 말했으므로, 아시아의 호수의 산성화가 심해질 것으로 예상할 수 있습니다.
7. 글에서 같거나 비슷한 모양의 구절을 찾아서 빈칸에 들어갈 낱말을 구하세요.

어휘력 키우기

다지기 (1) 건강을 지탱하는 지름길이라는 의미이므로 '유지'가 빈칸에 적절합니다.
(2) 유산소 운동은 지방을 태우는, 즉 지방 연소에 효과적입니다.
(3) 애초에 근원부터 금지된다는 의미이므로 '원천적'과 바꾸어 쓸 수 있습니다.

넓히기 (1) 떨어져 거름이 되는 것은 낙엽입니다.
(2) 장난으로 그린 그림이나 글자이므로 '낙서'와 바꾸어 쓸 수 있습니다.
(3) 아주 높은 곳에서 낮은 곳으로 떨어진다는 의미이므로 '낙하'가 빈칸에 적절합니다.

22 세계 속의 고려

본문 102쪽

1 ③ 2 대외 관계(외교 관계) 3 ④
4 ⑤ 5 ④ 6 중국
7 ① 적대, ② 벽란도, ③ 아라비아

어휘력 키우기

뜻 (1) ㉠ (2) ㉢ (3) ㉡
다지기 (1) 허울 (2) 우호적 (3) 적대적
넓히기 (1) 교통 (2) 교류 (3) 교체

1. 글은 고려와 주변 나라의 관계를 주요한 내용으로 다루고 있어요.

> 고려의 대외 관계(1문단) → 북방민족에 맞섰던 고려(2문단) → 고려와 송의 친밀한 관계(3문단) → 고려와 주변 나라들의 무역 활동(4문단) → 고려의 화폐와 상업
> ⇨ 고려 시대의 대외 관계와 경제

2. 어느 한 문단의 내용에 치우치지 않도록 하는 것이 중요해요.
3. 몽골이 고려를 괴롭힌 것은 고려 초기부터가 아니라 중기 이후이지요.
4. 마지막 문단의 '조정에서는 화폐 사용을 늘리려고 노력하였지만 큰 효과를 보지는 못하였습니다.'를 통해 알 수 있습니다. 화폐보다는 쌀이나 옷감을 이용하여 물건을 사고파는 것이 더 익숙했기 때문에 고려 시대 사람들은 화폐를 많이 사용하지 않았습니다. 그렇다면 고려 이후인 조선 시대부터 화폐를 널리 사용했을 것이라 짐작할 수 있습니다.
   ① 통일 국가였지만 단일 민족인지는 판단하기 어렵습니다.
   ② 사실이 아닙니다.
   ③ 사실이 아니며 미루어 알 수 있는 내용도 아닙니다.
   ④ 사실이 아닙니다.
5. ㉠은 고려와 송이 서로 이익이 된다고 생각하여 우호적인 관계를 맺었다는 뜻이에요.
6. 오늘날 우리나라와 중국은 군사, 외교, 경제의 측면에서 서로 도움이 된다고 해서 우호적인 관계를 맺고 있죠.
7. 첫째, 둘째 문단은 대외 관계에 관한 내용이고, 셋째, 넷째 문단은 무역 활동에 관한 내용이에요.

어휘력 키우기

다지기 (1) 실속이 없어 보여도 칭찬은 들을수록 기분이 좋지요.
(2) 사이가 좋았었는데 갑자기 태도를 바꾸었다.
(3) 의견이 맞지 않아 적과 같이 대한다는 의미로 '적대적'이 적절합니다.

넓히기 (1) 배는 중요한 교통수단입니다.
(2) 요즘은 나라 사이에 교류가 참 활발한 세상입니다.
(3) 경기를 하던 선수가 부상을 당하면 다른 선수가 대신해야 합니다.

23 기상 관측 기구

본문 106쪽

1 ①　　2 기상 관측 기구　　3 ②

4 ①　　5 ⑤　　6 ⑤

7 측우기, 수표, 풍기

어휘력 키우기

뜻 (1) ㉢　(2) ㉡　(3) ㉠

다지기 (1) 나부끼며　(2) 보완　(3) 후대

넓히기 (1) 관광　(2) 관점　(3) 관측

1. 설명문, 논설문에서는 대체로 첫 문단에 주제가 무엇이 될 것인지 알려주는 문장이 나와요. 이 글에서도 '농사에 필요한 기상 관측을 위한 기구'로 요약될 수 있는 중심 어구가 첫 문단에 나타나고 있어요.

농사를 위한 기상 관측(1문단)
↓
빗물의 양을 측정했던 여러 가지 기구(2문단)
↓
바람을 관측하기 위한 도구(3문단)
↓
오늘날의 기상 관측 기구(마지막)

⇨ 조선시대의 기상 관측 기구

2. 글의 주된 내용으로 조선시대의 비의 양을 측정했던 기구, 바람을 관측하기 위한 도구 등을 설명했어요.
3. 글의 둘째 문단 후반부를 보면, 세종 때 만든 수표는 전하지 않는다고 했어요.
4. 글에서 비, 바람 등 기상 요소는 농사에 큰 영향을 미친다고 했죠.
5. '풍기'는 바람의 방향, 세기를 재기 위해 만든 깃발이에요.
6. 기상 위성은 태풍과 미세먼지의 경로, 강수량, 바람의 세기 등 다양한 정보를 관측해요. 통신 정보는 통신위성이 제공합니다.
7. 글의 둘째, 셋째 문단에 설명되어 있습니다.

어휘력 키우기

 (1) 바람에 머리칼이 가볍게 흔들리는 것을 '나부끼다'라고 합니다.

(2) 모자라거나 부족한 자료를 보충하는 것을 '보완하다'와 바꾸어 쓸 수 있습니다.

(3) 깨끗한 자연환경을 물려주어야 하는 대상을 보기 중 찾으면 '후대'가 적절합니다.

넓히기 (1) 제주도는 우리나라의 대표적인 관광 명소이지요.

(2) 사물을 바라볼 때 생각하는 태도나 방향을 '관점'과 바꿔 쓸 수 있습니다.

(3) 은하수 관측은 평생 잊지 못할 추억이 될 것입니다.

24 베니스의 상인

본문 110쪽

1 ⑤　　2 안토니오, 샤일록　　3 ③

4 ①　　5 ②　　6 ① 피, ② 살, ③ 피

7 ① 고리대금업자, ② 재판, ③ 자비, ④ 살, ⑤ 피

어휘력 키우기

뜻 (1) ㉡　(2) ㉠　(3) ㉢

다지기 (1) 자비심　(2) 몰수　(3) 합당

넓히기 (1) 창고　(2) 국고　(3) 금고

1. 연극을 볼 때, 죽을 사람이 살아나게 된다든가, 이른바 극적인 반전이 있을 때 관객은 환호하게 되어요.
2. 갈등을 보이는 중심인물 둘은 안토니오와 샤일록이에요.
3. 미리 음모를 심어두고 맺은 계약을 이행하지 못하게 될 때 위험한 상황이 와요.
4. 이야기에 나타난 인물의 말이나 행동을 보고 판단하세요. 샤일록은 계약대로 해야겠다고 고집을 부리고, 목숨과 관련된 계약을 기어이 실행에 옮겨야 하겠다고 할 만큼 인정이 없습니다. ② 나약한지는 판별하기 어렵습니다. ③ 친구의 위험을 보고 눈물을 흘릴 만큼 정이 많습니다. ④ 셈이 빠르다고 판단할 만한 근거가 보이지 않습니다. ⑤ 재판관으로 변장한 포셔라면 공정하다고 할 수는 있지만 인정에 매여 일을 처리하지는 않았습니다.
5. 샤일록은 자신이 스스로 꾸며 놓은 일로 인해 궁지에 빠졌다고 할 수 있지요. ①은 언 발을 녹이려고 오줌을 누어 봤자 효력이 별로 없다는 뜻이에요. 당장은 해결한 것처럼 보이지만, 그 효력이 오래 가지 못할 뿐만 아니라 결국에는 사태가 더 나빠짐을 비유적으로 이르는 말이지요. ③은 조금씩 줄어 없어지는 경우를 비유적으로 이르는 말이에요. ④는 무엇이 매우 좁다는 뜻이에요. ⑤는 아무리 적고 보잘것없는 것이라도 자기가 직접 가진 것이 더 나음을 비유적으로 이르는 말이에요.
6. 읽은 이야기에도 다시 나온 내용이에요.
7. 이 이야기에 나온 낱말로 빈칸을 채울 수 있어요.

어휘력 키우기

 (1) 할아버지의 부드러운 미소는 자비심과 잘 어울립니다.

(2) 옳지 않게 얻은 재산은 다시 모조리 빼길 위험이 있습니다. '몰수'당할 수 있지요.

(3) '뿌린 대로 거둔다'는 스스로 한 행동의 결과를 제 몫으로 받아들여야 한다는 뜻입니다. '합당'하지요.

 (1) 물건을 저장하거나 보관하는 곳

(2) 나라의 재산을 보관하는 곳이 텅 비어있다고 했어요.

(3) 금화가 두둑이 쌓여 있는 곳이니 '금고'가 적절하지요.

25 분수

본문 114쪽

1 ③ 2 분수 3 ② 4 ④
5 ① 6 인내심(참을성)
7 ① 일어설, ② 버틸, ③ 수그릴

어휘력 키우기

뜻 (1) ㉢ (2) ㉡ (3) ㉠
다지기 (1) 고여 (2) 수그 (3) 추켜
넓히기 (1) 분화 (2) 분무기 (3) 분수

1. 강인함은 2연, 인내심은 3연, 겸손함은 4연에 나타나 있습니다.
2. 대상이 물인데, 키를 세울 줄 알고, '좌르륵' 소리를 내며 떨어질 줄 안다고 묘사하고 있어요.
3. 시에서 2연, 3연, 4연은 모두 물을 사람처럼 비유하고 있어요.
4. 시에서 사용한 말을 보면, 1연은 '아냐'로 끝나서 부정이고, 2연 이하는 '알아(그렇다)'라고 수긍하는 내용이어서 긍정이라 할 수 있죠.
5. '고개를 추켜들었다.'는 '건방지고 오만하다.'라고 할 수 있어요.
6. 시에서는 물이 가진 미덕으로 강인함, 인내심, 겸손함을 들었어요. 이 미덕 중 하나를 골라 표를 채워 보세요.
7. 시에 있는 낱말을 활용하여 채워 보세요.

어휘력 키우기

다지기 (1) 슬픔으로 눈물이 '고였다'가 적절합니다.
(2) 왠지 창피해서 얼굴이 붉어지면 고개를 깊이 숙이게 되지요.
(3) 잡은 고리가 자랑스러워 '높이 들었다'의 의미는 보기 중 '추켜들었다'입니다.

넓히기 (1) 화산이 불을 내뿜는 것을 '분화'라 해요.
(2) 화분에 약을 치거나 물을 줄 때 사용하는 도구
(3) 솟구쳐오르는 '분수'가 가슴을 시원하게 하지요.

어휘·어법 총정리 5주차

본문 118쪽

어휘 1 교류 2 관점
3 상부상조 4 고이다
5 허울 6 후대
7 합당하다 8 면모

어법 1 추켜들다 2 곳간
3 꼿꼿이 4 나부끼며
5 화폐 6 생태계, 파괴
7 낙엽 8 갑각류
9 폐수 10 우호적

6주차

26 어린이 보행 안전

본문 120쪽

1 ④ 2 어린이, 안전 3 ⑤
4 ④ 5 ④ 6 ①
7 ① 안전시설, ② 안전 수칙

어휘력 키우기

뜻 (1) ㉡ (2) ㉢ (3) ㉠
다지기 (1) 분포 (2) 유형 (3) 잦다
넓히기 (1) 과거 (2) 과속 (3) 사과

1. 어린이 교통사고가 심각한 사회 문제임을 밝히고 이를 예방하기 위한 방안과 노력을 힘주어 말한 글이에요.
2. 어린이 보행 안전에 초점을 맞추어 교통 당국과 어린이 스스로 어떤 일을 해야 하는지 의견을 말했습니다.
3. 어린이가 스스로 할 수 있는 일이라 했어요. 끝 문단에서 확인할 수 있어요.
4. 문장을 잘 살펴보면, 어린이가 꿈을 꾸는 것이 아니라 우리가 어린이들을 희망과 꿈으로 생각하는 것입니다.
5. 첫 문단에 문제가 무엇인지 말하고, 둘째 문단부터 끝까지 그 문제를 해결할 방안을 제시했어요. ① 첫째, 둘째, 셋째라는 낱말과 더불어 여러 항목으로 늘어놓는 방법이에요. ② 일이 이루어지는 순서에 따르는 방법이에요. ③ 사건의 원인을 먼저 말하고 그 결과를 잇는 방법이에요. ⑤ 대상 둘을 공통점이나 차이점으로 견주어가는 방법이에요.
6. 초등학생들의 바깥 활동 제한은 해결책으로 알맞지 않아요. 보행 활동을 하는 아이들을 대상으로 삼는 방안이어야 해요.
7. 글에서 무엇을 문제 삼았는지, 해결 방법은 무엇이었는지 다시 확인해 보세요.

어휘력 키우기

다지기 (1) 광범위하게 흩어져 퍼져 있다는 의미이므로 보기 중 '분포'가 적절합니다.
(2) 생물은 동물과 식물의 두 틀로 나뉩니다. 여기서 '틀'보다 '유형'을 넣으면 더 정확한 표현이 됩니다.
(3) 부상이 자주 있다는 의미이므로 '잦다'와 바꿔 쓸 수 있습니다.

넓히기 (1) 지금은 아니지만 예전에 경찰이었다는 의미입니다. 빈칸에 '과거'가 적절합니다.
(2) 빗길에서 과속 운전하는 것은 매우 위험하지요.
(3) 실수를 했으면 자기 잘못을 인정하고 용서를 비는 '사과'를 해야 합니다.

27 지속 가능한 발전

본문 124쪽

1 ④　　2 지속 가능, 발전　　3 ①

4 ①　　5 ②

6 예 자전거 이용하기, 자원 아껴 쓰기, 식물 가꾸기

7 ① 성장, ② 인구

어휘력 키우기

뜻 (1) ㉡　(2) ㉢　(3) ㉠

다지기 (1) 지향　(2) 경종　(3) 파국

넓히기 (1) 취소　(2) 소모　(3) 소비

1. 어떤 문단에서 다룬 개념인지 짝을 지어보세요. 환경 훼손, 인구의 폭발적인 증가, 자원 고갈, 사회적 불평등이 원인이 되어 성장이 한계에 이르렀음을 알려주고 있습니다.국가끼리 서로 다투고 싸운다는 내용이 나오는 문단은 없어요.
2. 글의 첫머리에 나와서 여러 번 다시 나타난 구절이에요.
3. 넷째 문단을 통해 확인할 수 있습니다. 사람들의 생존을 위태롭게 할 정도여야 가장 중요한 원인이라 할 수 있습니다. 무엇보다 중요한 원인은 20세기 접어들어서 시작된 인구의 폭발적인 증가라 할 수 있습니다. 이는 연쇄적으로 환경 훼손과 자원 고갈, 사회적인 불평등을 불러왔습니다. ② 원인 중의 하나가 될 수 있지만 그다지 중요한 원인은 아닙니다. ③ 풍족한 삶은 게으른 태도를 불러일으키지만 성장을 멈추게 하는 직접적인 원인이 되지는 않습니다. ④ 원인 중의 하나이지만 치명적이지는 않습니다. ⑤ 원인과 무관합니다.
4. 사람들의 지나친 욕심과 그에 따른 사회적 불평등이 성장의 한계에 이르게 하는 원인이라는 점에서 남을 배려하는 마음은 지속 가능한 발전을 위한 바람직한 태도라 할 수 있어요.
5. 지향하다는 '(사람이나 단체가 어떤 목표를) 뜻을 모아 향하다.'라는 뜻입니다. ① 총체적은 '있는 것들을 모두 하나로 합치거나 묶은 것.', ②의 허위·과장 광고는, 뜻을 모아 향해야 할 것이 아니라 하지 말아야 할 것입니다. '지양하다'라는 낱말이 어울립니다. ③ 파국은 '어떤 일이나 상황이 잘못되어 완전히 깨어짐.', ④ '이념적은 '이상적인 것으로 여겨지는 생각이나 견해에 기초를 두거나 그에 관한 것', ⑤ 의제는 '회의에서 의논할 문제.'입니다.
6. 학교와 가정에서 자신이 할 수 있는 일을 생각해서 써 보세요.
7. 지속 가능한 발전의 의미와 그를 위한 노력을 요약한 것이어야 해요.

어휘력 키우기

다지기 (1) 자유와 평등은 인류가 나아갈 목표이죠.

(2) 안전 불감증이란 '안전사고에 대한 인식이 둔하거나 안전에 익숙해져서 사고의 위험에 대해 별다른 느낌을 갖지 못하는 일.'입니다. 따라서 이를 경계하여 주는 주의나 충고라는 의미로 빈칸에 '경종'이 적절합니다.

(3) 욕심이 그들의 우정을 결딴나게 했다.

넓히기 (1) 야외 행사일 경우 비가 오면 예정된 행사를 하기가 어렵지요.

(2) 사소한 일에 시간을 써서 없앤다는 의미이므로 '소모'가 적절합니다.

(3) 건강을 위해 채소를 산다는 의미이므로 '소비'가 적절합니다.

28 한국의 김치 이야기

본문 128쪽

1 김치, 별난 이름, 김치　　2 김치　　3 ①

4 ②　　5 ④　　6 ① 큰일, ② 잘난

7 ① 재료, ② 인색

어휘력 키우기

뜻 (1) ㉡　(2) ㉢　(3) ㉠

다지기 (1) 서걱거리는　(2) 하잘것없는　(3) 묵은

넓히기 (1) 요금　(2) 재료　(3) 요리

1. 첫 문단의 끝 문장에 중심 내용으로 삼을 것을 밝혔어요. 그리고 여섯째 문단부터 김치와 관련한 속담이 나타나요.
2. 글의 첫머리에 나타나서 글이 끝날 때까지 여러 번 나타났어요.
3. '서거리 김치'는 소금에 절인 명태 아가미를 넣고 담근 깍두기라고 했어요. 곧 부재료에 따른 이름입니다.
4. 글의 첫머리에 '김치는 주로 주재료나 추가로 들어가는 재료에 따라 이름이 달라져요.'라고 한 말 그대로예요.
5. ④의 ㉣은 '일', '경우'의 뜻을 나타내는 의존 명사 '데'가 쓰였습니다. 의존 명사는 꾸며주는 앞말이 필요하고, 혼자 쓰이지 못하는 낱말입니다. '것', '수', '뿐', '데' 등입니다. 따라서 '이르는 데'처럼 꾸며주는 앞말 '이르는'과 의존 명사 '데'는 띄어 써야 합니다. 나머지는 '는데'로 뒤에서 어떤 일을 설명하거나 묻거나 시키거나 제안하기 위하여 그 대상과 상관되는 상황을 미리 말할 때 쓰는 낱말입니다. 따라서 '하는데, 꾸는데, 않는데'처럼 띄어 쓰지 않고 동사의 변하지 않는 부분에 붙여 씁니다.
6. 김치와 관련된 속담은 대체로 못난 사람을 빗대어 표현할 때 사용해요.
7. 별난 이름의 김치는 재료를 떠올리기 어렵다고 했어요. 김치와 관련된 속담은 부정적인 인상이 있는 사람과 관련이 있어요.

어휘력 키우기

다지기 (1) 맨발로 눈을 밟는 소리는 '서걱거리는' 소리입니다.

(2) 시시하고 대수롭지 않은 일이라는 뜻이므로 '하잘것없는 일'과 바꾸어 쓸 수 있습니다.

(3) 오래됨을 '묵다'로 표현하기도 합니다.

넓히기 (1) '시설 이용', '비싸서'와 어울리는 말은 '요금'입니다.

(2) 문장에서 장을 담글 때 필요한 '재료'를 나열했습니다.

(3) 으깬 감자 '요리'입니다.

29 주시경

본문 132쪽

1 ⑤ 2 한글 운동(한글 사랑, 한글 연구)
3 ① 4 ④ 5 ② 6 ①, ④
7 ① 우리말 문법책, ② 독립신문, ③ 우리말, ④ 우리글, ⑤ 맞춤법

어휘력 키우기

뜻 (1) ㉠ (2) ㉡ (3) ㉢
다지기 (1) 새삼 (2) 영영 (3) 못마땅한
넓히기 (1) 문법 (2) 문명 (3) 주문

1. 주시경은 우리말의 발음과 우리글의 표기, 그 편리함과 우수함을 연구하고 가르치는 데 평생을 바쳤다고 했어요.
2. 한글 사랑, 한글 연구, 한글 가르치기에 평생을 바쳤어요. '한글'이라는 이름도 주시경이 붙였답니다.
3. 우리말을 '국어', 우리글을 '한글'이라 부르며 둘을 연구하는 데 온힘을 기울였습니다. ① 서재필과 함께 「독립신문」을 만들고, 『대한국어문법』을 집필했습니다. ② 주시경의 계몽 운동은 주로 우리말 발음과 우리글 쓰기에 맞추었습니다. ③ 글자꼴에 대해서 관심을 드러낸 적은 없습니다. ④ 주시경은 병으로 쓰러져 외국에 나가지 못했습니다. 독립운동에 대해 광고한 사실도 없습니다. ⑤ 한글 맞춤법 통일안의 기초에 대해서는 기여를 했으나 제정은 후세의 학자들이 하였습니다.
4. ㉡의 뒤에 이어지는 내용을 보면 『말모이』, 곧 우리말 사전을 편찬하는 데 애썼음을 알 수 있어요.
5. '넉넉지'는 기본형이 '넉넉하다'입니다. '하다'가 붙어 만들어진 말에서 '하'의 바로 앞이 'ㄱ, ㄷ, ㅂ, ㅅ'이면 꼴바꿈을 할 때, '하'를 송두리째 날려요. 그래서 '넉넉치'가 아니라 '넉넉지'가 되어요. '가난치', '무심치'는 기본형이 '가난하다', '무심하다'이지만, '하'의 앞이 'ㄴ', 'ㅁ'이기 때문에 '하'를 살려 '가난치', '무심치'로 표기하는 것이 맞습니다. 한편, '서슴지', '삼가지'는 기본형이 '서슴다', '삼가다'이기 때문에 앞의 것들과 구별됩니다.
6. 소리 나는 대로 글자로 옮길 수 있음을 말하고 있어요.
7. 간추린 말은 주시경의 업적을 요약하는 데 필수적이에요.

어휘력 키우기

다지기 (1) 이렇게 말을 잘하는 줄 '다시금 새롭게' 안 것이므로 '새삼'이 빈칸에 적절합니다.
(2) '영원히 돌아오지 않았다'라는 의미이므로 '영영 돌아오지 않았다'와 바꾸어 쓸 수 있습니다.
(3) 얼굴을 찌푸린 것을 보니 마음에 들지 않고, 못마땅했나 봅니다.

넓히기 (1) '문법에 맞다'라는 것은 '우리말과 글을 쓰는 규칙에 맞다'는 뜻입니다.
(2) 고대 문명은 '인간의 역사에서 가장 이른 시기의 문명'입니다.
(3) 주문을 먼저 받은 다음에 상품을 생산하는 일을 '선주문 후생산'이라고 하기도 합니다.

30 언젠가는 나도, 들깨 털기

본문 136쪽

1 ③ 2 (가) 올챙이, (나) 들깨 터는 아이
3 ② 4 ① 5 ④
6 (가) 웅덩이, 올챙이, (나) 들깨 터는
7 ① 노래 부르, ② 뛰어오르, ③ 개구리

어휘력 키우기

뜻 (1) ㉢ (2) ㉡ (3) ㉠
다지기 (1) 단 (2) 볼품 (3) 꽁지
넓히기 (1) 늠연 (2) 늠름

1. (가)에서는 숨죽여 사는 올챙이가 언젠가는 늠름한 줄무늬 개구리가 되리라 희망하는 목소리를 내고 있어요. (나)에서는 아무리 보잘것없는 들깨 알이라도 생명을 살릴 수 있다는 따뜻한 생명 사랑의 정신이 드러나 있어요. 모두 긍정적인 삶의 태도를 보여줍니다.
2. (가)와 (나)에 나온 말을 사용하여 답을 써야 해요.
3. ㉠은 개구리의 울음소리, ㉡은 작은 물체가 자꾸 튀어 오르는 소리니까 ㉠, ㉡ 모두 청각적 표현이네요.
4. 올챙이에 빗대어 미래에 되고 싶은 모습을 드러냈어요.
5. 아이가 한 말, 할머니가 한 말을 따옴표에 넣어 표현했어요.
6. (가) 웅덩이에 숨죽여 사는 올챙이, (나) 들깨 터는 아이
7. 시에 나온 낱말을 찾아 흐름에 맞게 써 보세요.

어휘력 키우기

(1) 채소의 묶음을 '단'이라고 합니다.
(2) 구김살이 생긴 넥타이는 볼품없지요.
(3) 아기 강아지가 어미만 졸졸 따라다니나 봅니다.

넓히기 (1) 위풍당당함과 어울리는 모습은 '늠연'입니다.
(2) 의젓하고 자신만만한 모습은 '늠름'이 어울립니다.

어휘·어법 총정리 6주차

본문 140쪽

어휘
1 지향하다 2 계기
3 소모 4 경종
5 새삼 6 분포
7 수염 쓴다 8 파국

어법
1 잦다 2 하잘것없다
3 넉넉지 4 깨닫고
5 서슴지 6 꼼꼼히
7 늠름한 8 헝겊

7주차

31 한지돌이

본문 142쪽

1 ④ 2 한지 3 ② 4 ③
5 ④ 6 ㉣, ㉤
7 ① 가볍다, ② 부드럽다, ③ 온도, ④ 습도

어휘력 키우기

뜻 (1) ㉢ (2) ㉠ (3) ㉡
다지기 (1) 바랜 (2) 일쑤 (3) 엉기어
넓히기 (1) 편지 (2) 한지 (3) 휴지

1. 글의 전반부에서는 한지가 만들어지는 과정을 순서에 따라 설명했고, 후반부에서는 한지의 쓰임새를 나열했습니다.
2. '돌이'가 붙은 말이 끝 문단에 나와요.
3. 글에서 넷은 한지를 달리 표현한 것들임을 알 수 있어요.
4. 글에 나온 '더운 날에는 찬 공기 들여 시원하게 하고, 추운 날에는 더운 공기 잡아 따뜻하게 하지.'라는 구절에서 알 수 있어요.
   ① 한지가 직접 바깥의 차가운 기운을 막아 줄 수 있는지는 알 수 없습니다.
   ② 이러면 점점 추워지지요.
   ④ 이러면 보온 효과가 없습니다.
   ⑤ 보온이 문제이지 습도 조절이 문제가 된 것이 아닙니다.
5. 글의 내용에 따르면, '한지'는 종이예요.
   ④ 닥나무로 만든 종이라는 뜻
6. 글에 나온 내용을 정리해보면, ㉥, ㉣, ㉤, ㉠, ㉡, ㉢의 순서로 만들어져요.
7. 글에 나온 특성을 그대로 옮기거나 정리한 내용을 바탕으로 떠올려 볼 수 있어요.

어휘력 키우기

다지기 (1) 벽지가 누렇게 색이 변한 것을 '색이 바랬다'라고 표현합니다.
(2) 밤을 새우는 것이 흔하고, 으레 그러는 일이라는 뜻입니다. 보기 중 '일쑤'가 적절합니다.
(3) 배춧잎에 진딧물이 '떼지어 달라붙었다'라는 의미이므로 '엉기어 있었다'와 바꾸어 쓸 수 있습니다.

넓히기 (1) 어버이날에 부모님께 쓰는 것은 '편지'입니다.
(2) 연에 쓸 종이는 한지가 제일이지요.
(3) 거울에 자국이 나면 보통 '휴지'로 문질러 닦습니다.

32 고조선 사회의 이해

본문 146쪽

1 ② 2 이야기, 법, 도구 3 ①
4 ⑤ 5 ③ 6 하늘 7 ① 하늘, ② 농경, ③ 곰

어휘력 키우기

뜻 (1) ㉠ (2) ㉢ (3) ㉡
다지기 (1) 숭배 (2) 비현실적 (3) 소유
넓히기 (1) 비행 (2) 집행 (3) 선행

1. 글 전체 내용에 대한 물음으로 적절한 것을 골라야 해요.
   ① 넷째 문단에 대해서만 적절한 물음이에요. ③ 글에서 답하지 않은 물음이에요. ④ '누가'에 대해서는 답할 수 없어요. ⑤ 글에는 다른 나라의 건국에 관한 내용이 나타나지 않으므로 글을 읽고 답할 수 없는 물음이에요.

   고조선의 건국 이야기(1문단)
   ↓
   고조선 건국 이야기에 담긴 여러 가지 뜻(2문단)
   ↓
   고조선 사회의 특징과 사람들의 생활 모습(3문단)
   ↓
   고조선의 의식주 생활(4문단)

   ⇨ 고조선의 건국과 사회 생활의 특징
2. 글에 나온 낱말로 답해야 해요. 각각 둘째, 셋째, 넷째 문단의 내용을 펼치면서 자료로 삼고 있어요.
3. 첫머리에서 환웅이 하늘의 아들임을 내세워 신성함을 강조했어요.
4. 글에서 직접 말하지 않고, 읽은 내용을 바탕으로 새롭게 떠올린 내용이어야 해요.
5. 이런 문장을 도입 문장이라고 해요. 뒤에 이어지는 내용을 소개하는 구실을 해요.
6. 신라와 고구려의 건국 이야기 모두 알에서 태어난 아이가 나와요. 둥근 알은 곧 태양을 의미했기 때문에, 알에서 태어난 사람은 하늘에서 내려준 신의 아들이라고 믿었던 거지요. 또한 나라를 세우는 사람을 특별하게 만들어서 백성들이 왕을 더 잘 따를 수 있게 만들었어요.
7. 역시 둘째, 셋째, 넷째 문단에서 구체적으로 설명한 내용을 순서에 따라 간추릴 수 있어요.

어휘력 키우기

다지기 (1) 우러러 공경했다는 말이 나와야 해요.
(2) 현실에 볼 수 없는 장면들이 '비현실적'인 장면들이지요.
(3) 자연은 누구 하나가 가질 수 있는 것이 아니에요.

넓히기 (1) 새는 공중으로 날 수 있어요.
(2) 나라에서 돈을 어떻게 썼는지 발표하는 것입니다.
(3) 착한 행동은 '감동'을 줍니다.

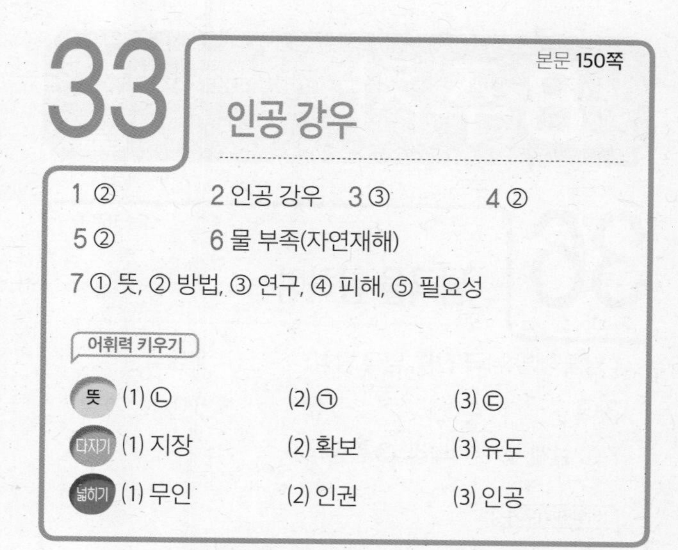

33 인공 강우

본문 150쪽

1 ② 2 인공 강우 3 ③ 4 ②
5 ② 6 물 부족(자연재해)
7 ① 뜻, ② 방법, ③ 연구, ④ 피해, ⑤ 필요성

어휘력 키우기

뜻	(1) ㉡	(2) ㉠	(3) ㉢
다지기	(1) 지장	(2) 확보	(3) 유도
넓히기	(1) 무인	(2) 인권	(3) 인공

1. 인공 강우의 실행 방법과 사례, 그것이 초래할 문제점 등이 중심 내용이에요.

인공 강우의 뜻과 만드는 방법
↓
인공 강우 연구가 필요한 경우
↓
인공 강우의 연구와 개발의 필요성

⇨ 인공 강우 방법과 문제점

2. 글에 수없이 반복되어 나타났어요.
3. 물 문제, 특히 물 부족 문제를 강조하였어요.
4. 구름 씨를 뿌리더라도 상공에 빗방울로 자랄 만한 물방울이 부족하면 비가 내리기 어려워요.
   ① 빗방울을 만드는 데 구름 씨의 무게는 중요하지 않습니다.
   ③ 많이 뿌렸다면 비가 올 수 있는 가능성이 커졌을 것입니다.
   ④ 주변 지역의 비와는 상관이 없습니다.
   ⑤ 구름 씨는 물방울이 있을 만한 높이에 뿌려집니다.
5. ㉠의 앞은 긍정적 내용, 뒤는 부정적 내용으로, 내용을 뒤집어 이어 가는 접속어가 와야 해요.
6. 미리 비가 오도록 하여 피해를 줄이거나, 불편을 덜고자 하는 시도여야 합니다.
7. 문단의 흐름에서 중심 낱말을 찾아 쓰면 됩니다.

어휘력 키우기

다지기 (1) 공사장 소음으로 수업이 방해를 받고 있다는 뜻입니다.
(2) 기업이 경쟁력을 확실하게 보증하려면 기술 개발이 시급하다.입니다.
(3) 상대편의 실수를 이끌어 내어 승리했다는 뜻입니다.

넓히기 (1) 사람이 없는 판매점
(2) 인간으로서 당연히 가지는 권리
(3) 사람이 만든 호수

34 온계리의 어진 아이

본문 154쪽

1 ② 2 학문, 과정 3 ④
4 ② 5 ⑤ 6 자기 주도
7 ① 몸소, ② 미루어, ③ 깨끗한

어휘력 키우기

뜻	(1) ㉢	(2) ㉠	(3) ㉡
다지기	(1) 본분	(2) 여의	(3) 부질없는
넓히기	(1) 수양	(2) 영양	(3) 교양

1. 글에 나왔다고 답이 되는 것은 아니에요. 초점을 맞추어 집중적으로 드러낸 것이어야 해요.
2. 퇴계 이황하면 '학문'이죠. 어떻게 이 길로 들어섰는지 쓴 글이에요.
3. 글을 보면, 퇴계가 성균관에서 공부하면서 『심경부주』를 새기기 위해 골똘히 연구에 힘쓰면서부터 본격적으로 학문의 길에 들어섰어요.
4. 나아가고자 한 세계는 최소한의 생존의 조건으로 만족할 수 있는 소박한 세계, 곧 자연입니다. 자연이란 꾸미지 않고 저절로 그렇게 있는 세계를 뜻합니다.
   ① '모래'는 가재가 노니는 배경일 따름입니다.
   ③ 나아가는 방향만 지시합니다.
   ④ 가재가 살 수 있는 최소한의 요건을 뜻합니다.
   ⑤ 가재가 나아가고자 하는 방향과 반대 세계인 풍요로움을 뜻합니다.
5. 글에 있는 아버지의 말씀을 보면, 아버지의 가르침은 항상 책을 읽으라는 것이었어요.
6. 스스로 탐구하여 공부하려고 노력하는 방법입니다.
7. 글에 소개된 『심경부주』를 연구하던 때의 방법과 태도에서 확인할 수 있어요.

어휘력 키우기

다지기 (1) 마땅히 해야 하는 책임이나 의무라는 의미가 적절하므로 '본분'이 들어가야 합니다.
(2) 부모님이 돌아가셔서 이별했다는 의미이므로 '여의고'와 바꿔 쓸 수 있습니다.
(3) 문장에서 '쓸모없는'과 바꾸어 쓸 수 있는 말은 '부질없는'입니다.

넓히기 (1) 일기는 자기 마음을 갈고 닦는 데에 도움이 됩니다.
(2) 건강을 위해서는 영양 식단에 맞는 음식을 먹어야 합니다.
(3) 말은 그 사람의 인격과 폭 넓은 지식 수준을 알게 하지요.

35 딱정벌레, 버려진 개들

본문 158쪽

1 ⑤ 2 (가) 딱정벌레, (나) (버려진) 개들
3 ⑤ 4 ③ 5 ⑤
6 ① 생명, ② 소중한(고귀한)
7 ① 싫증, ② 버려진, ③ 주인, ④ 피하는

어휘력 키우기

뜻 (1) ㉡ (2) ㉢ (3) ㉠
다지기 (1) 휙 (2) 쌩쌩 (3) 슬슬
넓히기 (1) 증상 (2) 갈증 (3) 싫증

1. (가)에서는 딱정벌레가 자신이 하찮아 보여도 본능과 생존의 욕구가 있는 소중한 생명임을 내세우고 있고, (나)에서는 버려진 개를 본 사람이, 버려진 개들이 불쌍하고 개가 사람의 사랑과 미움을 알고 있는 것 같다고 말하고 있어요.
2. (가)에서는 말하는 이, (나)에서는 관찰의 대상이 각각 글감이에요.
3. 웃을 줄 안다고 하는 내용은 없습니다.
4. 개들이 외딴섬에 가는 것이 아니라, 주인이 외딴섬에 버린 것이에요.
5. 딱정벌레도 본능이나 욕구가 있다고 주장하는 데 동의하여 '눈빛만 보면 안다.'라고 대답할 것이에요.
6. (가)에서 '보잘것 없지만 살아 있음(생명)을 드러내는 존재', (나)에서 '사랑과 미움을 저절로 아는 생명'에서 '생명의 고귀한(소중한)' 가치를 말하고 있어요.
7. 시에 있는 낱말을 활용하여 채워 보세요.

어휘력 키우기

다지기 (1) 쓰레기를 던지는 모양과 어울리는 낱말은 '휙'입니다.
(2) 차들이 빠르게 달리는 모양과 어울리는 낱말은 '쌩쌩'입니다.
(3) 슬그머니 눈치를 보는 모양과 어울리는 낱말은 '슬슬'입니다.
넓히기 (1) 병을 앓을 때 나타나는 상태를 뜻하므로 '증상'이 어울려요.
(2) 운동장을 뛰었으니 목이 마르고 물을 마시고 싶어지겠죠.
(3) 싫고 지겨운 생각을 드러내는 말이예요.

어휘·어법 총정리 7주차

본문 162쪽

어휘
1 부질없다 2 지장
3 수불석권 4 엉기다
5 뇌우 6 반짇고리
7 유도하다 8 인공

어법
1 일쑤였다 2 얇게
3 빛어 4 찧어
5 삐친 6 움큼
7 여윈 8 싫증

8주차

36 남극을 향하여

본문 164쪽

1 남극 개발(남극 진출, 남극 탐험) 2 남극
3 ⑤ 4 ① 5 ③ 6 ① 눈, ② 땅
7 ① 설계, ② 우리나라, ③ 준공식

어휘력 키우기

뜻 (1) ㉠ (2) ㉡ (3) ㉢
다지기 (1) 상주 (2) 매장 (3) 준공
넓히기 (1) 남극 (2) 적극 (3) 극단

1. 1985년 등정과 탐험으로 시작하여 두 개의 과학기지를 세워 남극을 연구 개발하게 된 과정을 설명한 글이에요.

우리나라가 일찍부터 관심을 가져온 남극 대륙(1문단)
↓
본격적인 남극 탐험(2문단)
↓
남극 조약 가입(3문단)
↓
세종과학기지의 남극 연구(4문단)
↓
장보고과학기지 완공 이후의 남극 연구(5문단)

2. 가장 자주 등장하는 낱말입니다.
3. '남극 조약'에 관한 설명은 셋째 문단에 자세히 나와요. 영토권 주장은 평화적 이용과 모순됩니다.
4. 둘째 문단을 보면, '탐험'이 가장 먼저 한 일이에요.
5. 지각 운동이란 '지구 내부의 원인으로 일어나는 지각의 움직임과 그것에 의한 지각의 변형'입니다. 여기서 지각이란 지구의 바깥쪽을 차지하는 부분이라는 뜻입니다.
6. 글의 내용에 미루어 스스로 떠올려서 빈칸을 채워야 해요.
7. 글에서 설명한 주요 내용을 순서에 따라 정리해 보세요.

어휘력 키우기

다지기 (1) 섬에서 살고 있는 사람을 상주하는 사람이라고 합니다.
(2) 석유는 땅속에 묻혀 있으므로 '매장'입니다.
(3) 도서관 공사를 마친 것을 축하하는 의식은 준공식입니다.
넓히기 (1) '탐험'과 연결될 수 있는 말은 '남극'입니다.
(2) 긍정적이고 능동적으로 공격을 펼쳤다는 의미이므로 '적극'이 빈칸에 적절합니다.
(3) 절망이 끝까지 진행되어 더 나아갈 데가 없는 상태는 '절망의 극단'과 바꾸어 쓸 수 있습니다.

37 지구가 둥근 증거

본문 168쪽

1 ③ 2 지구, 모양 3 ④
4 ⑤ 5 ② 6 한 방향
7 ① 둥글다, ② 돛대, ③ 높아진다

어휘력 키우기

뜻 (1) ㉢ (2) ㉡ (3) ㉠
다지기 (1) 훗날 (2) 편평한 (3) 점차
넓히기 (1) 피구 (2) 전구 (3) 지구

1. 글의 넷째 문단 이하의 내용을 간추리면 중심 내용이 됩니다.

고대인들의 우주관(1문단)
↓
지구가 둥글다는 것을 알게 된 사람들(2문단)
↓
지구가 둥글다는 과학적 증거 등장(3문단) → 지구가 둥글다는 과학적 증거 1, 2, 3(4, 5, 6문단)
↓
지구가 둥글다는 생각(마지막)

2. 지구의 모양에 대한 고대인들의 생각, 증명에 의해 밝혀낸 그 이후의 생각이 모두 실려 있는 글이에요.
3. 피타고라스는 주변의 자연물이 둥근 모양인 것을 보고 지구도 둥글다고 생각했을 뿐 과학적으로 증명한 것은 아니죠.
4. 북극성이 위도가 높아질수록 높이 보이는 것과 같은 이치로 생각할 수 있습니다. 즉 지구가 둥글기 때문에 높이 올라갈수록 시야가 넓어져서 멀리까지 볼 수 있습니다.
   ①, ②, ③은 글에서 과학적인 증거가 아니라고 밝혔습니다.
   ④ 사람들의 관심이 과학적인 증거가 될 수는 없습니다.
5. 이것과 저것이 비슷하니까 이것과 저것이 지니고 있는 성질들도 비슷하다고 생각한 유추입니다.
6. 한 방향으로 계속 항해하여 제자리로 돌아왔다는 사실이 지구가 둥글다는 증거입니다.
7. 셋째 문단부터 나온 내용을 요약해 보세요.

어휘력 키우기

(1) 앞으로 다가올 미래에 역사가 말해줄 것이라는 의미이므로 빈칸에 '훗날'이 적절합니다.
(2) 들판의 모양을 꾸며주는 말로 보기 중 '편평한'이 적절합니다.
(3) 차례를 따라 조금씩 성적이 나아지고 있다는 의미이므로 '점차'가 빈칸에 적절합니다.

넓히기 (1) 공으로 상대편 몸을 맞히고 날아오는 공을 피하는 경기는 피구이지요.
(2) '전구가 다 되다'는 전구를 쓸 수 있을 때까지 다 쓴 상태라는 뜻입니다.
(3) 지구는 하나뿐이니 아끼고 소중히 해야 하지요.

38 우리가 보는 빛, 동물이 보는 빛

본문 172쪽

1 ② 2 눈 3 ⑤ 4 ②
5 ① 6 ① 원추 세포, ② 간상 세포
7 ① 모양, ② 움직이는, ③ 적외선, ④ 조각조각

어휘력 키우기

뜻 (1) ㉠ (2) ㉢ (3) ㉡
다지기 (1) 다채롭게 (2) 흩날리고 (3) 우중충한
넓히기 (1) 시력 (2) 감시 (3) 무시

1. 생존을 위해 동물들이 제각기 다른 방법으로 대상을 보기 때문에 모습이 다르게 비친다는 것이 중심 내용이에요.

생존을 위해 적응해온 동물의 눈(1문단)
↓
색을 구별 못하는 개와 소(2, 3문단) → 움직이는 것만 보는 개구리(4문단) → 적외선을 보는 뱀의 눈(5문단) → 사물을 정확히 못 보는 곤충의 눈(6문단)

2. 물음에서 '사람과 동물의 무엇'이라고 답이 될 내용을 정확히 지시하고 있어요.
3. 뱀은 가시광선 이외에 적외선까지 볼 수 있다고 했습니다. 하지만 뱀이 어떤 종류의 옷을 입었을 때 특별히 볼 수 있거나 없다는 내용은 보이지 않아요.
   ①과 ②는 첫 문단에서 확인할 수 있는 내용입니다.
   ③ 어떤 깃발을 들든 소가 공격한다고 했습니다.
   ④ 개구리는 움직이는 물체만 공격한다고 했습니다.
4. 소는 대상의 움직임을 볼 수 있다고 했으므로 투우사가 달아나도 공격을 멈추지 않겠죠.
5. 사람들이 정확히 알지 못하고 있을 듯한 것에 대해 수수께끼를 하듯이 질문을 던져 흥미를 일으키고 있어요.
6. 둘째 문단에서, '어둡고 밝은 것을 구분하는 간상세포', '색깔을 구별하는 원추 세포'라고 각 세포들에 대한 설명이 나와 있습니다.
7. 각각의 동물들이 대상을 보는 방법을 자세히 설명한 문단을 찾아서 적합한 낱말을 찾아 보세요.

어휘력 키우기

(1) 가족 단위를 위한 행사 종류가 매우 다양하고 서로 어울린다는 의미이므로 빈칸에 '다채롭게'가 적절합니다.
(2) '벚꽃이 바람에 흩어져 날리고 있다'는 뜻입니다.
(3) 비가 쏟아질 것 같은 하늘은 어둡고 침침합니다. '우중충'하지요.

넓히기 (1) 어두운 곳에서 책을 많이 읽으면 시력이 나빠집니다.
(2) '우리를 주의 깊게 살핀다'라는 의미이므로 '감시'가 적절합니다.
(3) 교통 신호를 무시하고 달리면 사고나기 쉬워요.

39 꽃들에게 희망을

본문 176쪽

1 ③ 2 경쟁(다툼) 3 ⑤
4 ③ 5 ① 6 ⑤
7 ① 더 나은 삶, ② 꼭대기, ③ 노랑 애벌레, ④ 애벌레 기둥

어휘력 키우기

뜻 (1) ㉢ (2) ㉠ (3) ㉡
다지기 (1) 집념 (2) 근엄 (3) 얼버무려
넓히기 (1) 차단 (2) 진단 (3) 결단

1. 호랑 애벌레와 노랑 애벌레가 삶의 목표가 무엇인지도 모르고 처음에는 서로 경쟁하다가 경쟁이 가치가 없다는 사실을 알아차리고, 상대와 같은 느낌으로 서로 사랑하는 마음을 가지는 것이 진정한 행복이라는 것을 깨달아가는 모습을 그린 이야기예요.
2. '애벌레 기둥 꼭대기로 올라가려는 모습'이라는 문제의 조건에서 떠올려 보세요.
3. 이야기 후반부에 '그것은 위로 올라가는 일을 포기한다는 의미였습니다. 매우 어려운 결단이었습니다.'를 보면 알 수 있습니다. ①~④는 그동안 애벌레가 해 온 일이었어요.
4. 이 이야기에서는 서로 어울리지 못하고 맞서거나 다투려는 마음과, 이웃을 아끼고 배려하며 어울리려는 마음이 맞서고 있어요. 노랑 애벌레와 호랑 애벌레는 서로를 꼭 끌어안는 행동으로 아끼고 배려하는 마음을 드러냈어요.
5. ㉠은 '몸을 놀려 움직이는 동작.'의 뜻으로 쓰인 '짓'입니다. 같은 뜻으로 쓰인 문장은 ①입니다. ②~④는 동사 앞에 붙어 '마구', '함부로', '몹시'의 뜻을 더하였습니다. ⑤는 형용사 '짓궂다'로, '장난스럽게 남을 괴롭고 귀찮게 하여 달갑지 아니하다.'라는 뜻입니다.
6. 호랑 애벌레에게 기둥 꼭대기로 올라가는 일은 운명처럼 정해져 있어서 거기로 향하는 마음을 떨칠 수는 없어요. ① 애벌레들은 풀밭을 떠나 살기는 어렵습니다. ② 다른 애벌레와 어울릴 만한 단서가 보이지 않습니다. ③ 호랑 애벌레가 병들어야 할 이유가 없습니다. ④ 호랑 애벌레는 살아가는 동안 내내 기둥의 꼭대기로 올라가고 싶은 욕망을 떨치지 못합니다.
7. 이야기의 흐름에 따라 중요한 사건만을 간추려야 해요.

어휘력 키우기

다지기 (1) 우승에 끈질기게 매달려 마음을 쏟는 것은 우승을 향한 '집념'입니다.
(2) 굵고 검은 안경테 너머로는 눈빛이 더 점잖고 엄숙해 보이지요. 보기 중 '근엄한'이 적절합니다.
(3) 사과도 없이 잘못을 분명하지 않게 대충 넘기려는 행동은 '얼버무리는' 것입니다.

넓히기 (1) 사방이 막혀 있으면, 즉 '차단'되어 있으면 몹시 더워질 수 있습니다.
(2) 몸 상태가 좋지 않으면 입원하라는 '진단'이 내려지지요.
(3) 문장에서 '결정적으로 내린 판단'과 바꾸어 쓸 수 있는 말은 '결단'입니다.

40 염소 탓, 연과 바람

본문 180쪽

1 ③ 2 (가) 염소, (나) 연, 바람 3 ④
4 ④ 5 ③ 6 내, 강아지, 동생, 나
7 ① 염소, ② 연, ③ 바람

어휘력 키우기

뜻 (1) ㉢ (2) ㉠ (3) ㉡
다지기 (1) 척 (2) 터 (3) 멋쩍은
넓히기 (1) ㉡ (2) ㉠ (3) ㉢

1. (가)에서는 염소 목에 매인 줄에 이끌린 할아버지의 행동이 자유롭지 않아요. (나)에서는 나뭇가지에 걸린 연이 하늘로 자유롭게 날아가지 못하고 있어요.
2. (가)에는 염소 탓을 하며 집으로 돌아가는 할아버지의 모습이, (나)에는 나뭇가지에 걸린 연과 바람의 안타까움이 나타나요.
3. 사람과 사물에 거리를 유지하면서 관찰하면서도, '멋쩍은', '못 이긴 척'처럼 할아버지 마음을 알고 있기도 해요.
4. (나)에서 나뭇가지가 붙잡고, 바람이 애가 타서 놓아주고자 해요.
5. '바람'이 애가 탄다고 했으므로 사람처럼 표현되었다 할 수 있어요.
6. 할머니와 다투고 난 뒤 염소에게 못 이기는 척 이끌려 가는 할아버지의 모습을 떠올려 보고 나의 경험과 관련 지어 써 봅니다.
7. 시에 나타난 낱말을 찾아 넣어 보세요.

어휘력 키우기

다지기 (1) 보고서도 못 본 것처럼 그럴듯하게 꾸민 거짓 태도.
(2) '형편'과 바꾸어 쓸 수 있는 낱말은 보기 중 '터'입니다.
(3) 왠지 어색하고 쑥스러운 상황과 어울리는 낱말은 '멋쩍다'.

넓히기 '말리다'의 여러 뜻을 유심히 살펴봅니다.
(1) 친구가 어떠한 행동을 못하게 하는 것입니다.
(2) 머리에 있는 물기를 날려 없애는 것입니다.
(3) 양말이 신발 속으로 둥글게 접혀 들어간 상황입니다.

어휘·어법 총정리 8주차

본문 182쪽

어휘
1 감시 2 편평하다
3 이듬해 4 집념
5 흩날리다 6 준공
7 말리다 8 터

어법
1 돛대 2 낯선
3 다채롭다 4 애벌레
5 불쾌한 6 짓밟고
7 어느덧 8 멋쩍다

영역	회/주차	1번 (주제찾기)	2번 (제목(글감)찾기)	3번 (사실이해)	4번 (미루어알기)	5번 (세부내용)	6번 (적용하기)	7번 (요약하기)
산문 문학 (　　) /56개	1/04							
	2/09							
	3/14							
	4/19							
	5/24							
	6/29							
	7/34							
	8/39							
	소계	(　　)/8개	(　　)/8개	(　　)/8개	(　　)/8개	(　　)/8개	(　　)/8개	(　　)/8개
운문 문학 (　　) /56개	1/05							
	2/10							
	3/15							
	4/20							
	5/25							
	6/30							
	7/35							
	8/40							
	소계	(　　)/8개	(　　)/8개	(　　)/8개	(　　)/8개	(　　)/8개	(　　)/8개	(　　)/8개
총계		(　　)/40개	(　　)/40개	(　　)/40개	(　　)/40개	(　　)/40개	(　　)/40개	(　　)/40개

※ 이 책의 모든 문항과 유형은 동일 번호(1번→주제찾기, 2번→제목(글감)찾기, 3번→사실이해, 4번→미루어알기, 5번→세부내용, 6번→적용하기, 7번→요약하기)로 통일되어 있습니다.

※ 이 표가 완성되면 자신의 취약 영역과 취약 유형이 한눈에 파악됩니다.

※ 취약 유형은 '문제 유형별 7가지 독해 비법(본책 4-5쪽)'을 다시 한번 숙지하고 다음 단계로 넘어가길 바랍니다.